K.

David Safier

Miss Merkel

Mord auf dem Friedhof

Roman

Kindler

Originalausgabe
Veröffentlicht im Rowohlt Verlag, Hamburg, März 2022

Satz Albertina bei CPI books GmbH, Leck, Germany
Druck und Bindung GGP Media GmbH, Pößneck, Germany
ISBN 978-3-463-00029-9

Die Rowohlt Verlage haben sich zu einer nachhaltigen Buchproduktion verpflichtet. Gemeinsam mit unseren Partnern und Lieferanten setzen wir uns für eine klimaneutrale Buchproduktion ein, die den Erwerb von Klimazertifikaten zur Kompensation des CO_2-Ausstoßes einschließt.
www.klimaneutralerverlag.de

Für Marion, die Liebe meines Lebens.
Für meine wundervollen Söhne Ben und Daniel,
ich liebe euch und bin stolz auf euch.
Für Max, du hast uns so viel Freude bereitet.
Und für meine verstorbenen Eltern,
ich habe nie aufgehört, euch zu lieben.

1

Schlaf, Kindlein, schlaf, der Laschet ist ein Schaf», sang Angela dem kleinen Baby vor, das in dem geblümten Kinderwagen vor ihr lag, *«der Söder ist ein Trampeltier, was kann die arme Angela dafür …»*

Der Kleine schloss endlich die Äuglein, und Angela war erleichtert, dass sie ihren Gesang nun einstellen konnte, während sie die Karre über das hell strahlende Pflaster des Marktplatzes von Klein-Freudenstadt ruckelte. Es reichte schon, dass die Bewohner des kleinen Örtchens sie neugierig betrachteten – mit ihrer um den Bauch gebundenen Blazerjacke und der Bluse, die unter den Ärmeln schon leicht verschwitzt war –, da mussten sie sich nicht auch noch über ihren schiefen Gesang mokieren. Angela war sich ihrer Schwächen nur allzu gewahr. Sie wusste, dass sie keine flammende Rednerin war, und hatte daher stets vermieden, flammende Reden zu halten. Sie wusste auch, dass ihr schulterlange Haare nicht standen, und ging deshalb alle vier Wochen zum Friseur (obwohl sie sich an ihren neuen Friseur Silvio und dessen Hang zum Tratsch erst noch gewöhnen musste – gegen ihn war die *Bild*-Zeitung regelrecht diskret). Vor allen Dingen aber wusste sie, dass sie nicht gut singen konnte. Seit jenem Tag in der sechsten Klasse, an dem ihre Musiklehrerin Frau Pühn sie gebeten hatte: «Angela, sei so gut und sing beim Kanon nicht mehr mit, du bringst alle anderen aus dem Konzept.» Ihr Ehemann Achim hatte ihren Gesang zwar immer freundlich als ‹originell› bezeichnet, doch als sie letztens unter der Dusche *Du hast den Farbfilm vergessen* mitschmetterte, hatte sie gehört, wie er die Tür zu seinem Arbeitszimmer schloss. Nun aber lag vor ihr im Kinderwagen das einzige Wesen auf dieser ganzen globalisierten Welt, das ihren Gesang zu mögen schien: der kleine Adrian Ángel. Seine Mutter Marie hatte ihn mit seinem Zweitnamen nach Angela benannt, zum Dank dafür, dass sie ihr bei der Geburt beigestanden hatte und den Mord an seinem Vater, dem Freiherrn Philipp von Baugenwitz, aufgeklärt hatte. Und dieser kleine Engel war eine Schwäche von Angela. Aber was für eine schöne! Jedes Mal, wenn sie ihn ansah, wurde ihr warm ums Herz. Ach Quatsch, nicht nur ums Herz. Ihre ganze Seele wurde erwärmt! Seine Nähe erfüllte sie so sehr wie ihre größten Triumphe in der Politik. Nur eben völlig anders. Fühlten sich so großmütterliche Gefühle an?

Nie hätte Angela gedacht, dass sich ihr Leben in Klein-Freudenstadt so entwickeln würde. Weder in den glücklichen Momenten noch in den eher langweiligen, die sie auch kannte. Angela hatte nun mal Zeit, um mit dem Kinderwagen spazieren zu gehen, weil sie sonst nichts zu tun hatte. Der Politik hatte sie abgeschworen und den Garten ihres Fachwerkhäuschens in den letzten Monaten mehrfach umgegraben. Ihr neues Hobby, das tägliche Kuchenbacken, hatte sie einstellen müssen. Die beiden Obdachlosen von Klein-Freudenstadt, die stets mit den Reststücken versorgt wurden, hatten schon Dinge gestöhnt wie: «Och, bitte heute mal nicht, ich krieg meine Hose nicht mehr zu.» Oder auch: «Könnten Sie zur Abwechslung nicht mal einen Burger braten?»

Wenn sie es recht bedachte, hatte Angela sich seit ihrer Pensionierung nur dann so richtig lebendig gefühlt, als sie in dem Mordfall ermittelt hatte. Doch wie oft würde in einer Kleinstadt schon eine solche Bluttat geschehen? Klein-Freudenstadt in der Uckermark war ja nicht Cabot Cove aus der Serie *Mord ist ihr Hobby*. In dem Dorf in Maine wurden jede Woche ein bis drei Menschen niedergemetzelt, und somit wurde ganz nebenbei das Problem der CO_2-Emissionen auf originelle Art durch Populationsreduzierung gelöst. Obwohl Angela genau wusste, dass es nicht anständig war, sich weitere Morde in Klein-Freudenstadt zu wünschen, ertappte sie sich bei dem Gedanken, dass ihr ein neuer Fall definitiv Freude bereiten würde.

Sie lächelte kurz bei der Vorstellung, als sie mit dem Kinderwagen an den Marktständen vorbeischuckelte. Am Käsestand türmte sich ein stinkender Rotschmiere-Käse auf dem Tresen, über den selbst Schweizer sagen würden: ‹Damit kann man Kühe einschläfern.› Angela schämte sich für ihren moralisch verwerflichen Wunsch nach neuen Leichen. Tadelnd sagte sie zu sich selbst: «So ein Wunsch ist nicht in Ordnung.»

«Na», ertönte eine Stimme, «führen wir jetzt schon Selbstgespräche?»

Angela erschrak: Sie hatte anscheinend ihren Gedanken laut ausgesprochen. Das war ihr bisher nur einmal passiert, bei ihrer ersten Begegnung mit Donald Trump, als ihr leise herausgerutscht war: «Der ist ja noch oranger als im Fernsehen.» Gut, dass der Dolmetscher damals so geistesgegenwärtig war, ihren Satz mit ‹Orange is her favorite color!› zu übersetzen.

Es musste, dachte Angela, die Kombination aus Hitze und Langeweile sein, die sie dazu brachte, Selbstgespräche zu führen. Das durfte ihr nicht noch mal passieren. Schon gar nicht vor der Frau, die sie eben angesprochen hatte. Es war die Latzhose tragende Frau vom Obststand, die zugleich stellvertretende Kreisvorsitzende der AfD war. Mit ihr verband Angela also rein gar nichts, außer gegenseitiger Abneigung und der Tatsache, dass sie den gleichen Vornamen hatten. Schnell wollte sie vorbeigehen, als die Obstverkäuferin etwas Überraschendes hinzufügte: «Ich möchte mich gerne bei Ihnen entschuldigen!»

Angela konnte sich nicht vorstellen, dass sie gemeint war, und drehte sich nach einer weiteren Person um.

«Ich habe schon Sie gemeint.»

«Und wofür wollen Sie sich entschuldigen?» Angela kam mit dem Kinderwagen näher.

«Jedenfalls nicht dafür, dass ich Ihre Politik kacke fand», grinste die Frau feixend.

«Hätte mich auch überrascht.»

«Oder dass ich mit Vorliebe über Ihre Frisur lästere.»

«Sie tun was?» Angela war empört. Sie mochte ihre Frisur. Sogar sehr!

«Zusammen mit Silvio.»

«Mit Silvio?»

«Dem Friseur.»

«Ich weiß, wer Silvio ist.» Angela hatte Mühe, ihren Zorn zu verbergen. Insbesondere auf den Betreiber des Salons *Haar Kreativ*. Was fiel ihm ein, über sie zu lästern? Nur weil sie stets seine Vorschläge ablehnte, ihr einen neuen Look zu verpassen, der ‹frischer›, ‹moderner› und ‹fashionista› sein sollte. Er hatte sogar das Wort ‹verführerisch› benutzt. ‹Verführerisch›! Es war ja nun wirklich nicht so, dass sie als verheiratete Frau ihres Alters in diesem Leben ständig einen Mann verführen wollte! Und jetzt lästerte er auch noch hinter ihrem Rücken wie die Ministerpräsidenten der Bundesländer in der Coronakrise? Beim nächsten Besuch in seinem Salon würde nicht nur er ihr den Kopf waschen, sondern sie auch ihm!

«Wenn Sie es wissen», grinste die Obstverkäuferin, «warum fragen Sie dann, wer Silvio ist?»

«Ich frage mich, warum ich mich überhaupt mit Ihnen unterhalte.»

«Weil ich mich wirklich entschuldigen will.»

«Dann tun Sie das doch auch.»

«Es fällt mir schwer», druckste Obst-Angela herum.

«Wäre mir gar nicht aufgefallen.»

«Sie haben meinen Lebensunterhalt gerettet. Hätten Sie den Mord an Philipp nicht aufgeklärt, wäre das Schloss an den amerikanischen Investor verkauft worden, und ich hätte nicht mehr das Land pachten können, um meinen Hof zu bewirtschaften. Aber dank Ihnen kann ich weitermachen.»

«Sie sollten Marie danken.» Eigentlich war der kleine Adrian Ángel der Erbe des Familienvermögens, das bis zu seiner Volljährigkeit von seiner Mutter Marie verwaltet wurde. Marie, die vor ein paar Monaten noch Hartz IV bezogen hatte, zeigte keinerlei Interesse an einem Verkauf des Anwesens. Angela wusste, dass es der Obstverkäuferin vermutlich noch schwerer fiel, Marie gegenüber ihren Dank auszudrücken, denn Marie war eine Schwarze und die AfD-Frau nun mal keine Vorkämpferin für die Rechte von Minderheiten.

«Auch das werde ich tun», sagte Obst-Angela und klang dabei überraschenderweise aufrichtig. «Aber erst mal bedanke ich mich bei Ihnen dafür, dass Sie den Mord aufgeklärt haben. Und ich entschuldige mich dafür, dass ich Sie für eine lächerliche Hobby-Detektivin gehalten habe. Sie sind nämlich eine verdammt gute Ermittlerin.»

Angela kämpfte sehr damit, nicht geschmeichelt zu lächeln – und verlor diesen Kampf.

«Wenn es wieder einen Mord gibt, werde ich Ihnen garantiert helfen. Versprochen!»

«Ich glaube nicht, dass es hier in absehbarer Zeit noch mal einen Mord geben wird», antwortete Angela und ertappte sich dabei, wie eine kleine Stimme in ihr sagte: Man soll die Hoffnung nie aufgeben.

«Wohl nicht», grinste die Obstverkäuferin. Und Angela vermutete, dass es der Frau genau deswegen so leichtfiel, ihre Hilfe anzubieten. «Warum schieben Sie eigentlich den Kinderwagen alleine herum? Wo sind denn Ihr Mann, Ihr Hund und Ihr Gorilla?»

Mit ‹Gorilla› meinte sie Angelas Personenschützer Mike. Angela hatte ihn davon überzeugen können, dass sie auch mal alleine durch den Ort gehen konnte. Die Wahrscheinlichkeit, dass sich irgendwelche Attentäter nach Klein-Freudenstadt verirren würden, war nun mal nicht allzu groß. Statt bei Angela zu sein, schraubte Mike gerade das neue Kinderbettchen für Baby Adrian Ángel zusammen. Und er kümmerte sich auch um Putin. Nicht den russischen Präsidenten, sondern um Angelas Mops gleichen Namens. Sie hatte den Hund nicht mitgenommen, da er auf Spaziergänge in der Sommerhitze genauso wenig stand wie Peter Altmaier auf Treppensteigen. Außerdem reagierte Putin eifersüchtig, wenn Angela sich dem Baby zu sehr zuwandte. Einmal, als Angela dem kleinen Adrian besonders lange vorgesungen hatte, hatte Putin aus Protest sogar in die Wohnzimmerecke ein Häufchen gemacht. In dem Augenblick wurde ihr klar, wie eifersüchtig ihr Mops war, auch wenn Mike ganz leise vor sich hingemurmelt hatte: «Könnte auch am Gesang liegen.» Seitdem gab Angela ihrem kleinen ‹Hasemasen›, wie sie Putin nannte, besonders lange Kuscheleinheiten, damit er sich nicht vernachlässigt fühlte.

Und ihr Ehemann? Nun, der war gerade auf seiner jährlichen, dreiwöchigen Wandertour in den Pyrenäen mit seinem alten Studienkollegen Tommy. Angela vermisste ihren Achim so langsam. Auch dies war neu für sie: Früher, als sie in der ganzen Welt unterwegs gewesen war, hatte stets sie ihren Mann in Berlin zurückgelassen. Er hatte sich nie beschwert, aus Höflichkeit hätte er es aber ruhig ab und an mal tun können, dann hätte sie nicht zwischendrin den Verdacht gehegt, es passe ihm ganz gut in den Kram, dass sie so viel weg war und er sich seinen Passionen wie der Quantenchemie, der Rockmusik der 60er-Jahre und dem *Scrabble*-Spiel widmen konnte. Jedenfalls nahm Angela sich vor, jetzt ebenfalls nicht zu murren, obwohl sie sich schon ein wenig einsam fühlte, wenn sie nachts so ganz allein im Bett lag. Es wurde Zeit, dass Achim wieder nach Hause kam. Aber leider würde das noch eine Woche dauern.

«Alles in Ordnung?», fragte Obst-Angela, erstaunlicherweise ohne jede Gehässigkeit. Dennoch wollte Angela ihr keinen Einblick in ihre private Gefühlswelt geben. Daher antwortete sie: «Das ist nur die Hitze.»

«Heute ist es klüger, im Schatten zu bleiben. Am besten zu Hause bei geschlossenem Fenster und mit einem Gin Tonic auf Eis.»

«Der Kleine schläft aber beim Spazierengehen immer ein.»

«Und seine Mama braucht ihren Schlaf?», fragte die Frau, wieder ohne auch nur einen Ansatz von Gehässigkeit.

«Und wie.»

«Gehen Sie auf dem Friedhof spazieren. Die großen Bäume dort spenden Schatten.»

«Danke für den Hinweis.»

«Gern geschehen.»

Die beiden Frauen lächelten sich unsicher an. Sie mochten sich natürlich immer noch nicht, aber sie konnten sich nun schon ein kleines bisschen besser leiden.

Angela verabschiedete sich mit einem «Bis bald», halb in der Erwartung, als Antwort ein «Hoffentlich nicht» zu hören, aber die Marktfrau sagte ebenfalls «Bis bald».

Der Friedhof lag hinter der Kirche, auf die Angela nun zusteuerte. Dabei zuppelte sie am Sonnenschutz des Kinderwagens, obwohl das schlafende Baby im Schatten lag, aber sicher war sicher. Angela betrachtete verzückt das kleine Wunder des Lebens, wie sich der kleine Brustkorb hob und senkte. So zart. So zerbrechlich. Und im wahrsten Sinne des Wortes liebenswert – wert, geliebt zu werden.

In diesem Augenblick, als sie in die kleine Gasse neben der St.-Petri-Kirche bog, ahnte Angela noch nicht, dass sie gleich auf eine Person treffen würde, die sie am nächsten Morgen auf ebenjenem Friedhof tot auffinden würde. Und sie ahnte ebenfalls nicht, dass sie vorher einem attraktiven Mann begegnen würde, der sie über Silvios Vorschlag hinsichtlich einer ‹verführerischen› Frisur neu nachdenken ließ. Aber vor allen Dingen ahnte sie nicht, dass das liebenswerte, schlafende Baby schon bald in höchste Gefahr geraten würde.

2

Natürlich war Angela schon mal auf dem St.-Petri-Friedhof gewesen. Klein-Freudenstadt konnte man schließlich innerhalb von eineinhalb Stunden komplett begehen. Die meiste Zeit würde ein Spaziergänger dabei auf dem besagten Friedhof verbringen, denn dieser war überraschend groß. Offenbar machte sich hier niemand die Mühe, alte Gräber auszuheben, um Platz für neue zu schaffen. Lieber baute man einfach an, denn wenn es in der Uckermark von etwas genug gab, dann war das Platz. Im Schatten der Bäume atmete Angela auf. Dieser Friedhof war wirklich ganz besonders schön. Wenn sich tatsächlich einmal ein Großstädter hierherverirren sollte, würde er vielleicht sagen: «Hier möchte ich tot über dem Zaun hängen.»

Der Friedhof bestand aus zwei Haupt- und dreizehn Nebenwegen, schätzungsweise tausend Gräbern, darunter drei Mausoleen und einer kleinen von Efeu umrankten Kapelle mit wunderschön bemalten Glasfenstern. Sogar einen kleinen See gab es hier, an dessen Rundweg Gräber aus der Kaiserzeit standen. Überall wuchsen Rhododendren, Azaleen und Rosensträucher, und darüber wölbten sich die ausladenden Zweige der alten Kastanienbäume. Angela hatte das Gefühl, dass es hier mindestens fünf Grad kühler war – was immer noch über 32 Grad bedeutete. Im Vorbeigehen betrachtete sie die Grabsteine. Die Gräber am Anfang des Friedhofs stammten aus früheren Jahrhunderten, bei fast allen stellte Angela fest, dass die Menschen damals recht jung starben. Schlucken musste sie, als sie den Grabstein eines Kindes namens Juliana Blume passierte, die vom 11.12.1712 bis zum 3.3.1719 gelebt hatte. Damit war sie deutlich kürzer auf der Welt gewesen, als Angela regiert hatte. Sie seufzte, so viele Kinder sind früher vorzeitig verstorben. Wie ungerecht es war, in welche Zeit und an welchen Ort man geboren wurde.

Um sich abzulenken, sah Angela hoch zu den Baumwipfeln, durch die die Sonnenstrahlen funkelten und auf deren Ästen niedliche Vögel mit roten Bäuchen saßen. Waren es Rotkehlchen? Oder Gimpel? Achim hätte das im Gegensatz zu ihr gewusst. Hach, jetzt vermisste sie ihn nicht nur nachts, wenn sie allein im Bett lag, sondern auch schon tagsüber.

Sehnsüchtig dachte sie an ihren Achim, jedenfalls bis zu dem Augenblick, als sie auf einem der Nebenwege einen Mann auf einer Bank sitzen sah. Der Mann saß ganz entspannt da mit überkreuzten Beinen und hatte sie noch nicht bemerkt. Er war vollkommen in ein Buch vertieft. Sie kniff die Augen zusammen und spähte auf das Cover, war aber noch zu weit entfernt, um es zu erkennen. Aber es musste ein gutes Buch sein, wenn der Mann alles um sich herum vergaß. Sie bog in einen kleinen Nebenweg, um sich dem Fremden unauffällig zu nähern. Was sie nun von dem Cover ausmachen konnte, erinnerte sie an eines ihrer Lieblingsbücher: *Shakespeare exhumiert.* Es war ein Werk über Emilia Bassano, jene Frau, von der einige Theaterwissenschaftler annahmen, sie wäre die wahre Autorin von Shakespeares Werken gewesen. Angela liebte historische Geheimnisse fast so sehr wie Mordfälle, und keines faszinierte sie mehr als die Frage, ob der nicht studierte Sohn eines Handschuhmachers namens William Shakespeare wirklich der Urheber der genialen Theaterstücke war oder ob er als Strohmann für eine Person diente, die anonym bleiben wollte. Es gab regelrechte Denkschulen dieser Strohmann-Theorie, und jede hatte eine andere Person als ‹wahren› Autor ausgemacht: den Earl of Oxford, den Earl of Rutland, den Earl of Southampton, Francis Bacon, der kein Earl war, dafür aber Viscount, und, und, und. Jede dieser Schulen hielt die Theorien der anderen selbstverständlich für komplett absurd. Für Angela war die faszinierendste Hypothese jene, dass Emilia Bassano die Werke verfasst und William Shakespeare gegeben hatte, damit sie unter seinem Namen erschienen. Dafür hätte Emilia gleich mehrere Motive besessen. Sie war eine Frau und noch dazu eine junge Hofdame: Es galt als ungehörig, Theaterstücke zu verfassen. Zudem war Emilia eine Schwarze und außerdem Jüdin – weitere Gründe in der damaligen Zeit, ihre Werke abzulehnen. Und eben weil Angela wusste, wie schwer es selbst Jahrhunderte später noch war, sich erfolgreich gegen Männer durchzusetzen, faszinierte sie die Hypothese, diese Frau könnte Texte wie *Hamlet*, *Was ihr wollt* sowie Angelas absolutes Lieblingsstück *Ein Sommernachtstraum* geschrieben haben.

Mit ihrem Mann Achim konnte Angela über ihre kleine Shakespeare-Obsession zwar reden, aber sie merkte immer, dass er nach etwa drei Minuten glasige ‹Ich tue so, als ob ich dir zuhöre, bin aber in Gedanken ganz woanders›-Augen bekam. Sie konnte ihm das nicht vorwerfen, denn wenn Achim über seine Steckenpferde sprach, über seine Faszination für *Scrabble* zum Beispiel, hielt sie noch nicht einmal drei Minuten durch. Aber im Gegensatz zu ihr hatte Achim seinen Studienfreund Tommy, mit dem er stundenlang über die perfekte *Scrabble*-Taktik plaudern konnte. Wie zum Beispiel jetzt auf ihrer Wanderung durch die Pyrenäen. Angela hingegen konnte sich stundenlang über Emilia Bassano unterhalten mit … exakt niemandem. Aus diesem Grund war ihre Neugierde geweckt. Sie musste unbedingt herausfinden, ob der Mann tatsächlich *Shakespeare exhumiert* las!

So bog sie wieder ab, nun in den Weg, der direkt an der Bank vorbeiführte. Langsam näherte sie sich dem Lesenden, der noch immer ganz in sein Buch vertieft war. Der drahtige Mann war in etwa so alt wie sie. Er hatte silbernes Haar, trug eine verwaschene Jeans und ein schwarzes

T-Shirt. Seine Arme waren braun und muskulös. Kurzum, er sah aus wie ein Schauspieler, der in französischen Filmen der Siebzigerjahre einen Actionhelden dargestellt hatte und heutzutage den Typ verwegener Außenseiter spielte, der verwitweten Frauen den Kopf verdrehte, woraufhin sie gegen den Willen ihrer erwachsenen Kinder noch mal aus ihrem Alltag ausbrechen. Und ja, er hielt tatsächlich das Buch *Shakespeare exhumiert* in der Hand!

Plötzlich wurde Angela ganz aufgeregt. Sollte sie ihn auf das Buch ansprechen? Sie würde so gerne mit jemandem über Emilia Bassano reden. In so einer Lage war sie noch nie gewesen: einen wildfremden Mann einfach so anzureden. Sie wusste gar nicht, wie das ging – selbst Achim war ihr auf einer Doktorandenfeier vorgestellt worden. Vielleicht würde er aufsehen und sie ansprechen? Immerhin war sie eine Ex-Kanzlerin, so einer begegnete man nicht jeden Tag. Genau, sie würde einfach den Kinderwagen langsam an ihm vorbeischieben, dann würde er schon etwas sagen!

Angela war nun schon auf der Höhe der Bank, und …

… er sagte nichts. Auch nicht, als sie ihre Schritte noch mehr verlangsamte, um ihm eine Chance zu geben, sie wahrzunehmen. Selbst als sie neben der Bank, keine zwei Meter von ihm entfernt, mit dem Kinderwagen stehen blieb und das Sonnensegel richtete, blickte er nicht auf.

Da Angela sich nicht traute, die Initiative zu ergreifen, setzte sie ihren Weg fort. Und weil sie einen eisernen Willen besaß, schaffte sie es auch, sich nicht umzudrehen … zumindest für etwa zwanzig Meter der Wegstrecke. Dann warf sie doch einen Blick über die Schulter und stellte fest, dass der Mann noch immer hoch konzentriert in das Buch blickte. Sie kam sich albern vor. Wovor hatte sie eigentlich Angst? Warum sprach sie ihn nicht einfach an? Es war doch nichts dabei!

Entschlossen drehte sie den Wagen um und schob ihn wieder in Richtung des Lesenden.

Sie brauchte einen Plan. Sollte sie einfach ‹Hallo› sagen oder besser

‹Guten Tag›? Für einen kleinen verrückten Moment malte sie sich aus, dass sie ihm mit dem Wagen über die Füße fuhr. Dann könnte sie ‹Oh, Verzeihung› sagen und hoffen, dass sich daraus ein Gespräch entspann. Am Ende entschied Angela sich dafür, ihn auf das anzusprechen, was sie beide ganz offensichtlich verband. Deshalb sagte sie, als sie wieder bei der Bank angekommen war, einfach nur: «Emilia Bassano?»

Der Mann blickte von seinem Buch auf.

«Sie lesen das Buch über Emilia Bassano», stellte Angela lächelnd fest, und der Mann …

… lächelte zurück.

Oh mein Gott, was für ein Lächeln! Es war das Lächeln des ehemaligen drahtigen Actionhelden, der im Alter als verwegener Außenseiter Witwen die dritte Blüte des Lebens bereitete. Sehr gut, dass Angela keine Witwe war. Dennoch verunsicherte sie das Lächeln auf eine Weise, die sie selbst bei ihrer ersten Begegnung mit Achim nicht empfunden hatte. Achims Lächeln war einfach nur unglaublich süß gewesen.

«Sie kennen sich mit Emilia Bassano aus?», lächelte der Mann noch mehr, und seine blauen Augen strahlten dabei.

«Ja», antwortete Angela und staunte, dass sie keine längere Antwort herausbekam. Lag es an dem Lächeln? Nein, es musste die Hitze sein! Vermutlich war sie einfach nur ein klein wenig dehydriert.

«Ich», sprach der Mann nun weiter, «bin von der These, dass sie Shakespeares Werke geschrieben haben könnte, unglaublich fasziniert. Die Hinweise leuchten einem so sehr ein. Eine gebildete Frau wie Emilia mit ihrem musikalischen Hintergrund war doch viel eher in der Lage, diese Stücke zu verfassen, als Shakespeare, der einfache Mann vom Land. Emilia hatte an vielen Schauplätzen der Stücke selbst gelebt. Sogar für ein Jahr auf einem dänischen Schloss, das so beschrieben wird wie jenes in *Hamlet*. Shakespeare hingegen war nie in Dänemark gewesen. Und dann war sie später sogar die erste Frau überhaupt, deren Werke gedruckt wurden …»

Je mehr der Mann redete, desto weniger bekam Angela von seinen Worten mit. Aber nicht etwa aus Desinteresse wie bei Achims *Scrabble*-Vorträgen, natürlich nicht, sondern weil sie so gefangen von der Begeisterung des Mannes war. Er sprach über das Thema mit einer Intensität, die von Herzen kam. Und dann noch diese Stimme! Als hätte er jahrzehntelang *Gauloises* geraucht, aber paradoxerweise auf eine gesunde Weise. Würde Angela die Kategorie ‹erotisch› zulassen, hätte sie diese Stimme gewiss als solche empfunden.

Der Mann bemerkte, dass Angela mit ihren Gedanken davonwanderte, unterbrach sich und stand auf: «Verzeihen Sie, ich habe mich noch gar nicht vorgestellt. Ich heiße …»

Angela erwartete einen Namen wie Jean-Paul Aramis.

«… Kurt Kunkel.»

Aramis hätte besser geklungen.

«Und ich bin …», hob sie an.

«Ich weiß, wer Sie sind», unterbrach der Mann namens Kurt Kunkel schmunzelnd. Ein sympathisches Schmunzeln! «Sie interessieren sich also auch für Shakespeare?»

«Sehr sogar», antwortete Angela.

«Wie alle Frauen, die Sinn für die Künste haben», sagte der Mann aufrichtig, ohne einen Hauch von Schleimerei.

Angela kicherte ob des Kompliments verlegen wie ein Schulmädchen. Schon einen Augenblick später wunderte sie sich über sich selbst: Seit wann kicherte sie wie ein Schulmädchen? Selbst als Schulmädchen hatte sie nicht wie ein Schulmädchen gekichert.

«Ich», sprach der Mann nun weiter, «würde mich außerordentlich freuen, wenn wir beide bald unser Gespräch über Shakespeare fortsetzen könnten. Vielleicht bei einem Glas Rotwein?»

«W… was?», staunte Angela.

«Ich kenne niemanden, mit dem ich mich über Emilia austauschen kann.»

«Ähem, wir könnten uns doch auch jetzt unterhalten», schlug Angela vor. Der Gedanke, sich mit diesem Mann auf ein Glas Wein zu verabreden, kam ihr in etwa so waghalsig vor, wie mit einem Motorrad über den Grand Canyon zu springen.

«Leider ist meine Arbeitspause gleich vorbei», erwiderte Kurt Kunkel – der, wie Angela fand, wirklich besser Jean-Paul Aramis hätte heißen sollen.

«Was arbeiten Sie denn?», fragte Angela.

«Ich habe einen Beruf, bei dem ich mir wünsche, dass wir uns nicht so bald begegnen.»

«Bestatter», lächelte Angela, die rasch eins und eins zusammengezählt hatte.

«Also, Frau Merkel, hätten Sie morgen Abend Zeit, um sich mit mir über Shakespeare auszutauschen?»

Wie sehr wünschte sich Angela ein anregendes Gespräch über ihr Steckenpferd. Und Zeit hatte sie morgen Abend auch. Achim war noch in den Pyrenäen. Was hielt sie also davon ab?

«Leider passt es bei mir morgen nicht.» Sie wollte sich nicht hinter Achims Rücken mit einem Mann verabreden, den sie kaum kannte. So etwas machte man nicht.

«Was haben Sie denn vor?», fragte Aramis freundlich und brachte Angela damit ein wenig aus dem Konzept. Jahrzehntelang hatte ihre Büroleiterin die Anfragen für Termine abgewimmelt, wenn zum Beispiel Viktor Orbán mal wieder anrief. Sie selbst hatte nie zu einer Notlüge greifen müssen. Doch nun gab es weder Angestellte, die für sie schwindelten, noch glaubwürdige Ausreden wie ‹Ich muss den EU-Gipfel vorbereiten›. Daher antwortete Angela nur: «Dies und das.»

«Dies und das?»

«Ja.»

«Und was bedeutet ‹dies und das›?»

«Nun …», war Angela um Worte verlegen.

«Ja?»

«Das und dies.»

«‹Das und dies› bedeutet ‹dies und das›?»

«Exakt», bestätigte Angela und hoffte, dass sie nicht so dumm wirkte, wie sie sich selbst gerade fühlte.

«Wissen Sie was?», fragte Aramis.

«Was?»

«Ich habe Sie durchschaut.»

«Ah ja ...?» Angela wurde mulmig. Warum stellte sie sich nur so dämlich an?

«Auch als Ex-Kanzlerin müssen Sie sich noch mit Staatsangelegenheiten beschäftigen. Und von denen wollen und dürfen Sie mir natürlich nichts erzählen.»

Schön, sie war also doch nicht so einfach zu durchschauen!

«Aber falls Sie morgen doch Zeit finden sollten oder ein anderes Mal, dann rufen Sie mich bitte an.» Aramis zückte sein schwarzes, verbeultes Leder-Portemonnaie aus seiner hinteren Hosentasche und zog eine schlichte, schwarz umrandete Visitenkarte mit der Aufschrift *Beerdigungsinstitut Kunkel, seit 1812* heraus. Er überreichte sie Angela, die kurz draufblickte und sagte: «Ein Familienunternehmen?»

«Von Vater zu ältestem Sohn schon seit sechs Generationen.»

«Und wird es eine siebte geben?»

«Das wird sich zeigen.» Für einen kurzen Moment verdüsterte sich seine Miene. Anscheinend, so kombinierte Angela, gab es Schwierigkeiten mit dem ältesten Sprössling. Welcher Natur diese waren, ging sie natürlich nichts an. Für eine Detektivin war Neugierde eine gute Eigenschaft, für eine Privatperson nicht. Sie fühlte sich ein klein wenig schuldig, Aramis die Laune verhagelt zu haben, obwohl dies nicht ihre Absicht gewesen war. Sie wollte es wiedergutmachen, deshalb sagte sie: «Ich bringe Ihnen bei Gelegenheit mal ein Werk von James Shapiro vorbei, darin geht er sämtlichen Theorien nach, wer der Autor von Shakespeares Werken in Wahrheit sein könnte.»

«Das würde mich sehr freuen.» Aramis konnte wieder lächeln.

Mannomann, was für ein Lächeln!

«Kunkel!», dröhnte plötzlich eine Stimme, die ebenfalls klang, als ob jemand sein Leben lang *Gauloises* geraucht hätte, in diesem Fall hatten die Zigaretten allerdings ihr ungesundes Werk verrichtet und waren dabei von jeder Menge hochprozentigem Alkohol unterstützt worden.

Erneut verschwand das Lächeln aus Aramis' Gesicht, er wirkte genervt. Angela und er wandten sich um in Richtung Hauptweg. Von dort näherte sich ein Mann mit verschwitztem langem Haar, ungepflegtem Bart und in verdreckter dunkelgrüner Gärtnermontur, die das seltene Kunststück fertigbrachte, an einigen Stellen zu eng und an anderen viel zu weit zu sein. Schwankenden Schritts kam er näher, seine Alkoholfahne hatte sie bereits erreicht. Sein Alter war schwer zu bestimmen, aber Angela dachte, dass dieser Mann bestimmt nur noch wenige Lebensjahre vor sich hatte. Dass dies der letzte Tag seines Lebens sein sollte, konnte Angela zu diesem Zeitpunkt noch nicht ahnen.

«Kunkel!», brüllte der Gärtner wieder, obwohl er nur noch drei Meter entfernt war.

«Ich nehme an», sagte Angela zu Aramis, «das ist Ihr Arbeitstermin.»

«Ja. Manchmal ist meine Arbeit nicht schön.»

«‹Manchmal›?», entfuhr es Angela, da sie sich nicht vorstellen konnte, dass irgendetwas am Bestatterberuf schön sein konnte.

«Oh ja, es kann erfüllend sein, Angehörigen einen Abschied von einem geliebten Menschen zu bereiten.»

«Selbstverständlich», antwortete Angela etwas beschämt, dass sie nicht selbst darauf gekommen war. Zugleich gefiel ihr, wie ernst Aramis seine Aufgabe nahm, anderen in einem schweren Moment im

Leben Trost zu spenden. Es gab viel sinnlosere Berufe als diesen – Oppositionsfraktionsführer zum Beispiel – und nur wenig wertvollere.

«Hey, Kunkel, ich rede mit dir!» Der Gärtner baute sich vor ihm auf, es war ihm völlig einerlei, dass eine Ex-Kanzlerin danebenstand. Er war so in Rage, er hätte wohl auch nicht auf einen Seelöwen reagiert, der ein Meerschweinchen auf seiner Nase balanciert hätte. «Wann zahlst du deine Rechnung?»

«Nie!», funkelte Aramis den Mann zornig an. Angela erschrak ein wenig. Aramis wirkte zwar immer noch wie ein ehemaliger französischer Actionheld, aber nun wie einer, der gleich einen Terroristen vom Wolkenkratzer schubsen würde.

«Wenn du nicht zahlst», raunte der Gärtner, «ramm ich dich unangespitzt in den Boden.»

«Das drohst du Maulheld jedem an», antwortete Aramis nun ganz kühl.

Der Gärtner antwortete nicht, aber er bebte vor Wut.

«Damit kannst du vielleicht andere einschüchtern», redete Aramis mit eisiger Stimme weiter. Angela lief trotz der Hitze ein Frösteln über den Rücken. Dem Gärtner ging es wohl ähnlich, denn er drehte sich um und ging wortlos davon. Als er wieder auf dem Hauptweg war, seufzte Aramis und sackte in sich zusammen. Für einen Augenblick erschien er nicht mehr wie ein ehemaliger Actionstar, sondern wie ein alter Mann, der unter der Last der Jahre und der Welt litt. Angela, die eben noch von seinem Furor erschrocken war, spürte plötzlich Mitgefühl mit ihm. Am liebsten hätte sie Aramis gefragt, ob alles in Ordnung sei, und ihm vielleicht sogar ihre Hand tröstend auf die Schulter gelegt. Aber das wäre unangemessen gewesen. Schweigend stand sie neben ihm und war fast dankbar, als der kleine Adrian Ángel anfing zu weinen. Sie ging zu ihm, ruckelte den Wagen und begann zu singen: *«Schlaf, Kindlein, schlaf, der Gärtner ist ein Schaf …»*

Da musste Aramis ein wenig lächeln. Und Angela freute es, dass sie ihn aufmuntern konnte. Fast so sehr wie über die Tatsache, dass das Baby schon wieder etwas leiser quäkte. So sang sie weiter: *«… die Angela muss weitergehen …»*

«Schade», lächelte Aramis, während der Kleine die Äugelein wieder schloss.

«… die Mama will ihr Baby sehen …»

«Ich bin mir nicht ganz sicher, ob der Text so stimmt.»

«Ganz gewiss nicht», sang Angela das Lied zu Ende.

Aramis lachte nun.

Mein Gott, sein Lachen war noch wunderbarer als sein Lächeln!

Angela erschrak über sich selbst. Sie neigte nicht zur Schwärmerei. Solche Gedanken waren ihr fremd, auch dieses Vibrieren im Magen kannte sie nicht. Achims Lachen war natürlich auch wunderbar für sie. Aber eher auf eine süße Weise und nicht so sehr auf eine anziehende und männliche Art.

«Es tut mir leid», sagte Aramis, «dass Sie das eben mitanhören mussten.»

«Sie mussten doch auch meinen Gesang ertragen.»

Wieder lachte er. Und wieder vibrierte es in Angelas Magen.

«Es ist schwer zu erklären, was es damit auf sich hat.»

Als Ermittlerin hätte Angela sofort ‹Versuchen Sie es doch mal› geantwortet, aber sie wollte nicht indiskret wirken. Es war deutlich zu spüren, dass Aramis nicht weiter darüber reden mochte. Ihr Blick fiel auf seine schlichte Armbanduhr, und als sie das Ziffernblatt las, bekam sie einen Schreck: Sie hatte Marie versprochen, schon vor fünfzehn Minuten zu Hause zu sein. Gewiss würde sie sich Sorgen um ihren Kleinen machen.

«Schon in Ordnung», sagte Angela schnell und fügte hinzu: «Ich muss jetzt leider wirklich los.»

«Sie haben ‹leider› gesagt», lächelte Aramis, dieses Mal ganz bewusst charmant.

«Habe ich das?», stammelte Angela.

«Ja, das haben Sie.»

Angela lächelte zurück, brachte aber kein Wort mehr heraus. Deshalb schnappte sie sich den Kinderwagen und ging los.

Aramis rief ihr hinterher: «Sie bringen mir aber bald das Buch vorbei?»

«Ja … selbstverständlich», antwortete Angela, ohne sich umzudrehen.

«Ich freue mich darauf.»

Ohne ein weiteres Wort schob Angela den Kinderwagen in Richtung Ausgang. Sie erwischte sich dabei, wie sie vor sich hinlächelte. Und sich ihrerseits auch darauf freute, Aramis das Buch zu bringen.

3

Aber sofort meldete sich ihr schlechtes Gewissen: War es überhaupt angemessen, zu einem quasi fremden Mann nach Hause zu gehen, wenn der eigene im Wanderurlaub war? Auch wenn es nur darum ging, ein Buch abzugeben? Zumindest musste sie Achim bei ihrem abendlichen Videotelefonat davon erzählen.

Kaum hatte sie diesen Entschluss gefasst, versetzte sie etwas in Erstaunen: Direkt an dem Weg, der zu dem kleinen See führte, stand ein Grabmal, das aussah wie eine abgeschnittene schwarze Pyramide. Das zentrale Fenster des geschmacklich fragwürdigen Mausoleums war mit einem Mann mit Perücke bemalt. Vor allem verblüfften Angela allerdings die abgebrannten Fackeln, die davor in einer Art Spalier im Boden steckten. Dreizehn Stück, zählte sie. Zwölf bildeten den Weg, und die dreizehnte lag auf der obersten von sechs Treppenstufen, die zum Mausoleum führten. Was für ein dramatisches Arrangement, wunderte sich Angela. Sie sah genauer hin und entdeckte Fußspuren. Hier hatten sich vor Kurzem mehrere Menschen mit Fackeln versammelt. Ein Begräbnis konnte es allerdings nicht gewesen sein, denn der Kaufmann Bengt Jakob Hachert, der der weißen, ein wenig verwitterten Inschrift zufolge hier seine letzte Ruhestätte hatte, war bereits vor Jahrhunderten verstorben. Wer also zündete Fackeln auf einem Friedhof an? Und vor allem: warum?

Ein Rätsel. Kein Mord. Aber immerhin ein Rätsel! Es regte Angelas

Neugier an, und sie nahm sich vor, es zu lösen, um sich die Zeit zu vertreiben. Kurz spielte sie mit dem Gedanken, umzukehren und Aramis dazu zu befragen, aber als sie sich umdrehte, saß er nicht mehr auf der Bank.

Er stand ein paar Meter weiter gemeinsam mit …

… einer wesentlich jüngeren Frau!

Sie war schätzungsweise Mitte dreißig, trug einen schwarzen Hosenanzug und hatte ihre blonden Haare zu einem Pferdeschwanz zusammengebunden. Aramis umarmte sie gerade, als ob er sie tröstete. Waren die beiden ein Paar? Selbst wenn, dachte Angela, es sollte ihr völlig egal sein, ob es sich bei der Frau um eine Trauernde handelte, um Aramis' Freundin oder gar um seine Ehefrau.

Der Bestatter wischte ihr eine Träne aus dem Gesicht. Sie löste die Umarmung und ging eilig davon. Aramis rief ihr noch nach: «Keine Sorge, sie wird nie davon erfahren.» Dabei fuhr er sich selbst mit der Hand über die Augen. Hatte er ebenfalls geweint?

Angela rief sich zur Ordnung: Es ging sie nichts an. Wenn sie nicht aufpasste, würde sie noch zu einer Rentnerin, die sich vor lauter Langeweile Geschichten über andere Leute zusammenreimte.

Angela hatte inzwischen fast den Ausgang erreicht und beschloss, sich auf das Rätsel des schwarzen Grabmals zu konzentrieren. *Das Rätsel des schwarzen Grabmals,* kam Angela in den Sinn, das hätte gut der Titel eines Krimis der von ihr hochgeschätzten Dorothy L. Sayers sein können.

Also, wer trug in der Regel Fackeln? Nationalisten! Die hatten daran genauso Freude wie an Stechschritten, Flaggen und albernen Uniformen. Ob der vor Jahrhunderten verstorbene Kaufmann also für Nationalisten eine Bedeutung hatte?

Auf dem Parkplatz hinter dem Friedhof angekommen, wurde Angela erneut von ihrem Rätsel abgelenkt. Denn dort stand der Gärtner zusammen mit einem älteren Mann, der in vielerlei Hinsicht aussah wie das exakte Gegenteil von Aramis. Er trug einen schwarzen Nadelstreifenanzug, hatte eine Rolex am Arm und lehnte an einem Porsche-Cabriolet. Mit seinen nach hinten gegelten Haaren und dem sonnenstudiogebräunten Gesicht konnte man fast glauben, er wäre einem Mafia-Alterswerk von Martin Scorsese entsprungen. Im Gegensatz zu Aramis war dieser Mann nicht in Würde gealtert. Dafür verband die beiden offensichtlich ihre Abneigung gegen den Gärtner. Dieser überreichte ihm gerade ein Polaroidfoto – was darauf zu sehen war, war für Angela aus der Entfernung nicht auszumachen.

Worüber die beiden Männer sprachen, konnte Angela zwar nicht verstehen, da der Motor des Porsche röhrte, aber an seiner Miene war abzulesen, dass er den Gärtner am liebsten …

… ja, unangespitzt in den Boden gerammt hätte.

Nun stieg der Gärtner in einen verdreckten VW Käfer und knatterte davon. Der gegelte Mann brauste mit seinem Porsche ebenfalls vom Parkplatz. Und Angela dachte sich: Auf diesem Friedhof liegen anscheinend ein paar Leichen im Keller.

4

Flotten Schritts eilte Angela mit dem Kinderwagen durch das Tor des Schlosses Baugenwitz in den Innenhof mit dem wunderschönen Brunnen. Ihre Stirn war von der Hitze schweißbedeckt, aber sie wollte sich auf keinen Fall noch mehr verspäten. Marie machte sich mittlerweile gewiss schon größte Sorgen um Adrian und Mike bestimmt um seine Schutzbefohlene. Garantiert würden die beiden sie gleich fragen, warum sie so spät war. Und dann müsste sie antworten: «Weil ich mich sehr gut mit einem fremden Mann unterhalten und darüber die Zeit vergessen habe.» Darauf würde Marie schelmisch so etwas fragen wie: «Ein fremder Mann? Sah er denn gut aus?» Und dann würde Angela versuchen abzuwiegeln, wie sie es bei den Bundespressekonferenzen zu tun pflegte, wenn Journalisten auf peinliche Fehltritte ihrer Minister hinwiesen. Doch Marie war eine Freundin, und bei ihr könnte Angela nicht einfach mit dem Hinweis auf einen Folgetermin die Fragestunde beenden. Sie konnte nur hoffen, dass Mike das Gespräch unterbrechen würde, um ihr vorzuwerfen, dass Angela sich mit einem Mann unterhalten hatte, der nicht vorher von ihm durchleuchtet worden war. Leider würde sie sich bei dieser Gelegenheit eine Moralpredigt von ihrem Bodyguard anhören müssen, dass man sie eben nicht allein durch den Ort gehen lassen dürfe und er ihr aus Sicherheitsgründen in Zukunft wieder auf Schritt und Tritt folgen werde.

Am liebsten wäre Angela umgekehrt.

Die Kühle der Eingangshalle empfing sie, und augenblicklich ging es ihr wieder besser. Die stechende Sonne hatte ihr auf dem Rückweg zugesetzt. Die Luft hier drin roch zwar etwas muffig, und es stand zu vermuten, dass in etwa so viele Schimmelsporen herumflogen wie in jenem DDR-Plattenbau, in dem sie als Studentin gewohnt hatte. Sie nahm den Korb mit dem schlafenden Baby aus dem Hightech-Wagen, der aussah, als hätte Elon Musk ihn erfunden. Sie war stolz, dass sie mittlerweile mit der komplizierten Vorrichtung gut zurechtkam. Dann drückte sie ihren Rücken durch und ging durch die Schlosshalle, entschlossen, das Gespräch mit Aramis als das darzustellen, was es war: eine ganz normale zufällige Bekanntschaft, die man als normaler Mensch halt so macht. Und wenn jemand kontern würde, dass sie kein normaler Mensch sei, gäbe es eine wunderbare, philosophische Diskussion darüber, ob Ex-Kanzlerinnen, die Mordfälle lösten, normale Menschen sein könnten. Wunderbar würde diese Diskussion einzig und allein aufgrund des Umstands sein, dass sie dann keine weiteren Fragen über den fremden Mann würde beantworten müssen.

Marie hatte sich ihr neues Wohnzimmer im Westflügel eingerichtet. Die junge Mutter wollte verständlicherweise nicht den Wohnbereich des kürzlich ermordeten Ehepaars Baugenwitz beziehen. Überhaupt hatte sie kein großes Interesse an all den hohen und großen Räumen, in denen man – wie sie sich ausdrückte – Basketballturniere austragen könnte. Stattdessen hatte sie sich eine kleine gemütliche Dachbodenkammer, in der vormals Dienstboten gewohnt hatten, als Schlafzimmer ausgesucht und einen angrenzenden Raum zu ihrem Wohnzimmer gemacht. Den einzigen Luxus, den Marie sich neben dem hochmodernen Kinderwagen geleistet hatte, war ein gigantischer Flachbildfernseher. Auf dem wollte sie ihr Kind, wenn es etwas größer war, in die Welt der Kultur einführen: von *Frozen* über *Toy Story* bis hin zu *Star Wars*. Angela mochte die junge Mutter wirklich sehr, aber ihr Verständnis von Kultur war ein gänzlich anderes. Letzte Woche hatte sie den Versuch unternommen, Marie die Oper *Elektra* nahezubringen, doch schon nach wenigen Minuten hatte ihre Freundin auf die dicke Opernsängerin gedeutet und entsetzt gefragt: «Jault die Alte jetzt vier Stunden so weiter?»

Angela nahm die letzte knarzige Treppenstufe nach oben, ging auf die alte Holztür zu, atmete noch einmal tief durch, öffnete die Tür und stellte fest: Weder Marie noch Mike beachteten sie. Die schwarze Frau lag schlafend auf einem alten Sofa, das vermutlich bereits 1963 durchgewetzt gewesen war. Sie schlief den Schlaf einer Mutter, die noch etwa 217 Stunden Nachtruhe allein aus diesem Monat nachzuholen hatte. Vor ihr auf dem Boden schnarchte Angelas Mops vor sich hin. Und Mike hatte sein Jackett abgelegt, die weißen Hemdsärmel hochgekrempelt und schraubte hoch konzentriert eine Wiege zusammen, deren Einzelteile er zuvor zurechtgezimmert hatte. Er besaß ein beneidenswertes handwerkliches Geschick. Angela selbst hatte mit ihrem Mann Achim gleich am zweiten Tag in Klein-Freudenstadt versucht, ein kleines Buchregal von Ikea namens *Snorre* für Achims neues Arbeitszimmer aufzubauen. Am Ende hatten sie eine Konstruktion erschaffen, die man beachtlich hätte finden können, wenn man sich für abstrakte Kunst interessierte. Sieben Schrauben waren übrig geblieben, zwei Bretter und irgendein Gummiding, das nicht eindeutig zu identifizieren war, aber vage unanständig aussah.

Angela legte das schlafende Baby vorsichtig der Mutter auf den Bauch. Es würde noch ein wenig dauern, bis es Hunger bekommen würde. Mike stand auf und bedeutete ihr, nach draußen auf den Gang zu treten. Jetzt würde sie sich doch noch ihre Standpauke für die Verspätung abholen. Merkwürdig, dachte Angela, der Personenschützer war ihr zwar unterstellt, aber er schien ihr mehr zu sagen zu haben als sie ihm.

Als der große Mann leise die Tür hinter sich geschlossen hatte, fragte er: «Wäre es okay für Sie, wenn ich noch ein bisschen bleibe?»

Das entsprach so gar nicht dem, was Angela erwartet hatte.

«Ich würde die Wiege gerne noch zu Ende bauen, und ich habe noch einen Heizstrahler, den ich über dem Wickeltisch anbringen möchte.»

«Einen Heizstrahler? Bei der Hitze?»

«Es kommen ja auch wieder andere Temperaturen.»

Ganz offensichtlich war bei Mike, dessen eigene Tochter weit weg bei der geschiedenen Ehefrau in Kiel wohnte, der Nestbautrieb ausgebrochen. Er war nun mal der Personenschützer mit dem größten Herzen in der ganzen Welt.

«So ein Heizstrahler ist doch wichtig für Babys», setzte er nach, nur um sich gleich selbst zu korrigieren: «Verzeihung, das können Sie ja nicht wissen.»

Angela blickte ihn indigniert an.

«Ich meine, weil Sie keine Kinder haben», begann Mike nervös zu stammeln.

«Das habe ich mir schon gedacht.»

«Aber das ist ja auch gar nicht schlimm ...», stammelte er noch mehr.

«Vielen Dank», sagte Angela spitz.

«Vielleicht sollte ich lieber den Mund halten?»

«Ein exzellenter Vorschlag.»

«Dann werde ich das jetzt auch tun.»

«Fein.»

«Ich wollte nicht indiskret sein.»

«Gut.»

«Es geht mich ja auch nichts an.»

«Genau.»

«Und warum Sie keine haben, geht mich auch nichts an ...»

«Mike?»

«Ja.»

«Für jemanden, der den Mund halten wollte, reden Sie ziemlich viel.»

«Das ist wahr.» Mike wurde knallrot. «Ich werde nichts mehr sagen.»

«Und noch mal: Fein.»

«Und ich schwöre, ich werde auch mit niemandem je wieder darüber reden.»

«Sie haben darüber mit anderen geredet?» Angela war fassungslos.

«Na ja», Mike begann sich zu winden, «Sie kennen doch Silvio von *Haar Kreativ*?»

«Ja, leider ...»

«Und der hat mich darauf angesprochen, warum Sie keine Kinder haben, und ich habe ihm gesagt, dass ich das nicht weiß und es mich auch nichts angeht, aber er fing an zu spekulieren, woran es liegen könnte. Seine Vermutung ist, dass Sie ...»

«MIKE!»

Mike presste die Lippen zusammen und sah sie erschrocken an.

Angela sagte nur: «Auf Wiedersehen. Und bringen Sie nachher Putin mit», und ging.

«Aupf Fmiederfehen», antwortete Mike mit vom unsichtbaren Reißverschluss verschlossenen Lippen.

Angela stieg die knarzende Treppe wieder hinab und dachte dabei darüber nach, dass es ihr eigener Entschluss gewesen war, keine Kinder zu bekommen. Sicher, über die Jahre waren ihr hin und wieder Zweifel gekommen, ob es die richtige Entscheidung gewesen war, doch in den letzten turbulenten Jahrzehnten als Kanzlerin hatte Angela sich über dieses Thema keinerlei Gedanken mehr gemacht. Dank Mike und Friseur Silvio fragte sie sich das erste Mal seit langer Zeit wieder, ob sie in ihrem Leben auch wirklich alles richtig gemacht hatte. Das war nun mal das Dumme an der Rente: Man hatte plötzlich viel zu viel Zeit, um über Dinge zu grübeln, die einem sonst nie in den Sinn gekommen wären. Mein Gott, wie sie sich nun wünschte, es gäbe einen Mord, der sie nicht nur von der Langeweile, sondern auch von solchen Gedanken fernhalten würde. Am besten ein Mord an Silvio, dachte sie lächelnd.

5

Angela saß in ihrem Ohrensessel im Wohnzimmer ihres kleinen Fachwerkhauses, blickte auf das iPad in der Hand und wartete auf den allabendlichen *Facetime*-Call mit ihrem Mann, der sich um fünf Minuten verzögern würde. Achim hatte gerade eben getextet, dass er von einem Insekt gestochen worden war und sich noch mit Salbe einreiben musste. Angela überlegte, ob sie die Wartezeit lesend, vielleicht mit dem Buch über Emilia Bassano, überbrücken sollte, das Aramis auf der Friedhofsbank gelesen hatte. Ein Exemplar davon stand ja auch in ihrer Bibliothek.

Aramis.

Wenn sie schon mal am iPad war, konnte sie nachschauen, was im Netz über ihn zu finden war. Ein bisschen surfen war ja noch kein Cyberstalking, oder? Nein, das war es bestimmt nicht!

Angela gab seinen echten Namen Kurt Kunkel in die Suchmaske ein und fügte noch Klein-Freudenstadt hinzu. Sie erhielt lediglich drei Suchtreffer. Oben in der Liste stand die Webseite seines Beerdigungsinstituts. Angela klickte auf den Link. Die Homepage wirkte, als ob sie das letzte Mal in den 90ern überarbeitet worden wäre. Zu sehen war ein altes Polaroidfoto, das den vielleicht 25 Jahre jüngeren Aramis mit einer Frau mit blonden Locken zeigte, die einen roten 90er-Jahre-Blazer mit extrem hohen Schulterpolstern trug, wie sie Blazer-Fan Angela in der damaligen Zeit auch gerne getragen hätte, sich aber nicht getraut hatte. Die beiden wirkten glücklich miteinander. Darunter stand: ‹Das Ehepaar Kunkel ist immer für Sie da!›

Aramis war also ein verheirateter Mann. Der zudem noch eine viel jüngere Frau auf dem Friedhof im Arm hielt.

Angela seufzte. Gleich darauf erschrak sie: Warum seufzte sie? Um nicht mal ansatzweise darüber nachzudenken, klickte sie schnell den nächsten Suchtreffer an. Es handelte sich um einen Zeitungsartikel aus dem hiesigen Käseblatt, der vor drei Monaten erschienen war. Das Foto zeigte Aramis und den gegelten Porschefahrer. Die Herren sahen aus, als ob sie jeden Augenblick versuchen würden, dem anderen ein Ohr abzubeißen. Aus dem Artikel ging hervor, dass sie vor langer Zeit mal Partner im Beerdigungsgeschäft gewesen waren, bis sich der Porschefahrer namens Ralf Borscht von Aramis getrennt hatte, um Discount-Begräbnisse anzubieten.

Die Lokalzeitung hatte die beiden zu einem Streitgespräch zum Thema ‹Bestattungen – traditionell oder preiswert?› eingeladen. Darin kam Aramis als Ewiggestriger rüber, der Begräbnisse noch so durchführte wie vor 50 Jahren, während Ralf Borscht sich bemühte, als moderner, zukunftsorientierter Bestatter zu erscheinen. Aramis warf Borscht vor, dass es ihm nur darum ginge, die Verstorbenen in möglichst kostengünstigen, oftmals mit Schadstoffen belasteten Holzsärgen unter die Erde zu bringen. Borscht hingegen erklärte, dass seine Tochter das Institut im nächsten Jahr übernehmen werde und es dann mit Sicherheit das einzige Institut in Klein-Freudenstadt wäre, denn Aramis wäre gewiss bis dahin endgültig pleite.

Aramis tat Angela leid: vom ehemaligen Geschäftspartner für seine Werte verhöhnt und offenbar in finanziellen Nöten. Und dann war da noch die Sache mit seinem Sohn, die er in ihrem Gespräch hatte durchblicken lassen.

Bevor Angela den dritten Treffer anklickte, surfte sie zur Webseite des *Beerdigungsinstituts Borscht*. Sie war modern gehalten, die Angebote waren wirklich günstig, es wurden sogar Rabatte angeboten, wenn man gleich die ganze Familie für zukünftige Todesfälle anmeldete. Die Särge gab es in allen Farben und Mustern zu beziehen. Wenn man wollte, konnte man sich in einem *FC Bayern*-Sarg begraben lassen. Oder in einem Prinzessin-Diana-Modell. Und aus irgendwelchen Gründen gab es sogar einen *Modern Talking*-Sarg. Alles in allem hatten die Angebote mit Würde und gutem Geschmack nicht viel zu tun, aber beim Webseitenvergleich wurde einem schnell klar, warum Aramis gegenüber seinem ehemaligen Geschäftspartner ins Hintertreffen geraten war. Marktwirtschaft richtete sich nun mal nach der Nachfrage, ohne groß nachzufragen.

Angela klickte sich noch weiter durch die Seite und fand unter *Team* ein Foto von der blonden Enddreißigerin, die Aramis auf dem Friedhof im Arm gehalten hatte. Ihr Name lautete Merle Borscht, und sie war für Finanzen und Buchhaltung verantwortlich. Hatte Aramis ein Verhältnis mit ihr? Ausgerechnet mit der Frau, bei der es sich um die Tochter seines Erzrivalen handelte? Und das als verheirateter Mann?

Angela gefiel das alles nicht. Nicht aus moralischen Gründen. Die Welt war bunt, die Menschen gingen fremd – wenn sie jeden verurteilen würde, der so etwas tat, hätte sie weit über 90 Prozent des Berliner Politikbetriebs verachten müssen, anstatt ihn nur spöttisch als ‹Saudumm und Gomorrha› zu bezeichnen. Nein, es störte sie, weil … weil … weil … sie wusste auch nicht genau, warum es sie störte. Und das verwirrte sie.

Angela mochte es nicht, verwirrt zu sein.

Das war doch gar nicht ihr Stil.

Daher klickte sie schnell noch ein bisschen weiter durch die Webseite des Bestattungsinstituts Borscht und fand einen Link zu einem … Yogastudio?

Es wurde geleitet von einer gewissen Charu Benisha Borscht. Bei ihr handelte es sich offenbar um die Ehefrau des Porschefahrers. Sie schien noch nicht mal dreißig Jahre alt zu sein, also war sie wohl kaum die Mutter von Merle Borscht, der Buchhalterin und vermutlichen Affäre von Aramis.

Dem Foto nach zu urteilen, waren die Vornamen der Yogalehrerin selbst gewählt, sah sie doch in etwa so indisch aus wie Olaf Scholz. Ihre Haare waren platinblond gefärbt, die Haut gebräunt und die Yoga-Kleidung so knapp, dass ‹bauchnabelfrei› sie nur unzulänglich beschrieb. Auf den Fotos verknotete Charu Benisha ihren Körper zu Posen, bei denen der Laie staunte und der Fakir sich wundern würde.

Angela betrachtete sich die Vita der jungen Frau: Bevor sie zu Yoga gefunden hatte, war sie Friseurin gewesen. Natürlich bei Silvio von *Haar Kreativ*.

Damit wusste Angela nun mehr über die junge Ehefrau von Borscht, als sie je hatte wissen wollen, verließ die Webseite und klickte auf das dritte Suchergebnis. Sie landete auf einem weiteren Zeitungsartikel der lokalen Zeitung, ebenfalls erschienen in diesem Jahr. Darin tauchte der Name Kunkel zwar auf, aber es ging um seinen Sohn Peter. Ein blasser Mann Mitte dreißig, der auf den ersten Blick an einen Vampir erinnerte. Mit schwarzem Umhang, schwarz gefärbten Haaren und Augenbrauen stand er zwischen zwei Polizisten. Peter Kunkel war erwischt worden, wie er mit drei Lack-und-Leder-Models ein Fotoshooting an einem Grab veranstaltet hatte, weswegen er sich eine Anzeige wegen Erregung öffentlichen Ärgernisses eingehandelt hatte. Kein Wunder also, dass Aramis Zweifel hatte, ob sein Junior der Richtige war, den Familienbetrieb weiterzuführen.

Angela las den Artikel und stellte fest, dass auch die Fotografin eine Anzeige erhalten hatte. Und als sie deren Namen las, traf sie fast der Schlag: Denn es war Pia von Baugenwitz, die junge Frau, die Angela vor ein paar Wochen des Mordes an ihrem Stiefvater und dessen Ehefrau überführt hatte!

Bevor Angela diese Verbindung von Kunkel junior mit der Mörderin auch nur ansatzweise verarbeiten konnte, erschallte der *Facetime*-Klingelton.

6

In den letzten Tagen dauerten Angelas Gespräche mit ihrem Ehemann im Schnitt etwa zehn Minuten. Dabei hatte sie ihrem Achim meist von dem Baby erzählt, weil es sonst aus ihrem Rentnerleben in Klein-Freudenstadt nichts Nennenswertes zu berichten gab. Achim wiederum hatte über die jeweiligen Touren berichtet, die er mit Tommy in den Pyrenäen zurückgelegt hatte. Und jedes Mal hatte er das Gespräch mit dem Vorschlag beendet, dass Angela und Tommys Ehefrau Claudia beim nächsten Mal mitkommen sollten. Natürlich meinte Achim das nicht ernst, denn Jungs waren nun mal Jungs und wollten auf Jungsurlauben ihre Frauen nicht dabeihaben. Außerdem wusste Achim genau, dass Angela niemals darauf eingehen würde. Weder könnte sie das Tempo der Männer mithalten noch Claudia mit ihrem ständigen Geplapper einen ganzen Urlaub lang ertragen. Gegen diese Frau war Mario Barth ein Schweigemönch.

Das heutige Gespräch mit Achim würde allerdings anders verlaufen. Angela hatte mehr erlebt als sonst und würde ihm natürlich von ihrer Begegnung mit Aramis berichten wollen. Warum auch nicht? Nun, vielleicht würde sie ihrem Mann nicht unbedingt erzählen, dass die neue Bekanntschaft aussah wie ein französischer Filmstar. (Achim hingegen sah, rein objektiv gesehen, noch nicht mal aus wie ein deutscher Seriendarsteller, sondern eben wie das, was er auch war: ein liebenswerter Quantenchemiker.) Sie würde auch nicht erwähnen, dass sie den Bestatter in Gedanken Aramis nannte, obwohl er Kurt Kunkel hieß. Von ihren Recherchen im Internet könnte sie ihm auch nicht berichten, denn Achim würde die Stirn runzeln und annehmen, dass sie die neue Bekanntschaft cyberstalkte, während sie sich doch nur ganz harmlos im Netz informierte. Und ganz gewiss würde sie nicht anmerken, dass sie sich mit dem Mann viel besser über Shakespeare und Emilia Bassano unterhalten konnte als mit ihrem eigenen Ehemann. Aber was, fragte sie sich, blieb dann eigentlich noch übrig?

Der *Facetime*-Klingelton schien immer lauter zu werden. Angela nahm das Gespräch an und sah ein extrem ruckeliges Bild von Achim. Ach, hätte sie sich doch in ihrer Amtszeit nur mehr um den Netzausbau in Ostdeutschland gekümmert!

Immerhin war zu erkennen, dass sein Gesicht nicht geschwollen war. Und sie kannte ihren Mann so gut, dass sie sich selbst bei schlechter Bildqualität ausmalen konnte, wie er in seinem grünen Wanderparka, den ihm sein Vater vermacht hatte, dastand.

«Wie geht es dir, Puffeline?», hörte sie Achim fragen. Dabei klang seine Stimme etwas abgehackt. Puffeline war sein Spitzname für sie, und sie nannte ihn Puffel. *Puffel und Puffeline* – das klang für Angela auch immer ein wenig romantisch nach ihrem Lieblingsfilm *Die Legende von Paul und Paula.*

«Hier ist es ziemlich heiß», antwortete Angela.

«Hier auch. Unsere Füße qualmen!»

Das war noch ein Grund, niemals mit Achim und Tommy auf Wanderschaft zu gehen. Die beiden Herren waren der Auffassung, dass Ersatzsocken bei einer solchen Tour nur überflüssiges Gepäck darstellten.

«Was ist mit deinem Insektenstich?», fragte Angela.

«Alles in Ordnung. Es war auch kein Insekt. Tommy, der Scherzkeks, hat sich hinter meinem Rücken ein kleines Blasrohr gebastelt.»

Es gab immer mehr Gründe, nicht mit auf Wanderschaft zu gehen.

«Wir haben», redete Achim weiter bei schlechtem Bildempfang, «uns heute gefragt, ob Pyrenäenkakadu ein Wort wäre, das man beim *Scrabble* legen kann. Zwar gibt es keine Kakadus in den Pyrenäen, sondern nur in Australien und Papua-Neuguinea, aber es kann ja sein, dass jemand einen Kakadu hierherbringt und aussetzt. Dann wäre Pyrenäenkakadu meiner Meinung nach ein regelkonformes Wort …»

Angela war froh, dass die Verbindung so schlecht war. So konnte Achim ihre glasigen Augen nicht sehen, die verrieten, dass sie bereits jetzt nicht mehr richtig zuhörte und ihren Gedanken nachhing. Natürlich dachte sie an Aramis. Wie war sein Verhältnis zu dieser Frau, die er in den Armen gehalten hatte? Worum ging es bei dem Konflikt mit dem Gärtner? Und welche Verbindung hatte sein Sohn zur Mörderin des Ehepaares Baugenwitz …

«… Tommy ist da ganz anderer Ansicht. Was meinst du?»

… und sollte sie morgen wirklich Aramis das Shakespeare-Buch vorbeibringen?

«Angela?»

«Ja?», wurde sie aus ihren Gedanken gerissen.

«Also, was meinst du? Ist ‹Pyrenäenkakadu› ein gültiges Wort: Ja oder nein?»

Angela kalkulierte, dass sie eine 50:50-Chance hatte, die richtige Antwort zu geben, und entschied sich für: «Nein.»

«Du bist also Tommys Ansicht?», staunte Achim. Insbesondere auch deswegen, weil Angela ihm bisher bei allen Fragen, die *Scrabble* betrafen, grundsätzlich recht gegeben hatte. Bei Dingen, die ihr nicht wichtig waren, stimmte sie ihm stets einfach zu.

«Nein», korrigierte sie sich.

«Nein?»

«Ich meinte ja.»

«Meintest du jetzt eben ja oder davor?»

«Was?»

«Du hast zweimal Nein gesagt. Einmal, als ich dich gefragt habe, ob ich recht habe, und eben, als ich dich gefragt habe, ob du Tommys Ansicht bist.»

«Natürlich hast du recht, Puffel.»

«Und warum hast du dann vorhin Nein gesagt?»

Die richtige Antwort wäre gewesen: Weil ich dir gar nicht zugehört und an einen anderen Mann gedacht habe. Angelas Magen zog sich zusammen: Sie unterhielt sich mit ihrem Ehemann und dachte dabei an einen anderen Mann?

«Puffeline?», hakte Achim nach.

«Ich habe dich falsch verstanden.»

Kaum hatte sie das gesagt, zog sich ihr Magen noch mehr zusammen. Jetzt hatte sie ihren Ehemann sogar angelogen. Das tat sie doch sonst nicht! Es war noch viel weniger ihr Stil, als verwirrt zu sein.

Achim merkte ihr nichts an, manchmal war eine miserable Bildqualität auch ein Segen. Fröhlich fragte er: «Und, was ist bei dir heute so geschehen?»

Angela war schlagartig wieder bei der Sache. Jetzt musste sie Achim von Aramis erzählen. Warum auch nicht? Es war doch nichts dabei. Absolut rein gar nichts! Also legte sie los: «Ich habe heute auf dem Friedhof einen Mann …»

«Ich kann dich nicht richtig hören, der Ton ist immer wieder weg.»

«Ich habe einen Mann kennengelernt», sprach Angela lauter, «namens Kurt Kunkel …»

«Du hast einen Furunkel?» Achim war besorgt.

«Ich habe keinen …»

«An den Beinen?»

Und in diesem Augenblick fror das Bild ein. Die Leitung war endgültig zusammengebrochen. Angela seufzte, legte das iPad zur Seite und schloss die Augen. Aber nur für eine Millisekunde, dann hörte sie die

Stimme von Mike: «Ähem, wenn Sie einen Furunkel am Bein haben, sollten Sie ihn behandeln lassen.»

Angela drehte sich zu Mike, der gerade das Wohnzimmer betreten hatte, und antwortete: «Ich habe keinen Furunkel.»

«Und wie kommt Ihr Mann darauf?»

Angela hatte wenig Lust, das Gespräch zu rekapitulieren, geschweige denn, ihrem Bodyguard von ihrer Bekanntschaft zu erzählen. Deshalb wandte sie die wohl beliebteste Politikertechnik an: eine Frage mit einer Gegenfrage zu beantworten. «Sie hätten schon längst wieder da sein sollen. Wo waren Sie die ganze Zeit?»

Mike wurde ein wenig rot und versuchte, sich zu erklären: «Nachdem ich die Wiege aufgebaut und den Heizstrahler angebracht hatte, fiel Marie auf, dass die Windeln ausgehen, und da habe ich gleich den Wocheneinkauf gemacht und danach dem kleinen Adrian noch ein Mobile über die Wiege gehängt. Es ist mit Bildern von Mickey Mouse, Goofy, Donald und Daisy Duck und Klarabella Kuh ...»

«Ich kann es mir in etwa vorstellen», unterbrach Angela ihn. Andere Ex-Politiker, die Anspruch auf Personenschutz besaßen, wären vermutlich beleidigt, wenn ihr Bodyguard sich um eine Schwangere gekümmert hätte statt um sie. Personenschützer waren nun mal eins der wenigen Statussymbole, die ehemalige Würdenträger noch an ihre einstige Bedeutung erinnerten. Gerhard Schröder beschwerte sich noch jahrelang, dass er seine Currywürste nicht mehr als Spesen absetzen konnte. Angela jedoch freute sich über Mikes Verhalten, denn Marie hatte jene Unterstützung bekommen, die jede alleinerziehende Mutter benötigte, und zudem fühlte sich Angela ohne einen Bodyguard sicherer als mit. Mikes Anwesenheit erinnerte sie nun mal an potenzielle, wenn auch unwahrscheinliche Gefahren.

«Mein Job ist aber an Ihrer Seite, es wird nicht wieder vorkommen», sagte er schuldbewusst.

«Schon in Ordnung.»

«Wirklich?», lächelte Mike erleichtert.

«Wirklich», erwiderte sie sein Lächeln.

«Der kleine Adrian ist aber auch zu süß», fand Mike und wirkte dabei ganz weich. «Es ist schön, etwas für ihn zu tun.»

«Sie tun es auch für Marie.»

«Ja …», antwortete Mike und wurde wieder ein klein wenig rot. Da kam Angela das erste Mal der Gedanke, dass er etwas für die junge Mutter empfinden könnte: «Sie mögen Marie, nicht wahr?»

«Nun, ähem … ganz normal … sie ist eine nette Frau …»

Angela hätte ihn weiter ausfragen können, ob ‹nette Frau› in diesem Falle nicht eher ‹tolle Frau› bedeutete. Aber sie war sich nicht sicher, wie sie dazu stehen würde, wenn Mike sich tatsächlich in Marie verliebte. Würde die junge Mutter seine Gefühle erwidern? Und was würde geschehen, wenn nicht? Würde es zu einer unangenehmen Lage kommen, in der ihre neue Freundin und ihr Bodyguard nicht mehr in einem Raum sein mochten?

Das, beschloss Angela, gehörte zu jener Kategorie von Problemen, über die man sich Sorgen machte, wenn es so weit war. Leider stellten Politiker die meisten Probleme, die die Zukunft betrafen, in jene Kategorie. Von daher sagte sie: «Schlafen Sie gut, Mike.»

«Danke», antwortete er und durchquerte das Wohnzimmer in Richtung Terrassentür, um von dort in das kleine Gartenhäuschen zu gelangen, in dem er wohnte. Kurz bevor er raustrat, wandte er sich noch mal um: «Schlafen auch Sie gut.»

Doch Angela konnte nicht gut schlafen.

Erst grübelte sie in ihrem Bett über das wenige, was sie über den Bestatter wusste, und noch mehr über das, was sie alles nicht wusste: Warum schien er zwischenzeitlich so verzweifelt zu sein? Wegen seiner finanziellen Situation? Wegen seines Sohns, der anscheinend auf Lack und Leder stand? Oder weil er möglicherweise ein Verhältnis mit der Tochter seines ehemaligen Partners und jetzigen Rivalen hatte? Was sagte seine Frau dazu? Oder wusste sie nichts davon? Warum interessierte sich Angela so sehr für das Liebesleben dieses Mannes? Warum hatte sie wegen ihm Achim angeschwindelt? Warum konnte sie nicht aufhören, darüber nachzudenken? Warum konnte sie sich auch nicht, wo sie nun das Buch über Emilia Bassano aufgeschlagen hatte, auf dessen Inhalt konzentrieren? So wenig, dass sie nicht wusste, was in dem Absatz stand, den sie bereits dreimal gelesen hatte? Sie war doch eine Detektivin, warum dachte sie da nicht lieber weiter über die Verbindung von Aramis' Sohn zu der Mörderin Pia von Baugenwitz nach?

Und während Angela sich all diese Fragen stellte, schlief sie schließlich doch noch ein und träumte von einem *Scrabble*-Spiel, das sie gemeinsam mit Achim und Aramis spielte. Achim lag in Führung, weil er Worte legte wie ‹Pyrenäenkakadufurunkel›. Ihr selbst kam jedoch kein einziges Wort in den Sinn, sosehr sie sich auch anstrengte. Ihr fiel nicht mal ein, welches Wort man aus den Buchstaben K, A, L, Z, E, N, I, R, N legen konnte. Am Ende des Traums verknüpfte Achim sieben Buchstaben zu einem Wort, wodurch er die Partie gewann. Er freute sich aber nicht über seinen Sieg, sondern sah sie vorwurfsvoll an. Angela blickte auf das Brett. Das Wort mit den sieben Buchstaben war: A, R, A, M, I, E, S.

7

Am nächsten Morgen erwachte Angela schon vor Sonnenaufgang. Sie hörte sogar noch den Uhu rufen. Unruhig wälzte sie sich noch ein wenig im Bett hin und her, fand aber nicht wieder in den Schlaf. So beschloss sie, trotz der frühen Uhrzeit aufzustehen. Als erste Tat ignorierte sie wie jeden Tag die Empfehlung ihres Chiropraktikers, nach dem Aufstehen ein paar Dehnübungen zu machen. Es war ohnehin völlig unrealistisch, dass sie jemals bei durchgestreckten Beinen mit ihren Fingern die Zehenspitzen berühren würde. Wozu auch? Wenn Gott oder die Evolution dies gewollt hätten, hätten die Menschen längere Arme oder kürzere Beine.

Angela schlüpfte in ihren weißen Lieblings-Frotteebademantel und ihre gemütlichen grünen Filz-Puschen und schlurfte in die Küche. Sie füllte den Wasserkessel, um sich einen Tee zu machen. Als der fertig war, goss sie ihn in einen Becher mit der inzwischen verblassten Aufschrift *CDU-Parteitag 1998* und starrte aus dem Fenster. Was sollte sie mit diesem angebrochenen Tag anfangen? Sie beschloss, Aramis gleich in der Früh das Buch vor die Tür seines Beerdigungsinstituts zu legen. Um die Uhrzeit würde sie ihm garantiert noch nicht begegnen. Nach dem Traum verspürte sie keine Lust mehr auf ein Treffen.

Angela zog sich an, steckte das Buch in ihre große blaue *Longchamp*-Tasche und stupste Putin an, der nicht begeistert war, dass er quasi mitten in der Nacht Gassi gehen sollte. Angela leinte ihn an und überzeugte ihn mit einer extragroßen Portion Leckerli. Eigentlich hätte sie auch Mike wecken müssen, damit er sie begleitete. Das war nun mal sein Job. Doch was sollte ihr zu dieser frühen Uhrzeit schon geschehen? Vermutlich war außer ihr in ganz Klein-Freudenstadt nur der Bäcker der *Bäckerei Wurst* wach.

Der Morgen dämmerte, als Mops und Frauchen aus dem Haus traten und durch die verlassene Straße in Richtung Marktplatz gingen. Angela, die keine Menschenseele erwartet hatte, war überrascht, einer zierlichen Frau mit frechem Bobschnitt zu begegnen. Sie war Anfang zwanzig, trug rote Sneaker, blaue Jeans, eine rote Lederjacke und ein weißes T-Shirt mit der Aufschrift *Fridays for Future.*

Die junge Frau huschte mit verschränkten Armen und gesenktem Kopf über den Platz. Deshalb bemerkte sie Angela und den Mops zunächst nicht. Erst als sie nur noch etwa fünf Meter entfernt war, nahm sie Notiz von ihnen, hielt kurz inne und sagte hastig: «Guten Morgen.»

«Guten Morgen», erwiderte Angela und hoffte sehr, dass sie sich jetzt nicht mit ihr eine halbe Stunde über Klimawandel unterhalten müsste. Sie hatte zwar Sympathien für das Anliegen der jungen Generation, wollte aber ihre Rente ohne Politik verbringen. Es reichte schon, dass der Bürgermeister von Klein-Freudenstadt sie immer mal wieder einspannen wollte, um mehr Tourismusfördergelder in die Stadt zu ziehen. Dabei schätzte Angela an dem Örtchen doch gerade, dass sich kaum Touristen dorthin verirrten.

Die junge Frau wollte kein Gespräch, wich stattdessen in einem unnötig großen Bogen aus und hastete noch schneller über den Marktplatz, bis sie in einer Nebengasse verschwand. Angelas Detektivsinn schlug Alarm: Die Frau schien etwas zu beschäftigen. Hatte sie etwas zu verbergen? Ein Verhältnis womöglich?

Angela blickte zur kleinen Kirche, aus deren Richtung die Frau gekommen war. Eine heimliche Liaison mit dem Pastor konnte sie ausschließen, der war gerade mit einigen Gemeindemitgliedern auf einer Reise durch das Heilige Land, die unter dem Motto stand: *Klein-Freudenstadt meets Jerusalem.* Es war also so gut wie sicher, dass die junge Frau von irgendwo hinter der Kirche gekommen war. Und dort lag der Friedhof.

Neugierig ging Angela um die Kirche herum zum Friedhofseingang, ignorierte das Schild, auf dem *Hunde verboten* stand – für einen Putin galten Regeln nun mal nicht –, und stiefelte mit dem Mops über den St.-Petri-Friedhof, der so früh am Morgen ruhig dalag: Die Bäume wurden von der Morgensonne sanft beschienen, und weit und breit war niemand zu sehen. Nur ein Eichhörnchen mit einer Kastanie kreuzte ihren Weg. Putin bellte halbherzig, nach dem Motto: ‹Okay, okay, als Hund muss ich zeigen, dass ich der Boss bin, aber ich würde wirklich viel, viel lieber ein Nickerchen machen.›

Nach etwa dreihundert Metern und zwei Weggabelungen sah Angela etwas vollkommen Überraschendes: Eine große, braun gefleckte Kuh stand mitten auf einem Grab und betrachtete den Grabstein, als ob sie vor ihm meditierte. Oder schlief sie nur im Stehen? Putin fühlte sich erneut verpflichtet, halbherzig zu bellen. Die Kuh schreckte auf und starrte in Putins Richtung. Der erschrak ebenfalls, hatte offenbar Angst, dass sie auf ihn zustürmen würde und dabei herauskam, dass er zwar eine große Klappe besaß, ihr ansonsten aber nichts entgegenzusetzen hatte. Doch die Kuh drehte sich von ihm und Angela weg und trottete davon in Richtung Hinterausgang des Friedhofes. Als sie aus dem Sichtfeld war, fragte sich Angela, ob die Kuh den Ausgang nehmen oder den Friedhof durch irgendeine Hecke verlassen würde. Putin keuchte etwas, das entfernt nach ‹Uff, noch mal gut gegangen› klang. Angela sah zu dem Mops hinunter und überlegte, ob sie ihn für sein Gebell ausschimpfen sollte. Aber sie fand es ungerecht, ihn für etwas zu tadeln, das in seiner Natur lag. Sie rügte ihren Ehemann ja auch nicht dafür, dass er nicht dazu in der Lage war, seine schwarzen

Socken, die sich in verschiedensten Verwaschungszuständen befanden, passend zu sortieren.

Gemeinsam mit ihrem zusehends unwilligen Mops machte Angela sich auf den Weg zu dem Grab, auf dem die Kuh eben noch gestanden hatte. Schon aus einiger Entfernung konnte man eine verwitterte Frauenstatue erkennen. Im Gegensatz zu anderen Friedhofsstatuen handelte es sich bei ihr nicht um einen Engel oder eine Heilige, obwohl die Dargestellte für den Bildhauer, so fein, wie er sie gestaltet hatte, wohl eine gewesen sein musste. Irgendwie kam sie Angela bekannt vor. Aber woher? Von einer historischen Abbildung? Hatte sie sie vielleicht auf einem der vielen Ölgemälde gesehen, die in Schloss Baugenwitz hingen?

Angela stand nun am Grab, das auf wunderbare Weise verwunschen aussah. Wilde Rosen blühten, Lilien und Lavendel, sogar eine Weide stand direkt daneben und rundete mit ihrem Wuchs perfekt den idyllischen Gesamteindruck ab. Angela las die Inschrift auf dem Marmorsockel und wusste plötzlich, warum ihr die Statue bekannt vorgekommen war. Es handelte sich um eine Frau, die vor zwanzig Jahren verstorben war und den Vornamen Anja trug. Angela hatte sie bisher nur einmal gesehen. Auf einem Polaroidfoto einer Webseite. Es war die Ehefrau von Aramis.

8

Leicht benommen trat Angela ein paar Schritte zur Seite. Vergessen war die junge Frau, die sie eben auf dem Marktplatz gesehen hatte. Vergessen alles, was sie sonst so über Aramis erfahren hatte. Er tat ihr leid: Wie groß musste sein Schmerz sein, wenn er seiner Frau so ein Denkmal setzte? Wie hart musste es gewesen sein, allein einen Sohn zu erziehen, der beim Tod seiner Mutter in der Pubertät gewesen sein musste? Sie fühlte sich schäbig, dass sie den Bestatter wegen eines möglichen Verhältnisses mit der Tochter seines Rivalen Borscht verurteilt hatte. Nach all dem Leid hatte er doch jedes Recht auf Glück.

Während Angela nachdenklich über den Friedhof ging, nahm sie nichts um sich herum wahr. Nicht wie die Blumen ihre Knospen öffneten, wie die Vögel fröhlich zwitscherten und auch nicht, wie Putin bellte. Und immer weiterbellte. Wie ein Verrückter zog er an der Leine. Putin zog sonst nie an der Leine. Schon gar nicht so früh am Morgen. Laufen war nicht sein Ding. Er war mehr so fürs Schlafen, Essen und Pupsen. Mehr brauchte er nicht zum Lebensglück.

Obwohl es ungewohnt war, dass der Mops so außer sich war, beachtete Angela ihn immer noch nicht, so sehr war sie in ihre Gedanken versunken. Der Hund bellte noch lauter und riss nun regelrecht an der Leine. Endlich nahm Angela ihn wahr: War da vielleicht eine Katze auf dem Friedhof? Von Katzen hielt Putin in etwa so viel wie sein menschlicher Namensvetter von Alexei Nawalny.

Der Kleine wird sich schon beruhigen, dachte sich Angela und versank wieder in ihre Grübeleien: Sehr glücklich hatten Aramis und die junge Tochter von Borscht nicht gerade gewirkt …

Putin riss so sehr an der Leine, dass er Atemnot bekam. Angela befürchtete schon, sie müsste demnächst bei ihrem Chiropraktiker mit einer Schulterzerrung vorstellig werden.

«Was ist denn?», fragte Angela, nur um sich gleich darauf zu besinnen, dass es recht unwahrscheinlich war, eine Antwort von ihrem Hund zu erhalten. Sie blickte in die Richtung, in die er zog und bellte, und erkannte schemenhaft etwas, das aussah wie zwei dicke Äste, die aus dem Boden herausragten und ungefähr auf halber Höhe leicht abknickten, als ob ihnen unterwegs die Kraft ausgegangen wäre, weiter nach oben zu wachsen.

Weil Putin so sehr zerrte und trotz seiner kleinen Beine schneller laufen konnte als sie gehen, legte Angela nun einen kleinen Sprint zu den ‹Ästen› hin. Mit jedem Schritt wurde das Bild ein wenig klarer: Das waren vielleicht doch keine Äste. Sondern eher … Beine? Menschliche Beine?

Nein, das konnte doch nicht sein! Wie sollten sie da hingekommen sein? So ganz ohne restlichen Körper? Es musste eine Art Grabstein sein. Zugegeben ein sehr merkwürdiger Grabstein, aber ein Grabstein!

Doch je näher Angela dem vermeintlichen Grabstein kam, desto klarer wurde: Es war keiner. Es waren in der Tat menschliche Beine. Und der Rest des Körpers, der war … der war … unter der Erde.

Angela und Putin erreichten das Grab, und der Hund hörte auf zu bellen. Er hatte sich so sehr verausgabt, dass er sich erst mal auf den Boden legte und hechelte. Und während er so nach Luft schnappte, starrte Angela auf die Beine, die aus dem Boden ragten und auf Kniehöhe abgewinkelt zur Seite runterhingen. Sie trugen Gummistiefel, die unter all dem Dreck, der an ihnen haftete, dunkelgrün waren. Ebenso wie die verdreckte Hose.

Angela war nun klar, um wen es sich bei der Leiche handelte. Das alte Krimisprichwort ‹Der Mörder ist immer der Gärtner› galt hier nicht. In diesem Fall lautete die Wahrheit: Die Leiche ist auch mal der Gärtner.

Jemand hatte ihn in den Boden gerammt und zur Hälfte begraben, sodass nur noch seine Beine herausragten.

Was hatte der Gärtner noch zu Aramis gesagt?

‹Wenn du deine Rechnungen nicht zahlst, ramm ich dich unangespitzt in den Boden.›

Und Aramis hatte sich davon nicht einschüchtern lassen.

Angela kam ein fürchterlicher Gedanke: Der Mörder könnte auch mal der Bestatter sein.

9

Das sieht mir nicht nach einem Selbstmord aus», seufzte Kommissar Hannemann, mit dem Angela schon bei ihrem ersten Mordfall ungute Erfahrungen gemacht hatte. Daher wusste sie, dass dieser 60-jährige ungesund aussehende Kerl, der sich seine wenigen Haare lang wachsen ließ, um sie zu einem dünnen fettigen Geflecht über sein kahles Haupt zu legen, nicht gerade zu den Top Ten der Ermittler Deutschlands zählte. Er gehörte wohl noch nicht einmal zu den Top 100 000. Um genau zu sein, war es schwer vorstellbar, dass irgendein Kommissar in Deutschland so gedankenfaul war wie dieser Mann in seinem verknitterten Sommermantel.

«Es sieht fürchterlich aus», schluckte sein sehr junger Kollege mit den struppigen Haaren, der sich als Kommissaranwärter Martin vorgestellt hatte. Er trug ein gebügeltes weißes Hemd, eine gebügelte blaue Krawatte und eine gebügelte dunkelblaue Stoffhose. Als habe seine Mama dafür gesorgt, dass er bei seinem ersten Mordfall auch ordentlich aussah. Auffällig war jedoch, dass Martin weiße dünne Handschuhe trug, die fast wie Bandagen wirkten. Der Arme litt offenbar unter Neurodermitis. Wissbegierig fragte er seinen Vorgesetzten, als würde es sich bei ihm um einen Meister der Deduktion handeln: «Was meinen Sie, Herr Hannemann, was ist hier geschehen?»

An Hannemanns Gesichtsausdruck konnte man ablesen, dass er keinen blassen Schimmer hatte. Um das zu überspielen, versuchte er sich an einem müden Scherz: «Vielleicht hat der Mann das Grab für ein Schwimmbad gehalten und ist kopfüber hineingesprungen.»

«Verstehe, Kommissar», sagte Martin, «Sie wollen mich noch nicht an Ihren genialen Theorien teilhaben lassen.»

«Geniale Theorien?», staunte Angela.

«Wissen Sie das denn nicht?», erklärte Martin begeistert. «Kommissar Hannemann hat die Morde an dem Ehepaar Baugenwitz aufgeklärt. Dabei hatten alle geglaubt, es wären Selbstmorde gewesen!»

Angela hätte dem jungen Kommissaranwärter gerne verraten, dass sie es gewesen war, die die These vom Selbstmord nicht geglaubt hatte, während Hannemann den Fall schnell zu den Akten hatte legen wollen. Und dass auch sie es gewesen war, die Pia von Baugenwitz des Mordes überführt hatte – eine Teenagerin, die, wie ihr just in diesem Moment wieder einfiel, auch Kontakte zu Aramis' Sohn gehabt hatte. Angela hielt sich jedoch zurück. Sie hatte damals mit Hannemann vereinbart, dass er die Lorbeeren für den Mordfall Baugenwitz einheimsen konnte, wenn er im Gegenzug versprach, ihren Namen aus der Öffentlichkeit herauszuhalten. Das hätte ihr noch gefehlt: eine Meute Reporter, die nach Klein-Freudenstadt einfiel, um über Angelas Erfolg als Detektivin zu berichten. Auch heute Morgen hatte sie Hannemann gebeten, die Presse nicht zu informieren, was ganz in seinem Sinne gewesen war. So war nur der junge Polizist bei ihnen, und der hatte keine Ahnung, was für eine Lusche sein Idol in Wahrheit war. Aufgeregt fragte er seinen Chef: «Was machen wir als Nächstes?»

«Nun, wir lassen die Leiche erst mal zur Obduktion bringen.»

«Genial!», rief Martin, und bei Angela kam langsam der Verdacht auf, dass es sich bei dem jungen Mann nicht um den schlausten Bullen im Stall handelte. «Und was machen wir dann?»

«Dann …», wusste Hannemann nicht weiter.

«Dann?», fragte Martin mit großen Augen.

«Nun, dann lassen wir Fingerabdrücke der Leiche nehmen.»

«Und dann?»

«Warten wir auf das Ergebnis, wer die Leiche ist.»

«Und wie lange kann das dauern?»

«Bis morgen oder übermorgen, schätze ich mal.»

«Und was machen wir bis dahin?»

«Überstunden abbummeln.»

«Oh … okay …», antwortete Martin, sichtlich enttäuscht.

Kein Wunder, dachte sich Angela, in der Zeit hätte der Kommissar zum Beispiel ein paar Fragen stellen können. Zuallererst Angela selber. Die hätte ihm erzählen können, wer die Leiche war. Also vielleicht nicht genau, wie der Mann hieß und wo er wohnte. Aber sie hätte von ihrer Begegnung mit Aramis und dem Gärtner berichten können. Außerdem vom Bestatter Borscht, der sich auf dem Parkplatz mit dem Mordopfer gestritten hatte, und von der jungen Frau, die in aller Herrgottsfrühe über den Marktplatz gehuscht war. Doch Hannemann stellte Angela keine einzige Frage. Also fragte sie ihn: «Wollen Sie nicht meine Aussage aufnehmen?»

«Wollen Sie sich etwa schon wieder einmischen?» Hannemann blickte sie misstrauisch an.

«Wieder?», fragte Martin.

Beide blickten kurz zu dem jungen Mann und schwiegen. Aus unterschiedlichen Motiven wollten sie ihn nicht einweihen. Nach einer kurzen Pause schlug Angela vor: «Ich kann meine Aussage auch zu einem späteren Zeitpunkt machen.»

«Wir müssen ja auch erst mal die Leiche obduzieren», stimmte Hannemann zu.

«Ja, das müssen Sie.»

«Und wie wir das müssen!», bekräftigte Hannemann und ballte theatralisch die Faust. Der arme Martin blickte die beiden verwirrt an.

«Na, dann wollen wir mal», bedeutete der Kommissar seinem jungen

Assistenten, ihm zu folgen. Dabei nahm er sein Handy ans Ohr und wies die Spurensicherung an, die Leiche auszugraben.

«Sollten wir nicht dabei sein?», hörte Angela den jungen Kommissaranwärter noch fragen.

«Wollen Sie etwa die Würmer in seinen Augen sehen?», blaffte Hannemann.

«N… nein …», schüttelte sich Martin.

«Hab ich mir gedacht.»

Angela fragte sich, ob es nicht ihre verdammte Bürgerpflicht wäre, möglichst schnell auf dem Revier aufzuschlagen, Hannemann beiseitezunehmen, sodass sein Assistent nichts mitbekam, und ihm alles zu erzählen. Doch was sollte das bringen? Dieser Polizist würde den Fall nie im Leben lösen. Nur eine Person in ganz Klein-Freudenstadt war dazu in der Lage.

Die Stunde von Miss Merkel war gekommen!

10

Eine Leiche?» Beinahe hätte Mike, der an dem kleinen roten Sperrholztisch im Gartenhäuschen saß und lediglich mit T-Shirt und Jogginghose bekleidet war, seinen Kaffee verschüttet. Nicht, dass dies in dem Chaos, das in seiner Junggesellenbude herrschte, groß aufgefallen wäre. Mike war bei der Arbeit stets akkurat, daheim aber so unordentlich, dass man denken könnte, ein ausländischer Geheimdienst hätte seine Bude gerade nach wichtigen Dokumenten durchsucht.

«Eine Leiche», bestätigte Angela, die bei ihm am Holztischchen saß.

«Wie kann es sein, dass Sie andauernd Leichen finden?» Mike konnte es nicht fassen.

«Na ja, andauernd ist was anderes.»

«Das ist die dritte, seitdem wir hier sind!»

«Aber es ist nicht andauernd.»

«Drei Leichen innerhalb von drei Monaten, wie würden Sie das denn nennen?»

«Ab und an», schlug Angela vor.

«AB UND AN?»

«Gelegentlich?»

«Und ich Trottel habe gedacht, ich hätte hier eine ruhige Stelle angetreten», schüttelte Mike den Kopf.

«Sie ist ja auch ruhig ...»

«WANN?»

«Ab und an», grinste Angela.

«ARGGH», stöhnte Mike auf. Dann atmete er tief durch. Und schließlich fragte er, obwohl er die Antwort schon kannte: «Sie werden doch nicht wieder Detektivin spielen?»

«Sie glauben doch nicht, dass der Kommissar den Mörder findet?»

«Der findet noch nicht einmal seinen eigenen Hintern», musste Mike eingestehen. «Sie wollen sich also wirklich noch mal in Gefahr bringen?»

«Mir wird schon nichts passieren.»

«Ah, nein?»

«Ich habe ja Sie», grinste Angela und tätschelte dabei Mikes Hand. Der seufzte, ergab sich seinem Schicksal und sagte: «Dann werde ich Marie sagen, dass es noch ein wenig dauern wird, bis ich ihr das Zimmer streiche.»

Angela spürte, wie sehr Mike das bedauerte, und fragte sich, ob sie ein schlechtes Gewissen haben müsste. Doch vielleicht war es ganz gut, wenn Mike Marie nicht ständig sah. Denn sonst würde er sich bestimmt in sie verlieben, und falls Marie seine Gefühle nicht erwiderte, würde sein großes Herz einen Knacks bekommen. Soweit Angela das beurteilen konnte, gab es keine Hinweise darauf, dass Marie Gefühle für ihn entwickelte, sie war auch viel zu müde, um sich über etwas anderes als um die Ernährung und Verdauung des Babys zu kümmern.

«Wie wollen Sie jetzt vorgehen?», fragte Mike.

«Wir gehen zur Obduktion der Leiche.»

Der Bodyguard wurde schlagartig weiß. Kein Wunder, bei ihrem letzten Besuch in der Rechtsmedizin im Krankenhaus Templin war ihm richtig übel geworden. Er schloss die Augen und seufzte: «Hätte ich doch bloß nicht gefragt.»

11

Die Rechtsmedizinerin Dr. Radszinski war eine imposante Erscheinung: Sie war ebenso groß wie breit, hatte nicht nur Haare über der Lippe, sondern auch auf den Zähnen und ein Gesicht, das zerfurcht war wie die Rocky Mountains. In der Leichenhalle roch es nach Sterilisationsmittel, Verwesung und Zigaretten. Letzteres lag daran, dass Radszinski eine Filterlose rauchte. Mike wurde sofort übel von den Gerüchen und vom Anblick der aufgebahrten und verdreckten Leiche des Gärtners. Erstaunt fragte er die Rechtsmedizinerin: «Sie rauchen hier?»

«Gut beobachtet, Süßer», antwortete Radszinski mit ihrer Reibeisenstimme.

«Süßer?», fragte Mike irritiert und wurde direkt noch etwas grüner im Gesicht. Fürchtete er die Avancen der Ärztin, oder ekelte er sich davor, wie sie neben den Leichnam aschte?

«Was bist du süß, wenn du grün wirst, Knackelchen.»

«Knackelchen?»

Angela wusste, dass Radszinski einen Heidenspaß daran hatte, starke Männer zum Schwanken zu bringen. Eine Freude, die Angela prinzipiell nachvollziehen konnte. Auch sie hatte während ihrer Regierungsjahre ganz gerne die Maulhelden zu Fall gebracht. Mike tat ihr allerdings leid, deshalb sagte sie: «Sie können ruhig rausgehen.»

«Als Ihr Personenschützer muss ich bei Ihnen bleiben», antwortete er tapfer.

«Haben Sie schon mal», grinste Radszinski, «die scharfe Ellie im Einsatz gesehen?»

«Die scharfe Ellie?»

«Das hier ist sie.» Die breite Frau nahm eine Riesensäge aus einem Regal. Sie hielt sie Mike entgegen und ließ dabei ihre Fluppe so souverän im Mund hängen wie Lucky Luke.

«Die … die ist … ja verrostet», schluckte Mike.

«Na, der da», deutete die Rechtsmedizinerin auf den Leichnam und grinste, «wird schon keine Blutvergiftung mehr bekommen.»

«Ich … kann … auch sehr gut draußen warten», stammelte Mike, dessen Gesichtsfarbe mehr und mehr einem Gurkensmoothie glich.

«Dann wären Sie ja quasi immer noch bei mir.»

«Eben!», sagte Mike und wankte in Richtung Tür. Und Radszinski, die sich sicher sein konnte, dass er sich nicht noch mal umdrehen würde, legte die Säge wieder zurück ins Regal. Als die Tür ins Schloss gefallen war, fragte Angela: «Die haben Sie doch seit Jahren nicht mehr benutzt, oder?»

«Wo denken Sie hin?», grinste sie, und Angela konnte nicht anders, als zurückzugrinsen. Danach ging sie zur Leiche und betrachtete sie genauer: Es war definitiv der Gärtner, auch wenn das ganze Gesicht von Erde verdreckt war, als hätte er es in einen krümeligen Schokokuchen gesteckt. Einen mit Marmeladefüllung. Denn oben am Schädel gab es eine üble Wunde.

«Wurde er erschlagen?»

«Und wie er das wurde.»

«Womit?»

«Sehe ich aus wie eine Hellseherin?»

«Nein, aber wie eine sehr erfahrene und kompetente Rechtsmedizinerin», erwiderte Angela, die wusste, dass man Menschen am besten motivieren konnte, wenn man ihrer Eitelkeit schmeichelte. So hatte sie mit einem «Sie sind doch ein junger, schlanker Kerl, der einfach alles hinbekommt» Jens Spahn dazu gebracht, den undankbarsten Job in der Politik anzunehmen: Gesundheitsminister. Er hatte nicht mal ansatzweise bemerkt, wie sie ihm mit diesem einen Kompliment das Karrieregrab schaufelte.

Radszinski drückte ihre Zigarette auf einer Metallschale aus, die eigentlich für Organe vorgesehen war, und betrachtete den Schädel des Leichnams genauer: «Die Wunde ist gleichmäßig.»

«Was bedeutet das?»

«Dass mit einem flachen, relativ breiten Gegenstand auf den Schädel geschlagen wurde.»

«Eine Schaufel?»

«Eine Schaufel könnte es gewesen sein. Aber er ist nicht an dem Schlag gestorben», erklärte Radszinski und steckte sich die nächste Fluppe an.

«Nein?»

«Der Mann ist erstickt.»

«Erstickt?»

«Weil er lebendig begraben wurde.»

«Lebendig begraben ...», schluckte Angela. «Da ist jemand vor gar nichts zurückgeschreckt.»

«Kein Einzeltäter.» Radszinski ließ wieder Asche neben die Leiche rieseln. «Es waren zwei.»

«Zwei?»

«Einer allein schafft es nicht, die Leiche so einzutopfen.»

«Dann könnten es aber auch drei oder vier gewesen sein.»

«Nein, es waren genau zwei.»

«Wie können Sie da so sicher sein?»

«Wenn Sie mal hierherschauen mögen.» Die Rechtsmedizinerin deutete auf die von der Gartenhose bekleideten Beine des Verstorbenen. «Sie sehen auf dem linken Bein die Abdrücke von einem Paar

Gartenhandschuhe. Und auf dem rechten Bein diejenigen von einem anderen Paar Handschuhe. Die Größen sind verschieden.»

Angela betrachtete die Abdrücke an den Schenkeln. Dort hatten also die Täter jeweils eins der Beine festgehalten, als sie die Leiche kopfüber in das Loch gesteckt haben.

«Beide Täter», erläuterte die Rechtsmedizinerin, «hatten etwa normal große Hände. Es könnten also genauso gut Frauen wie Männer gewesen sein. Vielleicht auch ein Mann und eine Frau.»

Zwei Täter. Das, erkannte Angela scharfsinnig, würde im Vergleich zu ihrem ersten Fall eine völlig andere Herangehensweise erfordern. Sie würde bei dieser Mörderjagd in Zweierkonstellationen denken müssen!

12

Was genau soll ich hier nun machen?», fragte Mike, dessen Gesicht wieder etwas Farbe angenommen hatte. Angela ging mit ihm und Mops Putin, den sie in der Zwischenzeit von zu Hause abgeholt hatten, auf einen einstöckigen Neubau zu, dessen Eingangsbereich von protzigen Säulen gestützt wurde. In ihm befand sich das Beerdigungsinstitut Borscht.

Angela wusste, dass es genauso logisch gewesen wäre, mit den Ermittlungen in Aramis' Institut zu starten, hatte er sich doch wie Borscht vor ihren Augen mit dem Gärtner gestritten, aber ein Teil von ihr weigerte sich partout, diesem kultivierten Mann einen Mord zuzutrauen. Außerdem hatte Aramis erwähnt, dass der Gärtner oft und gerne damit gedroht hatte, Menschen unangespitzt in den Boden zu rammen. Von daher hätte also auch jemand anderes das Mordopfer bei lebendigem Leib halb begraben können. Was lag da also näher, als dem gegelten Porschefahrer Borscht einen Besuch abzustatten, der gestern auf dem Friedhofsparkplatz von dem Mordopfer ein Foto bekommen und erbost darüber gewirkt hatte?

«Sie werden so tun, als ob Sie für Ihre Tante einen Sarg suchten.»

«Tante Aurelia ist aber schon seit über zwanzig Jahren tot.»

«Sie sollen ja auch nur so tun.»

«Wenn Tante Aurelia das mitbekommt, wird sie sich im Grab umdrehen», seufzte Mike.

«Und während Tante Aurelia dies macht und Sie den Bestatter ins Gespräch verwickeln, sehe ich mich ein wenig um.»

«Was suchen Sie denn?»

«Eine Schaufel.»

«Sollten Sie dafür nicht in einen Baumarkt gehen?»

«Ich suche die Schaufel, mit der der Gärtner erschlagen und anschließend vergraben wurde.» Angela hoffte auf einen schnellen Erfolg in der Ermittlung, indem sie die Tatwaffe fand. Anstatt alle Verdächtigen nach Verbindungen zum Opfer und Alibis zur Tatzeit zu befragen, würde sie, frei nach dem Brettspiel *Cluedo*, sagen können: Es war Bestatter Borscht auf dem Friedhof mit dieser Schaufel. Und sie würde hinzufügen: Mit irgendeinem Komplizen, den ich auch noch überführen werde.

Angela öffnete die Tür und betrat mit Mike und Mops das Institut. Anstatt eines kleinen Glöckchens ertönte die Melodie von *Who wants to live forever*. Angela empfand das als ziemlich geschmacklos, Mike hingegen sagte erfreut: «*Queen*! Das ist meine Lieblingsband. Zusammen mit *AC/DC*. Aber *Highway to Hell* würde hier vielleicht nicht so gut passen.»

Angela ignorierte den Kommentar und sah sich um: In dem großzügigen Verkaufsraum waren einige Särge aufgestellt wie VWs in einem Autohaus. Die meisten machten einen ganz normalen Eindruck: schwarz. Braun. Eiche. Linde. Aus der Reihe fiel lediglich ein *Modern Talking*-Sarg, der im Zentrum des Ladens aufgebaut war. Mike sah sich die in Airbrush-Design aufgemalten Gesichter von Dieter Bohlen und Thomas Anders an und murmelte: «Jetzt wird mir schon wieder schlecht.»

Auch darauf ging Angela nicht ein, denn Putin schnüffelte besorgniserregend intensiv an einer kleinen Pyramide aus sechs weinroten Urnen. Sie hob den Mops hoch und hörte dann, wie hinter dem Tresen eine Tür aufging und jemand den Verkaufsraum betrat. Es war der gegelte Porschefahrer. Er trug zwar einen schwarzen Anzug, wie es sich für einen Bestatter gehörte, aber die breiten Revers waren aus lila Samt, was ihn eher wie einen gealterten Bühnenmagier aussehen ließ.

«Was kann ich für Sie tun?», fragte Borscht. Er bemühte sich, distinguiert zu wirken, dabei sah er noch derangierter aus als gestern. Unrasiert. Mit Ringen unter den Augen. Und einer leichten Alkoholfahne, wenn Angela sich nicht täuschte, die mit reichlich Eau de Cologne übertüncht werden sollte. Ganz offensichtlich war der verstorbene Gärtner nicht die einzige Person im Friedhofsgewerbe von Klein-Freudenstadt mit einem Alkoholproblem gewesen. Oder hatte er sich nach begangener Tat betrunken?

«Mein Bodyguard hat ein Anliegen», antwortete Angela und deutete auf Mike. Bestatter Borscht setzte ein schleimiges Verkäuferlächeln auf, das Angela ein bisschen an Markus Söder erinnerte – wie oft hatte sie gedacht, der Bayer hätte ein herausragender Erbschleicher werden können –, und fragte: «Womit kann ich Ihnen eine Freude machen?»

«Ich ... hätte gerne einen Sarg für meine Tante Aurelia ...»

«Gerne, an was hatten Sie gedacht?»

Mike wusste nicht, was er darauf antworten sollte.

«Sie haben sich doch gerade diesen hier angesehen?», deutete Borscht auf den *Modern Talking*-Sarg. Er war nun vollkommen in seinen Verkäufermodus gewechselt.

«Ja ...»

«War Ihre Tante denn ein *Modern Talking*-Fan?»

«Tja ...» Mike wusste auf die Schnelle nichts anderes zu sagen.

«Dann habe ich eine sehr, sehr, sehr gute Nachricht für Sie. Der Sarg ist nämlich gerade im Sonderangebot!»

Kein Wunder, dachte Angela.

«Wir haben ja nur günstige Angebote. Aber dieser hier ist das absolute Superhammerschnäppchen.»

Nach Angelas Meinung wäre er geschenkt auch noch zu teuer gewesen.

«Sie bekommen ihn für 1000 Euro. Und ein All-inclusive-*Modern Talking*-Paket für weitere 2000 Euro.»

«Ein All-inclusive-*Modern Talking*-Paket?», staunte Mike.

«Ja. *Modern Talking*-Musik bei der Beerdigung, ein Grabstein in Form des Konterfeis der beiden Musiker sowie dreißig Thomas-Anders-Ketten als Erinnerung für die Trauernden. Selbstverständlich können Sie sich den Namen aussuchen, es muss nicht Nora sein. Es kann auch jeder andere Name sein, wie Dieter oder Thomas …»

«Auch der meiner Tante?», fragte Mike fasziniert.

«Absolut, eine ausgezeichnete Idee», antwortete der Bestatter, der ganz offensichtlich auf diesen naheliegenden Einfall noch gar nicht gekommen war. «Ich mache gleich ein Angebot fertig, damit Sie sehen können, was das für ein fantastisches Schnäppchen ist.»

Während Borscht geschäftig zum Tresen ging, konnte Angela sich des Eindrucks nicht erwehren, dass der Bestatter erleichtert war, den Sarg endlich loszuwerden. Sie fragte ihn: «Sagen Sie, dürfte ich mal Ihre Toilette benutzen?»

«Ah, Sie müssen mal für kleine Kanzlerinnen?», freute sich der Bestatter über seinen Scherz.

Angela lächelte freundlich. Sie hatte es sich in ihrer politischen Zeit angewöhnt, Männer in dem Glauben zu lassen, sie wären witzig, wenn es ihren Zielen diente. Ganz nach dem inoffiziellen Motto ihres Kanzleramts: ‹Wer zuletzt lacht, das ist die Angela.›

«Gehen Sie einfach durch die Tür da ins Lager, einmal ganz ans Ende, und neben der Tür zum Büro finden Sie die Toilette.»

«Danke», antwortete Angela, drückte Mike Putin in die Arme und erklärte: «Ich bin gleich wieder da.»

Noch bevor der überfordert wirkende Mike so etwas wie ‹Bitte beeilen Sie sich› raunen konnte, war Angela bereits auf dem Weg, um sich auf die heimliche Suche nach der Mordwaffe zu begeben.

13

Angela hatte erwartet, ein Lager voller Särge und Urnen vorzufinden. Aber dieses hier war komplett leer bis auf einen einsamen Kalender, der trostlos an einer Wand hing und die Aufschrift *Sexy Undertakers 2002* trug. Angela ignorierte ihn und ging durch die große Halle, an deren Ende sich zwei Türen befanden. Die eine führte zum WC, also musste die andere die Bürotür sein. Und da Borscht sich gerade im Verkaufsraum befand, könnte sie sich darin ein wenig ungestört umsehen.

Angela drückte vorsichtig die Türklinke runter, trat ein und sah sich in dem schmucklosen Raum um. Die Regale standen voller Leitz-Ordner mit den Aufschriften: Rechnungen, Bank, Steuer etc. An den Wänden hingen keinerlei Fotos oder andere Bilder, die auf irgendeinen persönlichen Geschmack hindeuteten. Auf dem Schreibtisch lagen jede Menge Rechnungen für Einäscherungen. Anscheinend schickte Borscht aus Kostengründen die Leichen in polnische Krematorien, um sie verbrennen zu lassen. Aus der Ukraine bezog das Institut offenbar seine Särge. Auch aus China. Sogar aus Indonesien. Fehlte eigentlich nur noch Nordkorea. Damit hier die Toten unter die Erde kamen, wurden woanders die Lebenden ausgebeutet. Angela stöberte in den Ablagekörben. Jede Menge Rechnungen von einem Gärtner namens Fred Galka. Handelte es sich bei ihm um das Mordopfer?

Das würde sie überprüfen, nahm sich Angela vor. Da entdeckte sie plötzlich etwas Interessantes: Unter den Rechnungen lugte ein merkwürdiger Zettel hervor. Merkwürdig deshalb, weil die Schrift aus ausgeschnittenen bunten Buchstaben bestand, die vermutlich aus verschiedenen Illustrierten stammten. Angela zog ihn heraus und las:

Ihr Liebenden wisst, was ihr beiden getan habt. Zahlt mir jeder eine Million Euro, oder alle werden es erfahren.

‹Was *ihr beiden* getan habt› – zwei Menschen wurden also erpresst. Das passte zu dem, was die Rechtsmedizinerin Radszinski gesagt hatte: Es waren definitiv zwei Mörder. Jedenfalls, wenn der nun tote Gärtner der Absender dieses Briefes war. Und das war sehr wahrscheinlich, immerhin lag das Schreiben unter all den Rechnungen des Gärtners Galka. Es stand ferner zu vermuten, dass der Bestatter Borscht einer der beiden Adressaten war. Immerhin hatte er sich auf dem Friedhofsparkplatz mit dem Mordopfer gestritten. Doch wer war die zweite Person, die mit ihm erpresst wurde? Wer war der oder die andere der beiden ‹Liebenden›? Borschts Yoga-Ehefrau? Und während Angela darüber nachdachte, hörte sie nicht, wie nebenan die Toilettenspülung rauschte.

14

Was machen Sie hier in meinem Büro?», fragte eine belegte Frauenstimme kurz darauf. Angela drehte sich hektisch um und versteckte dabei den Erpresserbrief hinter ihrem Rücken. Vor ihr stand Merle Borscht. Die blonde schlanke Frau trug einen schwarzen Hosenanzug und eine dezente blaue Bluse. Ihre Augen waren verquollen. Hatte sie etwa nicht nur gestern in den Armen von Aramis geweint, sondern auch die ganze Nacht hindurch? Und falls ja, hatte das mit dem Mord zu tun? War vielleicht sie in die Sache verwickelt und nicht ihr Vater? Immerhin war das hier offensichtlich ihr Büro, nicht seines. Und damit war der Erpresserbrief wahrscheinlich auch an sie adressiert.

«Sie … sind ja … die Kanzlerin?», staunte Merle Borscht.

«Na ja, Ex-Kanzlerin», bemühte Angela sich, die junge Frau mit einem gewinnenden Lächeln einzuwickeln.

«Ist das in diesem Zusammenhang nicht völlig egal?»

«Vermutlich», lächelte Angela noch gewinnender, ohne Merle für sich zu gewinnen.

«Also bitte: Was machen Sie hier?»

«Ich wollte auf die Toilette und bin durch die falsche Tür gegangen.»

«In mein Büro?»

«Ich habe mich in der Tür geirrt.» Sehr viel gewinnender als in diesem Moment konnte Angela gar nicht lächeln.

«Und Sie mussten erst mitten in den Raum zu meinem Schreibtisch gehen, bevor Sie das bemerkt haben?»

«Entschuldigen Sie, ich bin etwas durcheinander. Mein Bodyguard ist hier, um einen Sarg für seine Tante Aurelia auszusuchen. Sie war eine herzallerliebste Frau. Ich habe mit ihr viele Kuchen gebacken», schwindelte Angela.

«Das tut mir leid», sagte Merle. «Ich hätte nicht so harsch sein dürfen. Jeder, der zu uns kommt, trägt Trauer im Herzen. Können Sie mir verzeihen?»

«Selbstverständlich», lächelte Angela, während sie hinter ihrem Rücken den Erpresserbrief zusammenfaltete.

«Bedient mein Papa Ihren Bodyguard?»

Angela staunte, dass eine gestandene Frau wie Merle ‹Papa› sagte: «Ja, er macht ihm gerade ein Angebot für ein *Modern Talking*-Begräbnis.»

«Im Ernst?»

«Ja.»

«Ich hätte nie gedacht, dass wir das Monstrum jemals loswerden», sagte Merle, um sich gleich selbst zu korrigieren: «Verzeihung, Verzeihung. Ich wollte den Geschmack Ihres Angestellten nicht beleidigen.»

«Schon gut. Von Geschmack kann man im Zusammenhang mit dem Sarg auch nicht sprechen.»

«Nein, das kann man nicht», seufzte Merle erleichtert. «Mit solchen Angeboten schreckt man allerdings andere Kunden ab. Die waren in den 90er-Jahren in Ordnung, aber jetzt? Man könnte aus diesem Laden etwas ganz und gar anderes machen. Er könnte so viel moderner und profitabler sein!»

«Aber?»

«Mein sturer Papa hört nicht auf mich. Manchmal bereue ich es, dass ich meinen Beruf für die Firma aufgegeben habe.»

«Was haben Sie vorher gemacht?»

«Ich war bei der Bundeswehr.»

«Wo waren Sie stationiert?»

«Eine Einheit wie die meine wird überall gebraucht. Besonders in Mali.»

«Welche Einheit war es denn?»

«Verzeihen Sie, wir schweifen ab. Kann ich noch irgendetwas für Sie tun?» Merle Borscht wollte offenbar nicht weiter über ihr Leben reden.

«Nun, gibt es hier vielleicht einen guten Gärtner, der das Grab von Aurelia pflegen könnte?»

Merles Gesicht wurde zu Stein.

«Hätten Sie vielleicht eine Empfehlung?»

«Es gibt nur einen Friedhofsgärtner namens Fred Galka.» Die junge Frau spuckte den Namen förmlich aus.

Nur einen Gärtner. Das musste bedeuten, dass Galka der Tote war.

«Ich würde Ihrem Bodyguard empfehlen, sich selbst um das Grab zu kümmern.» Merle verachtete das Mordopfer offensichtlich so sehr wie Aramis und Borscht. Wenn sie tatsächlich die Adressatin des Briefes war, wer war dann die Person, die mit ihr von Galka erpresst worden war? Und die sie demzufolge liebte, es war ja in dem Brief von *Liebenden* die Rede? Etwa Aramis, der sie gestern getröstet hatte? Wurden die beiden erpresst, weil Merles Vater von ihrem Verhältnis nichts erfahren durfte, immerhin war Aramis ja sein Erzrivale?

Um unauffällig das Gespräch auf Aramis zu lenken, fragte Angela: «Führt das *Bestattungsinstitut Kunkel* vielleicht Gärtnerarbeiten aus?»

«Ich glaube nicht, aber das müssten Sie dort erfragen.»

«Aber Sie wissen doch gewiss, was die Konkurrenz so macht.» Angela ließ nicht locker.

Merle blickte zu Boden, rang plötzlich mit den Tränen.

«Alles in Ordnung?», fragte Angela in der Hoffnung, die junge Frau dazu zu bewegen, etwas über ihr Verhältnis zu Aramis preiszugeben.

«Ich habe zu tun.» Sie setzte sich an den Schreibtisch.

«Ja, aber …»

«Bitte verlassen Sie mein Büro.» Die Stimme von Merle wurde brüchig.

Angela spürte, dass sie so nicht weiterkam. Sie nickte, wollte los, erinnerte sich aber gerade noch im letzten Moment, dass sie hinter dem Rücken den zusammengefalteten Erpresserbrief in den Händen hielt, und ließ ihn unauffällig in ihre Umhängetasche gleiten. Dann trat sie aus dem Büro und ging in Richtung Verkaufsraum.

«Hallo!», hörte sie Merle hinter sich wieder rufen.

Angela stockte der Atem: Hatte die junge Frau sie erwischt? Vorsichtig drehte sie sich um und sagte: «Ja?»

«Wollten Sie nicht auf die Toilette?», fragte Merle, die sich nun wieder gefasst hatte.

«Ja, ja», antwortete Angela mit einem angestrengten Lächeln, «ich muss wirklich mal für kleine Kanzlerinnen.»

«Mit diesem Humor würden Sie sich mit meinem Papa gut verstehen», lächelte Merle und wollte sich wieder ins Büro verziehen.

Doch Angela wollte die erneute Begegnung nutzen: «Ich hätte noch eine Frage.»

«Was denn?»

«Warum ist das Lager leer?»

«Wir haben ein größeres anmieten müssen. Auch die Leichen lagern wir woanders.»

«Aber der Kalender ist noch hier?», deutete Angela auf die *Sexy Undertakers* aus dem Jahre 2002.

«Ein Andenken an das Jahr, in dem meine Mutter uns verlassen hat, um mit ihrem Toy Boy nach Florida zu ziehen.»

«Oh.»

«Ich war fünfzehn, sie war keine großartige Mama», sagte Merle bitter.

«Das tut mir leid.»

«Mir auch. Besonders für Papa.»

Angela betrachtete die junge Frau: Ihr Vater bedeutete ihr offenbar sehr viel.

«Er hatte noch nie ein gutes Händchen mit Frauen», seufzte die junge Frau und ging wieder in ihr Büro. Und Angela ahnte: Damit meinte Merle wohl auch ihre neue Stiefmutter, die Yogalehrerin Charu Benisha.

15

Angela stand eine Weile vor dem Waschbecken des WCs, um Merle nicht noch misstrauischer zu machen. Dabei dachte sie darüber nach, wie Borscht wohl als alleinerziehender Vater gewesen war. Ein Schicksal, das er offensichtlich mit Aramis teilte. Ob sich die beiden, als sie noch Partner im Bestattergewerbe waren, gegenseitig unterstützt hatten?

Zur Tarnung betätigte Angela die Spülung und ging dann endlich durch das Lager zurück in den Verkaufsraum. Borscht sagte gerade: «Jetzt setzen Sie hier noch eine Unterschrift hin, und für Ihre Tante Aurelia wird ein Traum wahr werden. Auf ewig vereint mit Dieter und Thomas.»

Borscht stand hinter seinem Tresen und drückte Mike einen Stift in die Hand. Angelas Bodyguard war völlig durcheinander. Es stand zu befürchten, dass er tatsächlich unterschreiben würde. Alles, um die Tarnung nicht auffliegen zu lassen. Angela musste dringend einschreiten. Nur wie?

Ihr kamen die amerikanischen Actionkomödien in den Sinn, die Marie ihr gerne vorspielte, um Angela ‹echte Kultur› zu zeigen. Anfangs waren Filme wie *21 Jump Street* oder *22 Jump Street* Angela albern vorgekommen, und sie hatte gehofft, dass es in der Straße nicht noch mehr Häuser gab. Doch nach und nach fand sie Geschmack an dem infantilen Humor. Maries Lachen war wunderbar ansteckend, und wenn

Angela ganz ehrlich war, genoss sie es, sich über Witze zu amüsieren, für die man keinerlei intellektuellen Überbau benötigte. Achim konnte köstliche Scherze machen, aber um die zu verstehen, musste man sich oft in Themengebieten wie Quantenphysik, Schopenhauers Philosophie oder Gemälden des italienischen Frühbarocks auskennen.

Wäre Angela eine Heldin in der Sorte Actionkomödie, in der Sandra Bullock so gerne die Hauptrolle spielte, würde sie jetzt in einer langen Zeitlupeneinstellung mit verzerrtem Gesicht und gedehnter Stimme «Neeeeiiiiinnnnnn» schreien, durch den Raum gleiten, links und rechts unwissende Beobachter zur Seite stoßen, dabei elegant Kugeln und Messern ausweichen und Mike im allerletzten Moment zu Boden werfen, unmittelbar bevor er unterschrieben hätte. Doch Angela befand sich nicht in einer solchen Komödie. Weder gab es hier Leute zum Stoßen noch Messer und Kugeln, noch besaß sie den durchtrainierten Körper von Sandra Bullock. Also musste Angela sich auf ihre Stärken besinnen, und die lagen nun mal im Bereich der Politik. Wenn man dort einen Abschluss unbedingt bis zum Sankt-Nimmerleins-Tag aufschieben wollte, bildete man einen Arbeitskreis oder brachte in die Verhandlungen in allerletzter Minute einen neuen Vorschlag ein, der alles zuvor Ausgehandelte elementar infrage stellte. Der Arbeitskreis kam hier nicht infrage, der Last-Minute-Vorschlag jedoch schon: «Tante Aurelia liebte allerdings einen anderen Musiker noch mehr als *Modern Talking*.»

Mike war erleichtert, seine Dienstherrin zu sehen. Borscht gefiel ihr Einwurf so kurz vor der Unterschrift jedoch gar nicht: «Und um welchen Musiker handelt es sich dabei?»

«Um Roberto Blanco», sagte Angela den ersten Namen, der ihr in den Sinn kam.

«Sie wollen wirklich», wandte sich Borscht erstaunt an Mike, «lieber einen Roberto-Blanco-Sarg für Ihre Tante?»

Der Personenschützer war nun völlig verwirrt. Dies war nicht weiter verwunderlich, denn niemals zuvor war einem Menschen diese Frage gestellt worden, und mit an Sicherheit grenzender Wahrscheinlichkeit würde sie auch keinem weiteren Menschen jemals wieder gestellt werden. Angela hakte sich entschlossen bei Mike unter und erklärte Borscht: «Er wird es sich überlegen.»

«Ein Roberto-Blanco-Sarg wird aber viel teurer», versuchte der Bestatter zu retten, was zu retten war. «Wenn Sie sich jetzt für das *Modern Talking*-Modell entscheiden, leg ich noch drei Kränze gratis obendrauf.»

«Wir kommen gerne auf Sie zurück», wimmelte Angela ihn ab. Sie wollte Mike herausführen, da entdeckte sie ein verblasstes Polaroidfoto, das auf dem Tresen lag. Es war bestimmt das Foto, das der Gärtner gestern auf dem Friedhofsparkplatz Borscht übergeben hatte. Angela sah eine lachende Frau, die auf der Motorhaube eines orangefarbenen Volvo saß. Sie hatte die Frau schon einmal auf einem anderen Foto gesehen. Auf einer Website. Sowie in Stein gehauen auf dem Friedhof. Es handelte sich um Anja Kunkel.

Während Angela auf das Foto linste, ertönte *Who wants to live forever*. Eine Endzwanzigerin mit Yogamatte unter dem Arm betrat das Geschäft. Angela erkannte sie sofort: Es war Charu Benisha, die platinblonde, sonnenbankgebräunte Ehefrau des Bestatters. Sie trug ein blau-silbernes Stirnband und einen dazu passenden eng anliegenden Yogaanzug. Mike fielen fast die Augen aus den Höhlen. Schnurstracks ging die nach Sonnenmilch duftende Charu zu ihrem Mann und sagte: «Ich brauch deinen Porsche, mein Held.»

«Wieso?», fragte Borscht mit eisiger Stimme. «Was ist mit dem Tesla?»

«Der lädt gerade auf.»

«Ich dachte, du hast bei deiner Freundin am Oberuckersee übernachtet. Dafür müsste die Ladung doch gereicht haben.»

«Wir haben noch die Michi aus Prenzlau abgeholt.»

Der finsteren, leicht spöttischen Miene von Borscht nach zu urteilen, glaubte er ihr kein Wort. Er sagte: «Du warst wieder bei ihm?»

«Wie oft soll ich dir noch sagen, dass es keinen mysteriösen Liebhaber gibt. Ich habe dich nicht betrogen und werde es auch nicht tun.»

Borscht war nicht überzeugt.

«Du weißt doch, ich liebe nur dich», säuselte Charu Benisha, ging zu ihm und gab ihm einen Kuss, der überraschenderweise innig wirkte. Liebte diese Frau ihren Mann etwa wirklich? Waren sie etwa die beiden Liebenden aus dem Brief?

Borscht gab ihr widerwillig den Autoschlüssel, sie sagte: «Danke, mein Held», und ging. Ihre Rückseite schien Mike regelrecht zu hypnotisieren.

Angelas Blick fiel auf Charus Sneaker: Sie waren voller Erde. Die konnte vom Oberuckersee stammen, wo die Frau angeblich die Nacht verbracht hatte, oder auch von einem anderen Ort: zum Beispiel dem Friedhof.

«Ach, kommen Sie einfach wieder, wenn Sie sich doch noch für den *Modern Talking*-Sarg entscheiden», sagte Borscht nun zu Mike. Angela betrachtete erstaunt den Bestatter: Plötzlich war es ihm nicht mehr wichtig, den Abschluss zu machen. Stattdessen blickte er seiner Ehefrau nach, wie sie in den Porsche stieg und davonbrauste. Dabei wirkte er auf Angela wie ein Mann, der sich fragte, warum er sich auf diese viel jüngere Frau eingelassen hatte. Seine Tochter hatte offensichtlich recht: Der Arme hatte kein glückliches Händchen für Frauen.

Angela war verblüfft, dass sie mit einem Mann, der sein Haar gelte, *Modern Talking*-Särge aus Fernost verkaufte und sich eine junge Trophäen-Frau gesucht hatte, mit einem Mal Mitleid empfand. Der arme Kerl stand im Herbst seines Lebens und hatte offensichtlich nie sein Liebesglück gefunden.

Oh Gott, was hatte sie nur für Gedanken: Noch nie hatte sie den Begriff ‹Herbst des Lebens› benutzt. Dabei war sie selbst mittendrin.

«Warum schütteln Sie sich?», fragte Mike.

«Ich, ich … egal, lassen Sie uns gehen», antwortete Angela und war mit einem Male froh, nicht mehr von Särgen umgeben zu sein, die einen an die eigene Endlichkeit erinnerten.

Die Sommersonne hatte noch nicht ihre volle Kraft entfaltet. Angela nahm ein Stück Traubenzucker aus ihrer Handtasche und fühlte dabei das zusammengefaltete Schreiben. Zwei liebende Menschen wurden also erpresst. Einer davon war höchstwahrscheinlich Merle Borscht, die den Brief auf ihrem Schreibtisch liegen hatte. Als Liebespartner und somit als Mittäter kam Aramis infrage. Höchste Zeit, das *Bestattungsinstitut Kunkel* aufzusuchen und dort nach Beweisen für diese Theorie zu suchen.

16

Angela, Mike und Putin gingen auf das Institut Kunkel zu, das ganz in der Nähe des Friedhofs angesiedelt war und sich äußerlich kaum mehr von dem konkurrierenden Institut Borscht hätte unterscheiden können. Es befand sich in einem über hundert Jahre alten, renovierungsbedürftigen Haus, das bestimmt trostlos gewirkt hätte, wenn es nicht inmitten eines idyllischen Wildblumengartens gestanden hätte. Die zahlreichen Blumen und blühenden Sträucher ließen es malerisch und verwunschen aussehen. Ähnlich dem Grab von Anja Kunkel. Aramis fand es offensichtlich schön, der Natur freien Lauf zu lassen und Orte auf diese Weise zu verzaubern. Das sprach dafür, dass er eine poetische Seele hatte. Eine, von der Angela hoffte, dass sie nicht des Mordes fähig war.

«Mike, würden Sie bitte hier warten?», bat sie ihren Bodyguard.

«Sie gehen zu einem Mordverdächtigen, da kann ich Sie nicht allein lassen!»

«Er wird mich schon nicht umbringen», erwiderte Angela lachend, weil sie sich nicht vorstellen konnte, dass Aramis zu so einer Tat in der Lage war.

«Berühmte letzte Worte», murmelte der Personenschützer einen seiner Lieblingssprüche.

«Wenn es brenzlig werden sollte, was ich nicht glaube, dann rufe ich Sie an.»

«Wenn es wirklich brenzlig wird, können Sie nicht mehr zu Ihrem Handy greifen!»

«Och», grinste Angela, «ich bin wirklich sehr gut darin, heimlich Sprachnachrichten zu tippen.»

«Ja, wenn Sie auf der Regierungsbank sitzen!»

Angela grinste noch mehr bei der Erinnerung. Es hatte ihr stets viel Freude gemacht, mit dem CDU-Fraktionsführer kurze Nachrichten hin- und herzuschreiben, in denen sie sich über die Politiker am Rednerpult lustig machten.

«Ich komme mit!», insistierte Mike.

«Wie oft haben Sie sich schon gegen meinen Willen durchsetzen können?», fragte Angela.

«Nun … ähem …»

«Eben.»

«Dann lassen Sie uns wenigstens ein Signal vereinbaren.»

«Ein Signal?»

«Wenn Sie das Signal geben, weiß ich, dass Sie in Gefahr sind, und stürme rein.»

«Einverstanden.»

«Gut.» Mike war nun sehr erleichtert.

«An was für ein Signal haben Sie denn gedacht?»

«Machen Sie ein Kuckucksgeräusch.»

«Kuckuck?»

«Ja.»

«Ich kann doch keinen Kuckuck nachmachen.»

«Das ist ganz einfach», fand Mike. «Das geht so: gu-kuh … gu-kuh … gu-kuh …»

«Das klingt wie ein sterbendes Huhn.»

«Dann machen Sie halt ein sterbendes Huhn nach.»

«Ich mache doch kein sterbendes Huhn nach!»

«Schwan?»

«Ich schreie einfach.»

«Einfach, aber effektiv.»

Angela näherte sich dem Institut, während Mike mit Putin zurückblieb. Der Mops legte sich sofort auf den Boden und hechelte. So viel wie heute war er lange nicht mehr spazieren gegangen, und es war ihm anzusehen, dass er diese völlig übertriebene körperliche Aktivität für einen Fall für den Tierschutzbund hielt.

Als Angela etwa fünf Meter von dem Haus entfernt war, öffnete sich die Tür, und sie erwartete, dass Aramis heraustreten würde. Zu ihrer eigenen Überraschung begann ihr Herz, lauter zu klopfen. Vermutlich weil Aramis unter Verdacht stand und sie ihn gleich unauffällig ausfragen würde. Warum sollte auch sonst das Herz lauter klopfen, wenn nicht wegen der aufregenden Detektivarbeit?

Doch es war nicht Aramis, der aus der Tür trat. Es war die junge Frau mit dem Bob, der Angela neulich bei Tagesanbruch auf dem Marktplatz begegnet war. Sie trug, trotz des warmen Wetters, wieder ihre rote Lederjacke und bearbeitete hoch konzentriert irgendwelche Notizen. Auch diesmal bemerkte sie Angela nicht sofort, sondern setzte sich auf die Holzbank im Vorgarten und schrieb weiter. Angela beobachtete die zierliche Frau beim Näherkommen. Woran sie wohl so eifrig arbeitete?

Angelas Blick wanderte hinab zu deren roten Turnschuhen. Auch sie waren voller Erde wie die von Charu Benisha. Und diese Erde könnte ebenfalls vom Friedhof stammen. Allerdings hatte das nicht viel zu bedeuten. Die junge Frau arbeitete offensichtlich für das Bestattungsinstitut. Vielleicht war sie deswegen auch heute Morgen aus Richtung des Friedhofs gekommen. Andererseits, was hatte man zu so früher Stunde dort zu tun? Spuken?

Angela musste bei der Vorstellung, dass jemand als Geist verkleidet über die Gräber huschte, auflachen. So ein Hokuspokus!

Von ihrem Lachen wurde die junge Frau aufmerksam. Sie sah auf und erkannte Angela sofort. Überrascht sagte sie: «Frau Merkel … was führt Sie denn hierher?»

«Nun, ich möchte zu Aramis.»

«Wer ist Aramis?»

«Oh … äh, ich meine Kurt Kunkel.»

«Und warum sagen Sie dann Aramis?»

Angela konnte der jungen Frau wohl kaum erzählen, dass der Bestatter in ihren Augen wie ein französischer Filmstar aussah und der Name Kurt Kunkel einfach nicht passte. Es gab gute Gründe dafür, dass die Erfolgsschauspieler aus Frankreich und Belgien keine Künstlernamen trugen wie Jean-Kurt Belmondo oder Jean-Claude van Kunkel.

«Ich habe eben an jemand anderen gedacht», erklärte Angela und hoffte, dass es sich damit erledigt hatte.

«Wer heißt denn heutzutage Aramis?», hakte die junge Frau nach.

«Ähem.» Angela fiel auf die Schnelle nichts ein. Deshalb sagte sie: «Mein Personenschützer.» Sie deutete auf Mike, der in einiger Entfernung stand und alles genau beobachtete.

«Er sieht eher aus wie ein Bruce.»

«Er ist Franzose», schwindelte Angela weiter.

«Und wie heißt der Hund? Bijou?»

«Nein, Putin.»

«Klingt nicht gerade französisch.»

«Er ist ja auch mein Hund, nicht seiner», sagte Angela, erleichtert, dass sie ihren Versprecher ausgebügelt hatte. Nicht elegant ausgebügelt. Aber ausgebügelt. Dann besann sie sich darauf, dass sie in ihrer Eigenschaft als Detektivin unterwegs war und sie die junge Frau zu heute Morgen befragen sollte. Während Angela noch überlegte, wie sie es am besten anstellen konnte, wurde sie schon wieder aus dem Konzept gebracht: «Was möchten Sie eigentlich von meinem Vater?»

«Ihrem Vater?»

«Ja, ich bin Jessica Anja Kunkel», lächelte sie. Jetzt erst erkannte Angela die Ähnlichkeit: Die Augen der jungen Frau strahlten so blau wie die von Aramis, und mit der frechen Bob-Frisur hätte sie ebenfalls in einem französischen Film auftreten können.

Angela versuchte rasch, die Familienverhältnisse im *Bestattungsinstitut Kunkel* zu sortieren. Aramis hatte also mit seiner Frau Anja nicht nur einen missratenen Sohn, der jetzt circa Mitte dreißig war, sondern auch eine schätzungsweise zehn Jahre jüngere Tochter. Ihre Mama musste kurz nach der Geburt gestorben sein. Oder gar bei der Geburt? Hieß sie deswegen mit zweitem Namen wie die Mutter? Hatte Aramis sie so genannt, als er das kleine Bündel zum ersten Mal in den Armen hielt?

«Warum schauen Sie mich auf einmal so traurig an?», fragte Jessica.

«Ich musste an etwas Trauriges denken», antwortete Angela ausweichend.

«Das müssen wir alle ab und an», lächelte Jessica freundlich und wirkte dabei so, als würde sie sich mit dem Thema Traurigkeit auskennen.

«Also, was können wir für Sie tun?»

«Ich habe ein Buch für Aramis mitgebracht», deutete Angela auf ihre blaue *Longchamp*-Umhängetasche.

«Und warum geben Sie es dann nicht Ihrem Bodyguard?»

«Ich meinte Ihren Vater», korrigierte Angela sich hastig. Sie musste unbedingt damit aufhören, den Namen Aramis ständig auszusprechen.

«Okaaay ...» Die junge Frau blickte ihr Gegenüber irritiert an.

«Wir», versuchte Angela endlich die Kontrolle über das Gespräch zu erlangen, «sind uns ja heute Morgen schon begegnet.»

«Ja.» Jessica rang sich ein bemühtes Lächeln ab. «Hätte nicht gedacht, dass ich jemandem wie Ihnen zweimal an einem Tag über den Weg laufe.»

«Sie waren recht früh unterwegs heute Morgen», stellte Angela fest.

«Ich habe bei meiner Freundin übernachtet.»

Angela stellte sich eine weitere *Fridays for Future*-Aktivistin vor, mit der Jessica gemeinsam Pläne ausheckte, wie man die Welt rettete. Oder mit der sie sich *Netflix* ansah.

«Wohnt Ihre Freundin hinter dem Friedhof?»

«Wie kommen Sie denn darauf?»

«Ach nur, weil Sie aus Richtung der Kirche kamen und die zu der Zeit verschlossen ist.»

«Nein, ich kam von der Baugenwitzstraße, die geht ein bisschen weiter neben der Kirche vom Marktplatz ab.»

Das war korrekt, es konnte also doch sein, dass Jessica gänzlich unverdächtig war. Dennoch fragte Angela: «Und warum haben Sie sie so früh am Morgen verlassen? Ich dachte immer, junge Menschen schlafen gerne lang.»

«Ich muss noch die Trauerrede für die alte Frau Krawinkel schreiben.» Jessica deutete auf ihren Notizblock. «Mein erster Entwurf war völlig missraten.»

«Sie schreiben Trauerreden?»

«Für Tote, die kein Kirchenmitglied waren. So wie die alte Krawinkel. Die hat immer gesagt: ‹Es kann keinen Gott geben, sonst wären die Männer nicht alle so blöd.› In Fällen wie diesen stehe ich dann für die Angehörigen zur Verfügung. Ich rede mit ihnen, mache mir ein Bild von dem oder der Verstorbenen und schreibe eine passende Rede.»

Die junge Frau machte auf Angela den Eindruck, sehr stolz auf ihre Arbeit zu sein. Ob der eigene Verlust der Mutter, der ihr Leben so sehr prägte, dabei eine Rolle spielte?

«Bei meinen Reden», erklärte Jessica, «geht es nicht nur darum, den Trauernden Trost zu spenden, sondern auch um Heilung. Am liebsten würde ich die ganze Beerdigung danach ausrichten. Statt der ganzen oft leeren Rituale mit Kranz, klassischem Kirchengesang und Trauermienen würde ich den Fokus viel lieber darauf legen, mit Bestattungen das Leben zu feiern. Das des Toten, aber eben auch das der Angehörigen.»

«Und warum tun Sie es dann nicht?»

«Es ist noch nicht mein Laden.» Sie deutete auf das Haus hinter ihr. «Aber wenn er es wird, werde ich etwas ganz und gar anderes daraus machen.»

Etwas ganz und gar anderes daraus machen – das hatte auch Merle Borscht mit dem Bestattungsinstitut ihres Vaters vor. Nur hatte sie dabei eher den Profit im Sinn.

«Sie sagten», fragte Angela, «es ist ‹noch nicht› Ihr Laden?»

«Er gehört meinem Vater.»

Jessica nannte Aramis durchgehend Vater, im Gegensatz zu der deutlich älteren Merle Borscht, die ihren Vater stets Papa nannte. Das Verhältnis von Jessica und Aramis schien also nicht ganz so innig zu sein wie jenes der Borschts.

«Mein Vater will bald in Rente gehen und sich nur noch den Büchern und der Kunst widmen.»

Dass Aramis die Zeit nach dem Ausscheiden aus seinem Beruf so verbringen wollte, machte ihn für Angela gleich noch sympathischer! Aber hatte er nicht gesagt, dass er seinen Betrieb in die Hände des Sohnes übergeben wolle?

«Was ist mit Ihrem Bruder, soll der nicht das Institut in der Nachfolge leiten?»

«Sie kennen Peter?», staunte Jessica.

«Ich habe von ihm gehört.»

«Nun, dann wissen Sie vielleicht auch, dass er leider nicht der zuverlässigste Typ ist.»

Angela musste an das Zeitungsfoto von der Verhaftung denken und nickte.

«Day – o!», sang plötzlich eine Männerstimme. *«Day-ay-ay-o.»*

Angela musste schmunzeln. Sie wusste, welche Zeile als Nächstes kam: *«Daylight come and me wanna go home.»* Ganz klar, es war der *Banana Boat Song* von Harry Belafonte. Das Lieblingslied ihres Vaters, der als evangelischer Pastor in der DDR gearbeitet und es so gerne auf der Kirchenorgel gespielt hatte. Selbstverständlich nicht bei den Gottesdiensten, sondern nur, wenn er mit seiner kleinen Tochter Angela allein in der Kirche war.

Belafontes Stimme knackte und knisterte. Bestimmt wurde das Lied auf einem Plattenspieler abgespielt. Jedoch nicht auf einem dieser hippen Geräte, die junge Minister sich für teures Geld kauften, um ihren Luxuswohnungen in Berlin einen Retro-Chic zu verleihen. Nein, es war unzweifelhaft ein alter Plattenspieler, wie Angela ihn vor langer Zeit in ihrer Studentenbude besessen hatte. Harry Belafonte war nun aber nicht mehr der Einzige, der sang. Eine weitere Stimme setzte ein, nicht ganz so melodiös: *«Come, mister tally man, tally me banana.»*

«Ihr Vater?», fragte Angela die junge Trauerrednerin.

«Mein Vater», grinste sie.

«Dann gehe ich jetzt mal hinein», freute sich Angela, gleich auf den singenden Aramis zu treffen.

«Passen Sie aber auf», grinste Jessica noch breiter.

«Warum?», fragte Angela, etwas alarmiert.

«Wenn er dieses Lied hört», lachte sie, «will er immer mit jemandem tanzen.»

Tanzen? Angelas Herz klopfte wieder höher. Aber diesmal konnte sie sich nicht vormachen, dass es nur an der Mordermittlung lag.

17

Auch von innen hätte sich dieses Bestattungsinstitut kaum mehr von jenem seines Konkurrenten Borscht unterscheiden können. Nicht nur, dass hier dankenswerterweise kein *Modern Talking*-Sarg herumstand, es wirkte auch nicht wie ein Geschäft, in dem kostengünstige Serviceleistungen rund um den Tod angeboten wurden. Es schien sich mehr um eine Bildhauerwerkstatt zu handeln. Überall standen Statuen und Grabsteine herum. Es gab sogar einen kleinen Hinkelstein. In einer hinteren Ecke bearbeitete Aramiș gerade mit Hammer und Meißel einen Marmorblock. Der Bestatter war also nicht nur ein Shakespeare-Freund, er war auch noch Bildhauer. Und Sänger. Zugegebenermaßen kein allzu guter, aber dafür ein leidenschaftlicher: «*Six foot, seven foot, eight foot … bunch!*» Er sang deutlich besser, als Angela es je hätte tun können. Sie wurde von seinem fröhlichen Gesang so angesteckt, dass sie beinahe mitgewippt hätte. Würde Aramis gleich, wie von Jessica gewarnt, wirklich mit ihr tanzen?

Der Gedanke gefiel ihr besser, als er es hätte tun sollen. Doch dann stellte Angela sich konkret vor, wie so ein Tänzchen sein würde, und der Bann war schnell gebrochen. Sie war sich eben nun mal ihrer Schwächen allzu gewahr. Egal, wie gut Aramis sie bei einem Tanz auch führte, sie würde ihm schon bei einem der ersten drei Schritte auf den Fuß treten, wie sie es, noch als Oppositionspolitikerin, bei Jacques Chirac beim Élysée-Ball getan hatte, was dazu geführt hatte, dass sie nie wieder in der Öffentlichkeit das Tanzbein schwang. Dankenswerterweise hatte Chirac dieses Malheur niemandem gegenüber erwähnt. Was könnte nun peinlicher gegenüber Aramis sein als so ein Stampfer?

Der Bestatter wandte sich der anderen Seite des Marmorblocks zu, um dort eine andere Stelle mit dem Meißel zu bearbeiten, da erblickte er Angela. Prompt hörte er auf zu singen und sah sie erstaunt an.

Nun wusste sie, was peinlicher war, als einem fremden Mann bei einem Tanz auf den Fuß zu treten: dass sie sich überhaupt für einen Moment ausgemalt hatte, Aramis würde sie in die Arme nehmen und mit ihr zur Musik davonschweben. Wie hatte sie so einen Gedanken überhaupt zulassen können? Sicher, seine Tochter hatte sie mit ihrem Gerede darauf gebracht. Aber sie war doch eine erwachsene, gestandene Frau. Was war nur mit ihr los? Es musste an der Sommerhitze liegen.

Aramis ging zu einem grünen 70er-Jahre-Plattenspieler, der auf dem Boden stand, stellte die Harry-Belafonte-Musik aus und sagte freundlich: «Verzeihung, ich hatte Sie nicht bemerkt.»

«Schon in Ordnung.»

«Was führt Sie zu mir?» Aramis legte Hammer und Meißel auf einem alten Schreibtisch ab, auf dem Papiere und Aktenordner so chaotisch herumlagen, als wäre ein kleiner Hurrikan über ihn hinweggewirbelt.

«Ich habe Ihnen das Buch über die verschiedenen Shakespeare-Theorien mitgebracht.»

«Wunderbar», strahlte Aramis. Angela war von seinem Lächeln und den leuchtenden blauen Augen erneut sehr angetan und stand einfach nur da. So lange, bis Aramis schmunzelnd fragte: «Wollen Sie mir das Buch nicht geben?»

«Doch, doch …»

«Schön.» Er schien sich wirklich aufrichtig zu freuen, dass sie vorbeigekommen war. Und das wiederum freute Angela. Die beiden schwiegen eine Weile, bis er feststellte: «Sie haben es mir immer noch nicht gegeben.»

Angela musste über sich selbst lachen, und Aramis, davon angesteckt, lachte mit. Die Ex-Kanzlerin erwischte sich bei dem Gedanken, dass sie gerne noch viel häufiger zusammen mit ihm lachen würde.

«Kann ich Ihnen etwas anbieten?», fragte der Bestatter, während Angela ihm das Buch in die Hand drückte.

«Gerne, was haben Sie denn da?»

«Schwarzen Tee.» Er deutete auf eine silberne Thermoskanne, die ebenfalls auf dem Schreibtisch stand.

«Und was noch?», fragte Angela, die lieber einen nicht aufputschenden Tee getrunken hätte.

«Eigentlich nur den», antwortete Aramis bedauernd. Angela fand das irgendwie süß.

Süß?

Mein Gott, was waren das nur alles für Gedanken? Blöde Sommerhitze! Sie riss sich zusammen und antwortete: «Dann nehme ich gerne den Schwarztee.»

«Gute Wahl», konnte Aramis wieder lächeln. Er legte das Buch neben Hammer und Meißel ab und sah sich zwei Keramikbecher genauer an, die auf einem Stapel Papier standen und auf dem obersten Blatt bereits Ringe hinterlassen hatten. Seiner Miene nach zu urteilen, waren die Becher schon seit geraumer Zeit in Gebrauch.

«Ich werde mal eben nach hinten in die Küche gehen, um die zu spülen», entschuldigte er sich und ließ sie allein zurück. Angela blickte sich um: Bei den Arbeiten von Aramis handelte es sich um echte Kunstwerke, wenn auch keines davon so berührend war wie die Statue auf dem Grab seiner Ex-Frau. In ihr steckte bestimmt am meisten Herzblut von ihm.

Herzblut – der Tod seiner Frau hatte sein Herz zum Bluten gebracht.

Aramis' Kinder hatten offenbar ebenfalls Wunden davongetragen. Jessica schrieb Trauerreden, und Peter posierte mit Lack-und-Leder-Models auf Gräbern.

Angela fiel wieder ein, warum sie hergekommen war. Sie ging zum Schreibtisch, hob ein paar Papiere an, entdeckte eine Zeichenmappe aus Leder, deren ebenfalls ledernes Verschlussband gerissen war. In dieser Mappe befanden sich jede Menge Entwürfe für Grabmäler. Sie waren mit Kohle gezeichnet und so schön, dass sie gerahmt im Kanzleramt hätten hängen können. Wer so wundervoll zeichnete und bildhauerte, außerdem sein Haus und das Grab der Ehefrau so zauberhaft verwildern ließ, hatte wahrlich eine poetische Seele. Und so eine Seele konnte doch nicht zu einem Mord fähig sein, oder?

Angela mahnte sich: Detektive wie Holmes, Poirot, ja selbst Jessica Fletcher aus *Mord ist ihr Hobby* ließen sich nicht von Sympathien leiten. Jeder Verdächtige wurde von ihnen kühl unter die Lupe genommen, egal wie sympathisch er war.

Rasch setzte sie ihre Suche fort. Neben der Mappe lag ein Blatt Papier. Sie drehte es um: Bunte ausgeschnittene Buchstaben bildeten den gleichen Text wie in dem Erpresserbrief, den Angela bereits bei Merle Borscht im Büro gefunden hatte:

Ihr Liebenden wisst, was ihr beiden getan habt. Zahlt mir jeder eine Million Euro, oder alle werden es erfahren.

Es war nun klar wie die sprichwörtliche Kloßbrühe: Aramis und Merle waren erpresst worden. Ralf Borscht sollte nicht erfahren, dass seine Tochter und sein Erzrivale ein Paar waren. Das erklärte auch, warum Merle Borscht den Tränen nah war, als Angela das Gespräch auf das

Institut Kunkel gebracht hatte. Es waren Tränen des schlechten Gewissens.

Angela traf die Erkenntnis bis ins Mark. Aramis war schuldig. Sie sollte auch endlich aufhören, ihn in Gedanken Aramis zu nennen, sondern nur noch Kurt Kunkel. Und auf gar keinen Fall durfte sie ihren Sympathien für diesen Mann wieder Raum geben.

Hastig legte sie die Mappe zurück an ihren Platz und stieß dabei leicht gegen den Stiel des Hammers. Das Ding rutschte, fiel jedoch nicht vom Tisch. Gott sei Dank. Den Lärm hätte Aramis – nein, Kunkel! – garantiert gehört, und sie wäre aufgeflogen. Angela wollte den Hammer wieder ordentlich hinlegen, da hörte sie den Bestatter aus der Küche rufen: «Entschuldigen Sie, das hat ein bisschen länger gedauert.»

Sie faltete hastig den Erpresserbrief zusammen und steckte ihn in die Umhängetasche zu dem anderen Exemplar, das sie bei Merle Borscht stibitzt hatte. Als sie sich umwandte, touchierte ihre Handtasche den Stiel des Hammers, und diesmal fiel das schwere Ding herunter. Genau auf ihren rechten großen Zeh.

Angela schrie auf. Und kaum hatte sie das getan, fiel ihr auch schon ein, dass ein Schrei das mit Mike verabredete Signal war.

18

Angela biss sich auf die Lippen, um den Schrei zu unterdrücken. Mit etwas Glück hatte Mike sie nicht gehört. Sie stützte sich am Schreibtisch ab und hob das Bein an, um ihren schmerzenden Zeh zu entlasten. Da hörte sie Kunkel rufen: «Mein Gott, was ist passiert?»

Angela öffnete den Mund, doch sie brachte nur ein Stöhnen hervor. Der Bestatter eilte zu ihr an den Tisch und fragte zutiefst besorgt: «Was haben Sie?»

«Der Ha…ha…», presste Angela hervor.

«Der Ha…ha…?»

«…mer …», presste sie hervor.

«Der Hammer?» Er deutete auf das vermaledeite Ding.

«Hmm», stöhnte Angela bejahend.

«Ist er Ihnen auf den Fuß gefallen?»

«Ja.» Angela merkte, wie der Schmerz ein bisschen nachließ. Aber eben nur ein bisschen. Kunkel hob den Hammer auf und fragte: «Wie ist das denn geschehen?»

Angela konnte nun schlecht antworten: ‹Ich bin gegen ihn gestoßen, als ich den Erpresserbrief eingesteckt habe, der beweisen könnte, dass Sie zusammen mit Merle Borscht den Gärtner ermordet haben.› Also schwieg sie und versuchte, den Schmerz wegzuatmen.

«Ist ja auch egal», sagte Kunkel. «Ich werde mir jetzt erst mal Ihren Fuß anschau…»

«HÄNDE HOCH! LASSEN SIE DEN HAMMER FALLEN!»

Angela und Kunkel blickten zur Tür: Da stand Mike und richtete die Pistole auf Aramis.

«Was?» Kunkel war bass erstaunt.

«ICH HABE GESAGT, LASSEN SIE DEN HAMMER FALLEN!»

Angela, die wusste, dass Mike nicht zögern würde, den Bestatter mit einem Beinschuss unschädlich zu machen, raunte mit schmerzverzerrtem Gesicht: «Tun Sie, was er sagt.»

«SOFORT! ODER ICH SCHIESSE!»

«Okay.» Der komplett überforderte Kunkel ließ den Hammer fallen …

… genau auf Angelas anderen Fuß.

«AU!», schrie Angela erneut auf.

«Verzeihen Sie, verzeihen Sie, oh mein Gott, verzeihen Sie …», stammelte er entsetzt und wollte Angela stützen.

«RÜHREN SIE SIE NICHT AN!»

Kunkel hob die Hände.

Angela stöhnte: «Mike, tun Sie ihm nichts … das ist nur ein Versehen.»

«Ein Versehen?»

«Ja», bestätigte sie mit zusammengepressten Zähnen.

«Wenn Sie das sagen …»

«Ich sag es!», stieß sie hervor.

Mike ließ daraufhin seine Waffe sinken. Kunkel atmete durch. Und Angela versuchte, die Lage für sich zu ordnen: Beide großen Zehen schmerzten. Sie würden schön blau werden, und Angela würde die nächsten Tage offene Schuhe tragen müssen. Vorsichtig bewegte sie die Zehen, aber gebrochen war anscheinend nichts. Wie sollte sie nun weiter vorgehen? Die trotteligen Polizisten holen? Würden die Briefe als Beweis ausreichen? Gewiss nicht. Man müsste die Tat schon genau nachweisen. Nur wie?

Während Angela sich diese Frage stellte, stürmte Jessica herein und brüllte Mike an: *«Ne lui fais pas de mal, c'est mon père. Il n'a rien fait!»*

«Ähm, wie bitte was?» Jetzt war es an Mike, überfordert zu sein.

«Il n'a rien fait!»

«Ich verstehe nur Fee.»

«Ich denke, Sie sind Franzose!»

«Wie kommen Sie denn auf so was?»

«Sie heißen doch Aramis?»

«Wie der Musketier?»

«Ja!»

«Nein, ich heiße Mike. Wie der Tyson.»

Jessica sah Angela überfordert an: «Und wer ist Aramis?»

Angela wusste nicht, wie sie sich herausreden sollte. Mit den beiden schmerzenden Füßen konnte sie ohnehin nicht so schnell denken wie sonst.

«Viel wichtiger», fragte Kunkel, «ist doch die Frage: Wer ist überhaupt der Verrückte mit der Knarre?»

«Das ist mein Personenschützer», beantwortete Angela die Frage und war froh, dass sie damit der von Jessica ausweichen konnte.

«Oh», sagte Kunkel.

«Das ist wirklich alles nur ein Missverständnis.»

«Solche Missverständnisse», seufzte Mike, «sollten eigentlich *Mist*verständnisse heißen.»

«Sie sollten mal nachdenken, bevor Sie jemanden mit Ihrer Waffe bedrohen!», fauchte Jessica. Die eben noch so freundliche junge Frau zeigte eine andere Seite von sich. Aus dem zarten Wesen wurde eine starke Persönlichkeit, die es mit Mike aufnehmen wollte.

In diesem Augenblick trottete Putin ins Institut herein. Sein Frauchen hatte schon immer vermutet, dass er als Beschützerhund völlig unbrauchbar war, und nun hatte sie dafür den Beweis. In der Zeit, die der Mops gebraucht hatte, um sich blicken zu lassen, hätte sie nicht nur getötet, sondern ihre Leiche auch zerkleinert und zu Brei püriert werden können.

«Wir müssen zum Arzt», sagte Mike zu seiner Dienstherrin. Da hörten sie einen Wagen vorfahren. Angela blickte zur Tür und sah vor dem Haus einen Smart halten.

«Schön, mein Bruderherz lässt sich auch mal blicken.» Jessica verdrehte die Augen.

Da die Sonne gerade direkt auf die Fensterscheibe schien, konnte Angela die Person auf dem Fahrersitz nicht erkennen. Aber nach allem, was sie aus dem Zeitungsartikel über Peter Kunkel wusste, erwartete sie, dass er in Lack und Leder erschien. Es musste furchtbar sein, so ein Outfit in dieser Hitze zu tragen.

Als Peter Kunkel ausstieg, wurde Angelas Erwartungshaltung jedoch konterkariert: Er trug das Berufsoutfit eines Bestatters im Sommer: schwarze Hose, weißes Kurzarmhemd, schwarze Krawatte. Er ging auf das Institut zu und zog dabei sein rechtes Bein nach. Es schien keine aktuelle Verletzung zu sein, vielmehr ein Handicap. Hatte er das schon von Geburt an, oder war ihm später im Leben etwas zugestoßen?

«Nie, nie, nie ist er pünktlich zur Arbeit», presste Aramis hervor.

«Ich habe dir angeboten, seine Aufgaben zu übernehmen», sagte Jessica.

«Du sollst das aber nicht.»

«Ich kann die alte Frau Krawinkel genauso gut präparieren wie Peter. Womöglich sogar besser. Zumindest mach ich keinen Quatsch und klebe ihr Vampirzähne an, wie er es mit der letzten Leiche gemacht hat.»

«Ich will darüber nicht diskutieren.»

«Aber ich kann das wirklich übernehmen», blieb Jessica hartnäckig.

«Zu viel Tod ist einfach nicht gut für dich», erwiderte ihr Vater mit sanfter Stimme und wirkte dabei mit einem Mal ganz fürsorglich.

«Hör bitte auf, mich wie ein rohes Ei zu behandeln. Ich bin keine fünfzehn mehr.» Jessicas Stimme klang gleichermaßen wütend und verletzt. Ihr Vater sah sie müde an. Zu viel Last auf seinen Schultern, dachte Angela voller Mitgefühl und staunte im selben Moment über ihre Gefühle. Immerhin hielt sie ihn für einen Mörder. Da trat Peter Kunkel durch die Tür und rief: «Der Gärtner ist tot!»

19

Es war nicht auszumachen, ob Kurt und Jessica Kunkel von der Information überrascht wurden, aber traurig machte sie die Nachricht ganz offensichtlich nicht. Statt den Tod des Gärtners zu kommentieren, wandte sich Kunkel an seinen Sohn und sagte: «Wir haben Besuch.»

Peter Kunkel blickte erst zu Angela, dann zu Mike, der seine Waffe immer noch in der Hand hielt, dann wieder zu seinem Vater und fragte: «Was ist denn das für ein Besuch?»

«Einer, bei dem wir uns zusammenreißen sollten», antwortete der alte Kunkel.

«Natürlich, natürlich», nickte Peter und verbeugte sich linkisch vor Angela. «Herzlich willkommen. Was können wir für Sie tun?»

«Ich habe nur ein Buch für Ihren Vater abgegeben.»

«Sie beide kennen sich?», staunte Peter.

«Erst seit gestern.»

«Und wer ist das?», deutete Peter vorsichtig auf Mike, der gerade dabei war, seine Pistole wieder in das Halfter zu stecken.

«Ich bin kein ‹das›», brummelte Mike.

«Mein Personenschützer», erläuterte Angela.

«Verstehe.» Peter wich ein paar Schritte von Mike zurück.

«Immerhin verstehst du mal irgendetwas», zischte Jessica leise. Vater Kunkel blickte seine Tochter flehentlich an, nach dem Motto: Kannst du nicht ein Mal von deinem Bruder ablassen?

«Ein Gärtner ist also verstorben?», fragte Angela, deren Zehen schon weniger schmerzten. Auch das hatte sie in der Politik gelernt: Dem Gegenüber nicht immer zu zeigen, was sie schon alles wusste.

«Ja, Fred Galka heißt er oder besser gesagt hieß er», antwortete Peter und wirkte dabei, wie alle anderen Kunkels, nicht sonderlich erschüttert.

«Woher weißt du, dass er tot ist?», fragte Jessica.

«Mein Kumpel Martin hat es mir eben erzählt.»

Martin, der junge Polizist, kombinierte Angela, war also mit Peter Kunkel befreundet. Wenn die Welt schon ein Dorf war, dann war es ein Ort wie Klein-Freudenstadt erst recht.

«Der Polizist? Was hat denn die Polizei damit zu tun?», fragte Jessica.

«Es war wohl Mord.»

Jessica und Aramis sagten nichts. Beide schienen vor Schreck wie erstarrt. Spielte Kurt Kunkel das nur, oder hatte er etwa doch nichts mit dem Mord zu tun?

«Was meint ihr», unterbrach Peter nach einer Weile vorsichtig das Schweigen, «wer erbt sein kleines Häuschen?»

«Keine Ahnung, er hat ja keine Angehörigen», antwortete Jessica.

«Das geht dann bestimmt an die Stadtverwaltung», vermutete Kunkel.

«Dann kann ich das bei der billig schießen», lächelte Peter begierig. Dieser junge Mann, dachte Angela, war ein Leichenfledderer.

«Du denkst nur an deine Hobbys», meckerte seine Schwester. «Nie an das Institut.»

«Ich verdiene Geld!»

«Ich meine nicht die paar Euro mit deiner perversen Webseite, sondern mit deinem Job hier. Der Papierkram stapelt sich auf deinem Schreibtisch!»

Es war Peters Schreibtisch? Nicht der seines Vaters? Angela hatte sich hier also genauso geirrt wie bei der Familie Borscht, wo sie ebenfalls dachte, es sei der Schreibtisch des Vaters gewesen. Sie hatte also zweimal denselben Fehler begangen. Auch das wäre einem Poirot, Holmes oder einer Fletcher aus *Mord ist ihr Hobby* nie passiert. Es war jedoch keine Zeit, sich darüber zu ärgern, es war an der Zeit zu kombinieren: Der zweite Erpresserbrief war an Peter Kunkel gegangen. Also waren der junge Bestatter und Merle Borscht die beiden ‹Liebenden›, die erpresst wurden und daher wohl auch den Gärtner umgebracht hatten. Was hatten die beiden für ein Geheimnis, mit dem man sie erpressen konnte? Diese Information fehlte genauso wie handfeste Beweise für diese Theorie.

«Bitte, Kinder, wir haben Besuch», flehte Aramis. Angela konnte ihn in Gedanken wieder so nennen, jetzt, wo er nicht mehr einer ihrer Hauptverdächtigen war. Jessica überlegte offenbar, ob sie etwas erwidern sollte, ließ es ihrem Vater zuliebe jedoch bleiben. Peter hinkte ein paar Schritte zur Seite. Und Aramis entschuldigte sich bei seiner Besucherin: «Es tut mir leid, dass ich den Hammer auf Ihren Zeh habe fallen lassen.»

«Du hast was?», musste Peter lachen, und Angela fand ihn noch unsympathischer als zuvor. Sie sagte in Aramis' Richtung: «Schon in Ordnung.»

«Ich würde das mit Ihren Zehen gerne wiedergutmachen.»

«Und wie?»

«Wehe, er sagt, ich kann ja mal pusten», murmelte Mike leise, aber Angela, die genau vor ihm stand, konnte es hören. Am liebsten hätte Angela ihn zurechtgewiesen, aber anscheinend hatte es niemand außer ihr gehört, und daher blieb sie Aramis zugewandt. Der sagte: «Ich bereite für Sie heute Abend ein schönes Abendessen. Eine Maräne, der leckerste Fisch, den man in den Uckermärker Seen fischen kann.»

Angela staunte. Eine solche private Essenseinladung hatte ihr lange kein Mann mehr gemacht. Eigentlich nur Achim bei ihrer ersten gemeinsamen Verabredung in seiner Studentenbude. Damals hatte er versucht, Königsberger Klopse zuzubereiten, und dabei das Kunststück fertiggebracht, dass diese am Ende innen roh und außen verbrannt waren. Gemeinsam hatten die beiden sie nach dem ersten Bissen ‹Bitterfelder Klopse› genannt, darüber fröhlich gelacht und sich anschließend Wurstbrote geschmiert.

Bei dem Gedanken an Achim bekam Angela ein schlechtes Gewissen: Sie konnte sich nicht mit einem fremden Mann verabreden. Schon gar nicht, wenn sich ihr Achim noch im Urlaub befand. Selbst wenn es gewiss Freude gemacht hätte, sich von Aramis bekochen zu lassen und mit ihm bei Fisch und Weißwein über Shakespeare zu plaudern.

«Ich habe bereits etwas vor», sagte Angela und log dabei noch nicht einmal: Sie hatte einen Mordfall zu lösen. Und dass der Hauptverdächtige der Sohn von Aramis war, war ein weiterer Grund, sich nicht mit ihm zu treffen.

«Und morgen?», ließ Aramis nicht locker.

«Da auch», antwortete sie. Auch dies war nicht wirklich geschwindelt. Gewiss würde es ein bisschen dauern, bis sie die nötigen Beweise gegen Merle Borscht und Peter Kunkel zusammengetragen hatte.

Aramis wirkte enttäuscht. Was sollte sie tun, wenn er weiterfragte? Sie konnte doch nicht behaupten, dass sie niemals Zeit habe. Als Kanzlerin wäre diese Ausrede noch plausibel gewesen, aber nicht als Rentnerin.

Der Bestatter fragte jedoch nicht weiter, vermutlich weil er sich keine endgültige Abfuhr abholen wollte, was wiederum Angela erleichterte, weil sie sie ihm dann auch nicht erteilen musste.

«Dann», sagte Aramis lächelnd, um sein Gesicht zu wahren, «finden wir sicherlich noch mal einen Termin.»

«Gewiss», wahrte Angela sein Gesicht gerne mit. Sie wandte sich zum Gehen, hatte sie doch hier fürs Erste genug herausgefunden, und verabschiedete sich: «Auf Wiedersehen.»

«Auf Wiedersehen.»

«Auf Wiedersehen», sagte auch Jessica, die nun wieder etwas lächeln konnte.

«Wiedersehen», murmelte Peter Kunkel, der mit seinen Gedanken woanders zu sein schien. Vermutlich bei dem Mord am Gärtner.

Mike nickte in die Runde und folgte Angela auf die Straße. Putin trottete hinter den beiden her. Vor der Tür musste der Personenschützer grinsen.

«Mike, fanden Sie das mit dem Hammer etwa auch so komisch?», war Angela ein wenig pikiert. Auch wenn der Schmerz in den Zehen langsam nachließ, würde es sicherlich noch eine Weile dauern, bis sie über den Vorfall würde lachen können.

«Auch», musste Mike zugeben.

«Auch? Und weswegen noch?»

«Ach, das ist nicht so wichtig.»

«Weswegen?»

«Sie wollen das bestimmt nicht wissen.»

«Mike!»

«Ich glaube ...», hob Mike an und brach dann wieder ab.

«Sagen Sie es endlich!»

Jetzt musste Mike doch wieder grinsen.

«Was?»

«Der Typ steht voll auf Sie.»

Angela war wie vom Donner gerührt. Das war ein Satz, den sie in ihrem Leben nicht allzu oft gehört hatte.

20

Natürlich steht er auf dich. Sonst hätte er sich nicht unbedingt mit dir verabreden wollen», lachte Marie, die ihren kleinen schlafenden Sohn auf dem Arm hielt. Angela und sie saßen gemeinsam mit Mike auf der Terrasse des Fachwerkhauses in der Abendsonne und aßen Pizza. Angela hatte zwar vorgeschlagen, ihren berühmten Blumenkohlauflauf zuzubereiten, aber die anderen beiden hatten dankend abgelehnt. Mike hatte in den Wochen bei Angela mehr Blumenkohl gegessen als zuvor in seinem ganzen Leben und die Befürchtung geäußert, er könne aussehen wie Shrek, wenn ihm dieses Gemüse aus den Ohren wuchs. Und Marie hatte erklärt, dass das Baby vom Blumenkohl pupsen müsse, wenn sie ihn vor dem Stillen aß. Ob das nur vorgeschoben war, weil sie den Auflauf nicht mochte – immerhin futterte Marie gerade ohne Probleme Thunfischpizza mit Zwiebeln –, oder ob es die Wahrheit war, wusste Angela nicht. Dennoch hatte sie zugestimmt, sich Steinofenpizza bei dem neuen Italiener *Da Giovanni* zu bestellen, der von einem sehr freundlichen Albaner namens Pashtrik geführt wurde. Eigentlich fand sie die Pizza selbst auch leckerer als ihren eigenen Auflauf, aber sie war viel zu sehr damit beschäftigt, den Gedanken abzuwehren, Aramis könnte sie wirklich attraktiv finden: «Das ist doch absurd!»

«Du wirst ja rot», lachte Marie noch mehr.

«Ich werde nicht rot.»

«Doch», schmatzte Mike, «das werden Sie.»

«Wenn, dann liegt das an dem Sonnenlicht.»

«Wir sitzen im Schatten», grinste die Babymutter.

«Ja, stimmt», grummelte Angela und blickte zu Putin, um nicht noch röter zu werden. Der Mops strullerte gerade einen von Achims geliebten Hobbit-Gartenzwergen an. Sehr zum Leidwesen ihres Ehemannes hatte Putin im Laufe der letzten drei Monate den Hobbits schon einiges an Farbe weggeätzt. Für den Gollum-Zwerg hatte Achim bereits ein Farbtöpfchen in dem Farbton *Ekelgrün* gekauft, um ihn bald neu zu lackieren.

«Wie sieht der Bestatter denn aus?», fragte Marie.

«Nun ... ähm ... wie ein ganz normaler Herr in meinem Alter», schwindelte Angela.

«Ganz normal wie Achim?»

«Ja ...», schwindelte Angela weiter.

«Dafür, dass er ein alter Herr ist», mischte sich Mike ungefragt ein, «sieht er wirklich gut und fit aus.»

Marie grinste Angela nun ganz breit an. Die blickte lieber erneut zum Mops und murmelte: «Menschen kann man doch gar nicht vergleichen.»

«Du wirst schon wieder rot!»

«Hm», nickte Mike zustimmend, während er sich ein großes Stück von seiner Extralarge-Salamipizza in den Mund schob. Für einen Mann, der ständig darüber jammerte, wie sehr er trotz allem Sport um seine Figur kämpfen musste, mochte er Pizza, Lasagne und Döner viel zu gerne. Von Burgern mit Extra-Bacon ganz zu schweigen. Und von Pommes mit Extra-Süßkartoffel-Pommes erst recht.

«Uns gegenüber ist das mit dem Rotwerden okay», sagte Marie, nun jedoch ohne zu grinsen, «aber du musst schon aufpassen, bei wem du sonst noch rot wirst.»

«Wie meinst du das?», blickte Angela zu ihr.

«Du solltest es nicht vor Achim werden, wenn du ihn erwähnst.»

Darüber hatte Angela noch gar nicht nachgedacht.

«Nun, dein Achim ist zwar so lieb, dass er vielleicht nicht darauf kommt, dass du …» Marie unterbrach sich selbst.

«Dass ich was?»

«Schon gut.»

«Sag es!»

«Auf den Bestatter stehst.»

«Was?» Angela wurde nun röter als zuvor.

«Du kannst es ruhig zugeben.»

«Ich gebe gar nichts zu!»

«Wie eine Politikerin im Untersuchungsausschuss», kommentierte Mike. «Immer nur das gestehen, was schon bewiesen wurde.»

Angela funkelte ihren Bodyguard zornig an.

«Verzeihung.» Er merkte selbst, dass er eine Grenze überschritten hatte, und widmete sich mit allergrößter Aufmerksamkeit seiner Salamipizza.

«Du weißt, du kannst mit mir über alles reden», sagte Marie. Und dass sie es nicht mehr spöttisch tat, sondern als aufrichtiges Angebot zum Gespräch unter Freundinnen, machte Angela nun so unruhig, dass sie laut ausrief: «Jetzt hör endlich mal auf mit dem Blödsinn!»

Mike verschluckte sich vor lauter Schreck an seiner Pizza. Er hustete und spuckte ein Stückchen auf den Terrassenboden. Angela verzog daraufhin das Gesicht.

«Schon gut, schon gut», sagte Marie, der es sichtlich unangenehm war, ihre neue Freundin so aufgebracht zu haben. «Du stehst also nicht auf ihn.»

«Exakt», betonte Angela mit einer Inbrunst, die am meisten sie selbst überzeugen sollte. Sie sollte auf einen fremden Mann stehen? Es war wirklich ausgemachter Blödsinn! Sie war eine verheiratete Frau! Genervt fragte sie: «Können wir uns jetzt wieder auf den Fall konzentrieren?»

«Klar», antwortete Marie, «was ist dein nächster Schritt?»

«Wir müssen herausfinden, weswegen genau Peter Kunkel und Merle Borscht erpresst wurden.»

«Und wie willst du das anstellen?», fragte Marie aufgeregt.

«Nun, wir müssen mit Menschen reden, die die beiden sehr gut kennen.»

«Willst du etwa doch zu der Einladung deines Verehrers gehen?», grinste Marie. «Der kennt ja beide.»

«Er ist nicht mein Verehrer!»

«Natürlich nicht», grinste Marie noch mehr. Angela rollte kurz mit den Augen und sagte dann: «Es gibt ja auch noch andere Personen, mit denen man reden kann.»

«Zum Beispiel?»

«Den jungen Kommissar. Der ist mit Peter Kunkel befreundet.»

«Sie wollen», fragte nun Mike, der sein letztes Stück Pizza verspeist hatte, «den beiden Vollpfosten von der Polizei doch hoffentlich nicht verraten, dass Sie wieder mal ermitteln?»

«Sie haben recht, damit sollte ich warten», antwortete Angela. Jungkommissar Martin kam also für eine Befragung doch nicht in Betracht. Sie schob ihre Pizza von sich und überlegte. Der Personenschützer linste auf Angelas Teller, offensichtlich hatte er noch nicht genug. Das Baby begann zu quäken, und Marie sagte zu Mike: «Du magst doch Thunfisch bestimmt lieber als die vegetarische Pizza von Angela.»

«Ähem, was?», fragte Mike.

«Du hast doch noch Hunger», stellte Marie fest, während sie das quäkende Baby schuckelte.

«Na ja …» Mike war es sichtlich unangenehm, als Vielfraß dazustehen.

«Dann nimm meine», schob sie ihm ihren Teller hin, und als er zögerte, sagte sie: «Ist schon in Ordnung, ein echter Mann braucht ein bisschen was auf den Rippen.» Marie lächelte ihn lieb an. Mike lächelte verlegen zurück. Die beiden lenkten Angela von ihrem Fall ab. Sie beobachtete, wie Mike den Teller nahm und Marie sich darüber freute. Die junge Mutter war also doch nicht zu erschöpft, um sich für Mike zu interessieren.

Angela wusste jedoch immer noch nicht, wie sie dazu stand. Das Herz von Mike war so oft gebrochen worden. Zuerst von seiner Ex-Frau und zuletzt von der Polizistin Lena. Und das Herz von Marie hatte der Kindsvater, der verstorbene Ferdinand von Baugenwitz, gebrochen. Was würde geschehen, wenn es mit den beiden nicht gut gehen würde? Würde Angela dann auf ihren Bodyguard verzichten müssen? Oder auf ihre Freundin? Jedenfalls würden die drei in so einem Fall nicht so entspannt und gemütlich zusammensitzen können wie jetzt.

Plötzlich ärgerte Angela sich über sich selbst. Von der Politik war sie zwar gewohnt, das schlechteste Szenario nicht nur stets mitzudenken, sondern es auch für das wahrscheinlichste zu halten, aber sie war doch gar nicht mehr im Berliner Politikzirkus. Sollte sie da die Welt nicht mal mit anderen, weniger skeptischen Augen sehen und auch mal den schönsten möglichen Ausgang in Betracht zu ziehen? Zum Beispiel einen, in dem sie selbst als Trauzeugin in der St.-Petri-Kirche von Klein-Freudenstadt stand, während Marie und Mike sich das Jawort gaben. Wäre das nicht wundervoll?

«Warum lächelst du?», fragte Marie ihre Freundin.

«Ich habe an etwas Schönes gedacht», antwortete Angela.

«An den Bestatter?»

«Nein», sagte Angela scharf, um sich dann gleich wieder auf die dringendste Frage zu konzentrieren: Wer wusste noch was über Peter Kunkel außer seinem Vater, seiner Schwester und dem jungen Polizisten? Und da fiel es ihr wie Schuppen von den Augen: Es gab einen Menschen, der Peter Kunkels dunkelstes Geheimnis kennen musste.

«Ich weiß jetzt, was ich tue», verkündete Angela.

«Und was?»

«Wenn wir mehr über den Täter wissen wollen, müssen wir mehr über den Ermordeten erfahren.»

«Ich check das nicht ganz.»

«Ich durchsuche das Haus des Gärtners!»

«Das heißt: Du brichst da ein?»

«Genau, das heißt es.»

Marie staunte über ihre Freundin: «So etwas würdest du tun?»

«Wegen so etwas werde ich noch nicht einmal rot», grinste Angela, und die beiden Freundinnen mussten laut lachen, während Mike nur seufzen konnte.

21

Sie werden wirklich nicht mal ein kleines bisschen rot», meckerte Mike seine Vorgesetzte an, während die beiden in der Abendsonne auf das Haus des Gärtners zugingen. Es stand auf dem Friedhofsgelände am Rande eines abgelegenen Seitenwegs und war ebenso klein wie heruntergekommen. Das *Bestattungsinstitut Kunkel* wirkte wenigstens noch verwunschen, aber dieses Haus hier sah von außen so verfallen aus, dass selbst Oskar aus der Mülltonne dazu sagen würde: «Das ist unter meiner Würde.» Erstaunlich, dass Peter Kunkel so scharf darauf war.

«Wieso sollte ich auch rot werden?», grinste Angela.

«Weil wir uns strafbar machen, wenn wir dort einbrechen?»

«Sie können ja draußen bleiben, dann mach nur ich mich strafbar.»

«Ich bin dennoch ein Mitwisser!»

«Sie können wegschauen und sich die Ohren zuhalten», grinste Angela.

«Dann bin ich immer noch ein Mitwisser!»

«Gehen Sie doch einfach nach Hause.»

«Dann bin ich es immer noch und würde zudem meine Pflicht verletzen, Sie zu beschützen.»

«Na dann …», sagte Angela.

«Dann?»

«Dann sind Sie wohl in einer Zwickmühle», lachte sie.

«Au Mann», verdrehte Mike die Augen, «wann werde ich endlich lernen, dass Sie ohnehin machen, was Sie wollen?»

«Das frage ich mich auch», grinste Angela breit.

«Hauptsache, wir sind hier wieder weg, bevor es dunkel wird», murmelte Mike mit Blick auf die Gräber.

«Sie glauben doch nicht etwa an Geister?», staunte Angela.

«Nein … Quatsch, wie kommen Sie denn auf so was?», antwortete er so nervös, dass Angela wusste, die ehrliche Antwort lautete: ‹Ja, ich habe unfassbare Angst vor Geistern, und wenn Sie weiter davon reden, mache ich mir vielleicht sogar gleich in die Hose.›

Bei jedem anderen Personenschützer, die allesamt immer so taten, als ob nichts sie aus der Ruhe bringen könnte, hätte es Angela Spaß bereitet nachzubohren. Auch bei anderen selbst ernannten Alphamännchen wie den Chefs von Dax-Konzernen. Doch bei dem lieben Mike hatte sie Beißhemmung. Stattdessen fragte sie sich, ob sie sich hier womöglich ebenfalls in der Nacht gruseln würde, und beantwortete die Frage sogleich mit einem dezidierten Nein. Als Physikerin glaubte sie nicht an Übernatürliches. Weder an Geister noch an Vampire, noch nicht einmal an Wichtel. Wenn solche Geschöpfe existierten, hätte es schon jede Menge wissenschaftliche Studien über sie gegeben.

«Die Sonne geht in einer Dreiviertelstunde unter», stellte Mike mit Blick auf seine Fitness-Armbanduhr fest.

«Das müsste reichen», befand Angela.

«Ja, das Haus sieht nicht groß aus», sprach Mike sich selbst Mut zu. Kaum hatte er das gesagt, sahen die beiden, wie sich die Haustür öffnete.

«In Deckung!», zischte Angela und duckte sich hinter einen etwa eineinhalb Meter großen verwitterten Grabstein, auf dem ein weinender Engel die Hände gefaltet hatte.

«In Deckung?» Mike verstand nicht, was sie vorhatte. Angela zog ihn zu sich hinter den Stein. Dann lugten die beiden vorsichtig dahinter hervor – Angelas Kopf unten, der von Mike darüber. Sie sahen, wie Charu Benisha aus dem Haus trat. Die sportliche Frau trug keine Sportkleidung mehr, sondern ein kleines schwarzes Sommerkleid, das das Kunststück fertigbrachte, noch brustbetonter zu sein als ihre Sport-Tops. Vor der Tür blieb sie stehen und verstaute ein dunkelgrünes Büchlein in ihrer pinken Sporttasche.

«Die Yoga-Tante?», staunte Mike.

«Die Yoga-Tante», staunte auch Angela. Was machte sie im Haus des Verstorbenen? Bisher war sie nicht unter den Verdächtigen gewesen. Sie besaß ja auch ein Alibi für die Tatnacht, die sie mit Freundinnen verbracht hatte. Andererseits: Hatte ihr Ehemann nicht gestern in seinem Institut den Verdacht geäußert, sie wäre bei jemand anderem gewesen?

Charu Benisha schnappte sich ihr Handy aus der pinken Sporttasche, um zu telefonieren. Wem wollte sie etwas mitteilen? Ihrem Ehemann? Wohl kaum. Deren gemeinsame Ehe schien ein Desaster zu sein. Etwa Peter Kunkel, der an dem Haus so interessiert war?

Charu begann zu sprechen, und Angela fluchte: «Mist, wir sind zu weit weg, ich kann sie nicht verstehen.» Sie überlegte, wie sie sich unauffällig nähern könnte. Vielleicht von Grabstein zu Grabstein huschen? Es würde gewiss albern aussehen, zumal die Steine immer kleiner wurden. Aber das war kein Argument, es kam im Leben wie in der Politik immer mehr auf das Ergebnis an als auf den Stil. Allerdings bestand die Gefahr, dass Charu sie entdecken würde. Angela, die so stolz darauf war, ihre Schwächen zu kennen, wusste nun mal auch, dass sie nicht elfengleich von Stein zu Stein schweben würde. Also mussten ihr Bodyguard und sie auf Abstand bleiben.

«Wir haben», flüsterte Mike, «in der Ausbildung Lippenlesen gelernt.»

«Wieso das?», flüsterte Angela.

«Um bei Geiselnahmen mithilfe eines Fernglases die Kommunikation unter den Entführern mitzubekommen.»

«Na, dann lesen Sie mal los.»

«Der … Virologe fällt mit dem Gesicht … in die Suppe.»

«Was?», fragte Angela.

«Also entweder fällt er in die Suppe, oder er bellt in sie.»

«Bellt?»

«Mir ist auch nicht klar, warum ein Virologe so etwas tun sollte.»

«Mike?»

«Mehr Mühe geben?»

«Mehr Mühe geben.»

Er kniff die Augen noch enger zusammen und las: «Möhren in den Öhren.»

«Möhren in den Öhren?»

«Entweder das oder: Sören stören.»

«Welchen Sören?»

«Es könnte auch Sören betören sein.»

«Betören», witterte Angela eine Spur. Wen wollte Charu betören und zu welchem Zweck? Und mit wem genau sprach sie über so etwas am Handy?

«Ich glaube aber nicht wirklich, dass es betören hieß.»

«Nein?»

«Doch eher Möhren in den Öhren.»

«Mike?»

«Oder Möhren in den Sören.»

«Mike?»

«Von den Gören.»

«Mike!»

«Ja?»

«Kann es sein, dass Sie bei der Ausbildung im Fach ‹Lippenlesen› nicht zu den Besten gehörten?»

«Ich bin zweimal durchgefallen», gab er kleinlaut zu. «Leider gibt es dafür keine Lesebrille.»

Angela blickte zu Charu und versuchte ihrerseits, die Lippen zu lesen. Die junge Frau redete jetzt energisch ins Handy, als ob sie jemandem drohte. Angela las mit großer Mühe: «Ja, das hast du richtig gehört. Ich vermesse dich!»

Angela war sich unsicher, ob sie richtig gelesen hatte, und falls doch, was die Yogalehrerin damit hatte sagen wollen. Wen würde sie ‹vermessen›? Oder hatte sie ‹vergesse dich› gesagt?

Charu legte auf und steckte ihr Handy ein. Auch wenn die Kombination Peter Kunkel und Merle Borscht weiterhin ihre Hauptverdächtigen waren, musste man diese Frau nun auch als potenzielle Täterin in Betracht ziehen. Immerhin war sie gerade im Haus des Mordopfers gewesen und hatte dort etwas mitgehen lassen.

Die Yogalehrerin entfernte sich. Angela beschloss, sich wieder darauf zu konzentrieren, wofür sie hergekommen war. Sie trat hinter dem Grabstein hervor und bedeutete Mike, ihr zu folgen. Die Tür des Hauses stand von Charus Besuch noch offen. Hatte sie etwa einen Schlüssel?

Nein, die Tür war aufgebrochen. Charu hatte sich von einem simplen Türschloss nicht aufhalten lassen. Oder es war schon vor ihrem Besuch aufgebrochen gewesen. Angela wollte das Haus betreten, da stellte sich Mike vor sie und sagte bestimmt: «Ich zuerst.»

Sie wusste, dass sie ihm dies nicht verwehren konnte. Als Personenschützer musste er abklären, ob die Lage sicher für sie war. Auch wenn er ihrer Meinung nach die Pistole dafür nicht hätte zücken müssen. Kaum war er drin, hörte sie ihn rufen: «Bäh!»

«Was ist?»

«Bäh, Bäh!»

«Das macht es nicht klarer.»

«BÄH!»

Angela trat ein und begriff sofort, warum Mike gar nicht mehr aufhören konnte, ‹Bäh!› zu rufen. Alles war voller Müll.

«Fred Galka», stellte Angela fest, «war ein Messie.»

«Kein normaler Messie. Er war der Lionel Messi unter den Messies», erwiderte Mike und steckte seine Pistole wieder in das Halfter. Die beiden schauten auf den Boden, auf dem kein einziges Fleckchen frei von Klamotten, Papier, Sperrholzmöbeln oder Essensresten war. «Das sieht so aus, als ob hier eine Horde Marder wohnt.»

«Und es riecht auch so», seufzte Angela. Bis jetzt hatte sie gedacht, schlimmer als in der Umkleidekabine der Fußballnationalmannschaft nach dem WM-Sieg 2014 im schwülen Rio könnte es nicht kommen. Weit gefehlt! Tapfer stiefelte sie in das Chaos und fragte: «Wie kann ein Mann nur so verwildern? Was war mit ihm los?»

«Das war mit ihm los», deutete Mike hinter das Sofa. Angela kletterte über den ganzen Müll zu ihm und freute sich jetzt schon über die mindestens einstündige heiße Dusche, die sie nachher zu Hause nehmen würde. Am Sofa angekommen, sah sie jede Menge leere Bierdosen liegen. Aber nicht nur das.

«Bäh», ekelte sich Mike, «der hat selbst den Wodka aus Dosen gesoffen.»

Angela verspürte mit Galka Mitleid, obwohl es sich bei ihm mutmaßlich um einen Erpresser gehandelt hatte. Was hatte ihn nur dazu gebracht, sich so gehen zu lassen?

«Bäähhh!», hörte Angela Mike wieder schreien. Er war durch eine verdreckte Holztür gegangen und nicht mehr zu sehen.

«Was ist?»

«Ich habe den Fehler gemacht, das Bad zu betreten!» Mike kam mit bleichem Gesicht wieder heraus. «In Saddam Husseins Erdloch war es bestimmt sauberer als hier.»

Als Kanzlerin hatte Angela damals von ihrem Geheimdienst Fotos von dem Erdloch vorgelegt bekommen, woraufhin sie gesagt hatte: ‹In

Zukunft müsst ihr mir nicht immer alles zeigen.› Sie verspürte keinerlei Lust, die ganze Müllhalde nach Hinweisen zu durchforsten, und beschloss, im Wohnzimmer zu bleiben. Dabei hoffte sie, dass ihr irgendetwas Relevantes ins Auge fallen würde. Wenn nicht, würde sie die Ermittlung hier abbrechen und andere Stränge verfolgen. Sie könnte versuchen herauszufinden, ob Peter Kunkel ein Alibi besaß, oder Charu Benisha befragen, was für ein Büchlein sie aus diesem Haus hatte mitgehen lassen. Sie war zwar Detektivin, aber alles hatte seine Grenzen.

Angela bewegte sich vom Sofa weg, wollte einen verdreckten Fransenteppich, in dem sich vermutlich schon Leben entwickelte, mit ihren Sandalen nicht betreten, wich ihm aus und stieß dabei gegen einen Röhrenfernseher, auf dem ein paar weitere geöffnete Wodkadosen standen. Die Dosen schepperten runter. Eine übergoss sich über ihre Bluse, sodass der linke Unterärmel durchtränkt wurde.

«Ihh», schrie Angela auf. Dann blickte sie entsetzt auf den Ärmel und bat Mike: «Bringen Sie mir bitte ein Handtuch aus dem Bad.»

«So ein Handtuch wollen Sie nicht.»

«So dreckig?»

«Und noch viel mehr.»

Angela krempelte den nassen Unterärmel auf Ellenbogenhöhe, damit wenigstens ihre Haut trocknen konnte, und ging zu einem Schreibtisch, der schon vor zwanzig Jahren auf den Sperrmüll gehört hätte. Es lagen nur ein paar leere Blätter darauf. Ein bisschen wie bei Donald Trump, wenn er für die Fotografen so tun wollte, als würde er ganz viel arbeiten. Ein Stift war nicht zu finden, dafür auf dem Boden unter dem Tisch jede Menge Prospekte mit Auslandsimmobilien, die man auf den Malediven erwerben konnte. Daraus waren zahlreiche Buchstaben ausgeschnitten. Nun waren die letzten Zweifel ausgeräumt: Der Gärtner Fred Galka war in der Tat der Verfasser der Erpresserbriefe gewesen.

Der Schreibtisch hatte drei Schubladen. Angela hätte jetzt gerne Handschuhe dabeigehabt, denn die verklebten Knäufe wirkten so, als ob sich auf ihnen Erreger für die nächste Pandemie befinden könnten. Sie zog ihren Blusenärmel über ihre Finger und öffnete die erste Schublade. Darin befanden sich jede Menge weitere ausgeschnittene Buchstaben, genug Material für weitere zwanzig Erpresserbriefe. Sogleich zog Angela die nächste Lade auf und fand ein Buch mit schwarzem Ledereinband. Es war nur an den Rändern verstaubt, was dafür sprach, dass bis vor Kurzem etwas auf ihm gelegen hatte. Vermutlich das von Charu entwendete dunkelgrüne Büchlein.

In das schwarze Leder war das Gesicht von Bengt Jakob Hachert eingestanzt, jenem Kaufmann mit Perücke, an dessen schwarzem Grabmal Angela die Überreste von Fackeln entdeckt hatte. Sie nahm das kostbar wirkende Buch aus der Schublade, blätterte hinein und sah eine feine Schwarz-Weiß-Zeichnung, die das Haus von Galka darstellte. Natürlich nicht in jenem Zustand, in dem es sich jetzt befand, sondern so, wie es vor über dreihundert Jahren errichtet worden war. Es wirkte auf eine einfache, naturverbundene Weise heimelig. Unter der Zeichnung stand: *Die Gedankenklause des Kaufmanns Bengt Jakob Hachert.*

Angela las in dem darunterstehenden Fließtext und erfuhr, dass Hachert sich in dieses Häuschen zurückgezogen hatte, um Pläne zu schmieden. Für seine Geschäfte mit dem Zarenreich. Für den Ort Klein-Freudenstadt, dessen Bürgermeister er zeitweilig war. Und für die Verfolgung seiner Passion, von der in diesem Buch aber nicht die Rede sein dürfte, denn diese wird nicht niedergeschrieben, nur von Ohr zu Ohr geteilt. Und am Ende des Textes stand: *Veritas! Discipuli enim solus est satanas. Et infidelium est mendacium.*

Angela, die Latein ebenso beherrschte wie Russisch und beides um einiges besser als Englisch, übersetzte die Worte in Gedanken für sich: *Die Wahrheit! Nur für die Jünger. Den Ungläubigen die Lüge.*

Jünger. Ungläubige. Anscheinend handelte es sich bei der ‹Passion› von Hachert um eine Art Kult. Und die Fackeln, die Angela vor seinem Grabmal vorgefunden hatten, sprachen dafür, dass dieser Kult auch heute noch existierte. Um was genau es sich handelte, war Angela noch nicht klar. Und auf den ersten Blick stand er mit dem Mord allerdings auch nicht in Verbindung.

Angela betrachtete die unterste Schublade. Erstaunlicherweise war deren Knauf sauber, sodass sie wagte, die Schublade mit ihren Fingern aufzuziehen. Sie staunte nicht schlecht: Im Gegensatz zu den anderen Laden war diese hier auch innen nicht verstaubt. Um genau zu sein, sie war lupenrein sauber. Der Geruch von Reinigungsmittel stieg aus ihr empor und wirkte umso intensiver, da er sich von dem krassen Gestank im Haus und auch von Angelas aufgekrempeltem Blusenärmel und nassem Arm absetzte. In der Schublade lag ein umgedrehter goldener Bilderrahmen. Er war blank gewienert. Der einzige Gegenstand, den Fred Galka geputzt hatte. Er musste ihm viel bedeutet haben. Was für ein Bild war in dem Rahmen? Doch nicht etwa eins von dem Kaufmann Hachert? Angela nahm den goldenen Bilderrahmen, drehte ihn um, sah das Foto und ließ den Rahmen erstaunt fallen.

«Was ist passiert?», fragte Mike, der von dem Klirren des Glases aufgeschreckt wurde.

«Mir … ist nur etwas runtergefallen.» Angela hatte ein unglaublich schlechtes Gewissen. Nicht etwa, weil sie Mike erschreckt hatte, sondern weil das Foto dem Gärtner so viel bedeutet hatte. Es zeigte ihr, dass Fred Galka auch mal ein ganz normaler Mensch gewesen war. Mit Gefühlen. Starken Gefühlen.

Sie bückte sich, hob den Rahmen wieder auf und betrachtete das Foto hinter dem zersprungenen Glas. Auf ihm war Anja Kunkel zu sehen. Sie wirkte sogar noch glücklicher als auf dem Schnappschuss, der bei Ralf Borscht auf dem Verkaufstresen gelegen hatte. Dies lag anscheinend an dem jungen Mann, der sie auf dem Bild umarmte und mit ihr um die Wette lächelte. Er war gekämmt, trug saubere Gärtnerkleidung und war zu dem Zeitpunkt der Aufnahme gewiss noch kein Alkoholiker. Es war Fred Galka.

22

Also», fragte Mike, nachdem die beiden aus dem Haus getreten und tief die frische Abendluft eingeatmet hatten, «der Gärtner war zuerst mit Kunkels Frau zusammen?»

«Vermutlich», bestätigte Angela, die den kaputten Rahmen mit dem Foto wieder in die Schublade gelegt hatte. Das Bild mitzunehmen, wäre ihr schäbig vorgekommen. Als würde sie ein Grab schänden.

«Und der Kunkel hat sie ihm dann ausgespannt», mutmaßte Mike.

«Das wissen wir nicht», widersprach Angela.

«Der machte doch bestimmt schon damals mehr her als der Gärtner.»

«Das mag sein», vermutete Angela auch. Vor ihrem geistigen Auge sah sie einen feschen jungen Aramis im Musketier-Hemd, der auf einer grünen Wiese mit einem Bastkorb auf Anja Kunkel zuging, die ein Blümchenkleid trug, um mit ihr zu picknicken und ihr dabei tief in die Augen zu blicken.

Angela musste bei dieser Vorstellung über sich selbst lächeln: So romantisch hatte sie sich die Welt als Frau Anfang zwanzig geträumt. Wie schön es damals war, von der Realität nur wenig Ahnung zu haben. Für einen kurzen Augenblick sehnte sie sich nach der Zeit in ihrem Leben zurück, in der ihr große Romantik noch möglich erschien.

«Glauben Sie, das hat was mit dem Mord zu tun?», riss Mike sie aus ihren Gedanken.

«Ich wüsste nicht, wie», antwortete Angela. Der Gärtner hatte Peter Kunkel und Merle Borscht gewiss nicht wegen der alten Liebschaften ihrer Eltern erpresst. Und Charu Benisha war garantiert nicht wegen dieses Fotos in das Haus gegangen, sonst hätte sie es mitgenommen. Dennoch war Angela von dem Fund fasziniert. Anja Kunkel war von Aramis und Fred Galka geliebt worden. Auch Ralf Borscht hatte mit ihr etwas zu tun gehabt, sonst hätte ihn das Polaroidfoto, das Galka ihm überreicht hatte, nicht so aufgewühlt. Hatte er diese Frau ebenfalls geliebt? Gab es statt einer Dreiecksliebe gar eine Vierecksliebe?

«Bäh», sagte Mike wieder einmal.

«Was ist?», staunte Angela und war froh über die Ablenkung, hatte sie sich doch in ihrer Fantasie endgültig vergaloppiert. Vierecksslieben, so etwas hatte sich noch nicht mal Shakespeare in seinen Dramen ausgedacht!

Angela sah, wie Mike an seinem Anzugärmel roch und das Gesicht verzog: «Jetzt können wir mit unserem Gestank selbst die Marder vertreiben.»

Angela realisierte, dass sie selbst extrem nach Alkohol stank. Der Wodka auf ihrem Unterarm war zwar getrocknet, aber auch den wollte man sich nicht direkt an die Nase halten. So hatte sie noch nicht einmal ansatzweise gemüffelt, als sie bei den EU-Sitzungen die Wochenenden durchmachen musste.

«Ich muss jetzt echt unter die Dusche», drängelte Mike. An dem Zittern in seiner Stimme hörte Angela heraus, dass es ihm nicht nur um die Dusche ging. Er wollte vor allem möglichst schnell den Friedhof verlassen, weil die Nacht nahte. Angela fragte sich, ob er als Kind mal ein übles Erlebnis in Zusammenhang mit Geistern gehabt hatte. Hatten seine Eltern ihm etwa eine Geschichte erzählt, die ihm Albträume bereitet hatte? Oder hatte er einen Horrorfilm gesehen? So etwas wie *Dracula* mit Bela Lugosi? Den hatte Angela als elfjähriges Mädchen heimlich im Westfernsehen angeschaut und erst wieder ruhig schlafen können, als sie sich klargemacht hatte, dass ein Wesen, das nie die Sonne sah, in der Realität nicht existieren könnte, weil es an akutem Vitamin-D-Mangel sterben würde.

«Es kommen schon keine Geister», lächelte Angela freundlich.

«Geister? Geister? Wer hat denn was von Geistern gesagt?», fragte Mike nervös.

Angela hätte beinahe geantwortet: Ihr Unterton. Und auch Ihr bleiches Gesicht. Doch sie sagte milde: «Sie nicht.»

«Genau, ich nicht. Ich habe nämlich überhaupt nichts von Geistern gesagt. Ich habe nie Geister auch nur ansatzweise erwähnt. Und ich werde sie auch nicht erwähnen …»

«Mike?»

«Ich erwähne sie gerade?»

«Sie erwähnen sie gerade.»

«Können wir jetzt bitte gehen?», seufzte er.

«Aber natürlich», sagte Angela und setzte sich in Bewegung. Mike atmete durch und folgte ihr. Doch schon nach wenigen Schritten stellte er fest: «Wir sind nicht allein auf dem Friedhof.»

«Wir reden jetzt doch hoffentlich nicht über Geister?»

«Nein … da.» Er deutete auf den Hauptweg, der etwa hundert Meter entfernt war. Dort saß, beschienen von der Abendsonne, Aramis und las jenes Buch über William Shakespeare, das Angela ihm geschenkt hatte. Sie blieb schlagartig stehen, weil sie sich so sehr darüber freute, ihn zu sehen.

«Sie wollen doch nicht etwa zu ihm hin?», fragte der Bodyguard.

Auf diesen Gedanken war Angela noch gar nicht gekommen, aber jetzt, wo Mike es sagte …

«Frau Merkel?», hakte Mike nach und wollte sie wohl am liebsten wegziehen, doch da blickte Aramis von dem Buch auf und entdeckte sie. Und er lächelte!

«Es ist unhöflich, ihn nicht zu begrüßen.»

«Es wird aber schon dunkel.»

«Sie können gerne vor dem Friedhof warten.»

«Aber ...»

«Mich werden schon keine Geister in die Gruft ziehen.»

Mike sah sie an, als ob er gleich wieder seinen Lieblingsspruch ‹Berühmte letzte Worte› sagen wollte. Um ihn zu beruhigen, schlug sie vor: «Warten Sie vor dem Friedhof, ich gebe Ihnen ein Signal für den höchst unwahrscheinlichen Fall, dass ich in Gefahr gerate.»

«Okay, okay», antwortete Mike erleichtert. «Aber diesmal vereinbaren wir etwas anderes als einen Schrei.»

«Ja, das ist wohl besser», musste Angela mit Blick auf ihre Zehen feststellen.

«Rufen Sie ein Codewort.»

«Was denn für eins?»

«Wir Personenschützer nehmen in der Regel einen Fluch wie ‹Shit›. Der Angreifer kommt dann nicht direkt darauf, dass es ein Signal sein könnte.»

«Im Prinzip in Ordnung, aber ich möchte solche Worte nicht rufen», sagte Angela.

«Was denn dann?»

«Irgendetwas Harmloseres.»

«Hauptsache, Sie rufen es laut genug», sagte Mike und eilte flotten Schrittes davon, sichtlich erleichtert, das Reich der womöglich gleich erwachenden Toten verlassen zu können.

Angela drehte sich in Richtung Aramis, der von der Bank aufgestanden war, auf die er das Buch neben seine Zeichenmappe aus Leder gelegt hatte. Sie ging zu ihm und konnte nicht anders, als ihn anzulächeln. Er lächelte zurück. Jedoch etwas gequält.

Warum lächelte er so? Freute er sich nicht, sie zu sehen? Hatte er etwa mitbekommen, dass sie im Haus des Gärtners gewesen war? Dass sie ermittelte?

«Einen schönen guten Abend», sagte er.

«Ihnen auch. Ich sehe, Sie lesen gerade das Buch», stellte Angela fest. Es freute sie mehr, als sie gedacht hätte.

«Am interessantesten und überzeugendsten war die These, dass es sich bei William Shakespeare in Wahrheit um den Earl of Oxford handelte. Wussten Sie, dass Ronald Emmerich sogar einen Spielfilm gemacht hat, der das zum Thema machte?»

«Wirklich?», staunte Angela. «Wer ist dieser Emmerich?»

«Er hat sonst Filme gemacht wie *Independence Day*.»

«Das muss ein kultivierter Mann sein, wenn er auch über die amerikanische Revolution von 1776 ein Werk gedreht hat.»

«Eigentlich geht es dabei um Ufos.»

«Oh ...»

«Der Film über Shakespeare und den Earl of Oxford ist aber seriöser», erklärte Aramis. «Den können Sie sich sehr gut ansehen.»

«Das werde ich tun», antwortete Angela und ertappte sich bei einem für sie äußerst ungewöhnlichen Gedanken: Sie wünschte sich, dass Aramis ihr anbieten würde, gemeinsam den Film anzuschauen.

Er bot es nicht an.

Stattdessen lächelte er wieder gequält.

Warum tat er das nur?

«Der Film hat nur eine Schwäche», redete Aramis weiter.

«Welche?»

«Die Werke von Shakespeare sind nicht vom Earl of Oxford geschrieben worden.»

«Sondern», lächelte Angela, «von Emilia Bassano.»

«Ganz genau, von Emilia Bassano!»

Die beiden strahlten sich an wie zwei fröhliche Verschwörer, die in einer Welt der Andersdenkenden jemand Gleichgesinnten gefunden haben.

«Eine Hofdame wie sie», sagte Aramis, «konnte doch viel besser über

Politik und Tyrannei schreiben als der echte William Shakespeare, der nie am Hofe war.»

Angela nickte zustimmend. Genau das hatte sie auch vermutet, zumal ebenjene Themen sie am meisten an den Werken fasziniert hatten.

«Und wer, wenn nicht Emilia, die so viel auf sich geladen hat, könnte so viel Kluges über die Schuld sagen, die man in sich trägt?» Aramis' Augen leuchteten dabei nicht mehr. Sie wirkten eher intensiv und nach innen gerichtet.

«Schuld?» Wenn Angela an Shakespeare dachte, war das nicht unbedingt das erste Thema, das ihr einfiel.

«Denken Sie an Macbeth, der vor lauter schlechtem Gewissen den Geist von Banquo sieht.»

«Ja, das ist wahr», räumte Angela ein.

«Oder an die Worte von Julius Cäsar: *Nicht durch die Schuld der Sterne, lieber Brutus, durch eigne Schuld nur sind wir Schwächlinge.*»

Durch diese Linse hatte Angela die Stücke noch gar nicht betrachtet. Faszinierend, dieser Bestatter gab ihr eine völlig neue Sicht darauf.

«Und wer als eine Frau könnte so über Liebe schreiben?» Jetzt leuchteten seine Augen wieder. Angela war hingerissen von ihm und fühlte sich wieder wie ein Schulmädchen. Doch plötzlich war da wieder dieses gequälte Lächeln, nun schon zum dritten Mal. Diesmal sprach Angela ihn direkt darauf an: «Warum tun Sie das?»

«Was?», fragte er, wusste jedoch genau, was Angela meinte.

«Das.» Sie lächelte zu Demonstrationszwecken nun ebenfalls übertrieben gequält.

«So sehe ich aus?» Es war Aramis unangenehm.

«In etwa.»

«Nun, darf ich direkt sein?»

«Ich bitte darum.»

«Sie stinken.»

Angela entfernte sich zwei Schritte. Da hätte sie auch selbst darauf kommen können.

«Verzeihen Sie», sagte Aramis.

«Nein, ich muss mich entschuldigen. Ich rieche normalerweise nicht so.»

«Das hoffe ich für Sie», lächelte er freundlich. «Darf ich fragen, warum Sie es jetzt tun?»

Was sollte Angela darauf antworten? Wohl kaum: Ich bin gerade in das Haus des ermordeten Gärtners eingebrochen und habe mir dort Wodka über den Unterarm geschüttet. So schwieg sie verlegen.

«Also, wenn Sie …» Aramis unterbrach sich selbst.

«Wenn ich was?», fragte Angela irritiert.

«Probleme haben …»

«Probleme?»

«Mit dem Trinken.»

«Was?»

«Wir haben in unserem Klein-Freudenstadt eine Gruppe der *Anonymen Alkoholiker.*»

«Ich bin keine Alkoholikerin!»

«Ja, klar …», versuchte Aramis zu beschwichtigen. «Aber …»

«Aber?» Angela hätte ihn am liebsten gefrühstückt – und das zu Abend.

«Bei den Belastungen, mit denen Sie als Politikerin zu tun hatten, wäre das nur allzu verständlich …»

«Ich kam damit aber sehr gut klar!», sagte Angela scharf.

«Es gibt auch Menschen, die bekommen erst in der Rente Schwierigkeiten wegen des Bedeutungsverlusts …»

Angela sah ihn auf eine Weise an, dass er erkannte, wer von den beiden gleich Schwierigkeiten bekommen würde.

«Verzeihen Sie, wenn es ums Trinken geht, bin ich befangen.» Aramis blickte wieder einmal so drein, als ob die ganze Last der Welt auf seinen Schultern läge. Angelas Wut war schlagartig verflogen. War der arme Mann selbst, wie Galka, mal dem Alkohol verfallen gewesen? Oder eins seiner Kinder? Oder gar seine verstorbene Frau?

«Es wird dunkel», sagte er leise.

«Das wird es.»

«Und ich möchte noch kurz ein Grab pflegen.»

«Das von Ihrer Frau?»

«Ja.»

Angela sah den Schmerz in seinen Augen, und das rührte sie an.

«Wissen Sie, da ich einen kleinen Kastanienbaum da hingepflanzt habe, zieht der nun die Eichhörnchen an. Und es sind nicht die einzigen Tiere, die hier herumlaufen und ihre Spuren hinterlassen. Mäuse, Igel, sogar eine Kuh habe ich auf dem Friedhof schon entdeckt.» Er blickte wehmütig zu dem Grab. Angela wollte gerade erwähnen, dass auch sie dort eine Kuh gesehen hatte, da sagte Aramis: «Ihr Mann wird auch bestimmt schon auf Sie warten.»

Ihr Mann? An den hatte sie gar nicht gedacht. Dabei hatte sie doch in wenigen Minuten ihren täglichen *Facetime*-Termin.

«OH MIST!», rief Angela aus.

Sogleich fiel ihr ein, dass Mike einen Fluch für das Codewort halten könnte. Sie blickte panisch zum Friedhofseingang und sah den Personenschützer mit gezückter Waffe auf sie beide zustürmen. Er rief: «AUF DEN BODEN!»

«Bin ich gemeint?», fragte Aramis verunsichert.

«Ich befürchte», antwortete Angela kleinlaut.

«AUF DEN BODEN!»

«Was hat er nur gegen mich?», fragte Aramis, während er sich hastig auf den Weg legte.

«HÄNDE HINTER DEN KOPF, WO ICH SIE SEHEN KANN!»

«Mike!»

«UND WEHE, DU REGST DICH AUCH NUR EIN BISSCHEN!»

«MIKE!»

«DANN WERDEN DEINE EIER PÜRIERT!»

«MIIIIIKE!» Angela war nun so laut, dass der Personenschützer aus seinem Personenschützermodus herausfand und fragte: «Wieder ein Fehlalarm?»

«Wieder ein Fehlalarm.»

«Wir beide», seufzte Mike und steckte seine Waffe ein, «müssen echt bessere Codewörter vereinbaren.»

«Ja, das müssen wir wohl.»

«Fände ich auch gut», sagte Aramis, der noch mit den Händen hinter dem Kopf und Gesicht nach unten auf dem Boden lag.

«Sie können aufstehen», sagte Mike.

«Okay.» Aramis rappelte sich für sein Alter sehr behände auf. Das beeindruckte Angela. Ihr Achim hätte das nicht so leicht geschafft.

Achim?

Achim!

«OH MIST!», rief sie wieder laut aus.

Mike zückte wieder seine Waffe.

«Ich soll doch nicht etwa», fragte Aramis, «wieder zu Boden?»

«Nein, nein», beschwichtigte Angela, «ich muss nur ganz dringend nach Hause. Aber ich werde alles wiedergutmachen.»

«Ich wüsste auch schon, wie.»

«Ah ja?»

«Sie kommen morgen Nachmittag wenigstens zu einer Tasse Tee vorbei. Kein großes Abendessen. Wir setzen uns einfach auf die Bank vor meinem Institut, trinken Tee und setzen unser schönes Gespräch über Emilia fort.»

Es war wirklich ein schönes Gespräch gewesen. Daher musste Angela bei dem Vorschlag wieder lächeln. Und Aramis lächelte zurück. Und sie lächelten länger, als es zwischen zwei flüchtigen Bekannten angemessen gewesen wäre. Sehr viel länger.

«Hm», räusperte sich Mike, der davon unangenehm berührt war. Und noch mehr von der Tatsache, dass die Sonne nun so gut wie weg war.

Die beiden hörten Mike nicht.

«Hmm!», räusperte er sich ein klein wenig lauter.

Sie lächelten sich nur weiter an.

«Hmmm!»

Erst jetzt blickte Angela zu ihm.

«Wir sollten los», sagte Mike nervös, von der Sonne war nur noch ein tiefroter kleiner Kranz zu sehen.

«Sie haben recht», nickte Angela. Sie musste zu ihrem Mann.

Musste?

Nein, natürlich *wollte* sie! Es war ihr Ehemann. Da musste sie es doch wollen!

«Bis bald», verabschiedete sie sich von Aramis.

«Bis bald», sagte er, und die beiden lächelten sich wieder an. Dann nahm er das Buch und seine Zeichenmappe von der Bank. Dabei fiel ihm ein Blatt zu Boden. Auf dem war eine begonnene Kohlezeichnung zu erkennen. Angela blickte drauf und staunte: Die wenigen Striche sahen aus … wie ihr Profil?

Aramis hob hastig das Zeichenpapier auf, steckte es in die Mappe und versuchte, die Situation zu überspielen: «Ich muss unbedingt ein neues Lederband kaufen, damit nicht immer alles rausfällt. Das alte ist gerissen.»

«Ja, das müssen Sie wohl», hauchte Angela mehr, als dass sie es sagte. Dieser Mann malte ein Porträt von ihr. Freiwillig. Nicht weil es ein Auftrag für das Kanzleramt war. Ihr Herz begann zu flattern.

«Hmmmm!», räusperte sich Mike nun nachdrücklich.

«Schon gut, schon gut!», sagte Angela, verabschiedete sich hastig von Aramis, der wegen der Zeichnung verlegen wirkte, und machte sich mit ihrem Personenschützer auf den Weg.

Ein Porträt.

Wie sie wohl darauf aussehen würde? Wie sah Aramis sie? Oder hatte sie sich das mit dem Profil von ihr nur eingebildet?

Während sie sich diese Fragen stellte, fiel ihr Blick auf Mikes Fitness-Armbanduhr, und ihr wurde schlagartig klar: Sie würde es nicht mehr rechtzeitig zu ihrem Gespräch mit Achim schaffen. Jetzt flatterte ihr Herz auf eine ganz andere, panische, Weise.

23

Völlig aus der Puste erreichte Angela ihr Fachwerkhäuschen. Begleitet von Mike, der nicht mal ein bisschen außer Atem war. Er war zwar nicht mehr so in Form, dass er den Aufnahmetest beim Secret Service bestanden hätte, aber auch nicht so unfit, dass er bei Angelas schnellstem Gehtempo auch nur ansatzweise aus der Puste geraten könnte.

Marie und das Baby waren inzwischen zum Schloss zurückgekehrt, was Angela erleichterte. Es hätte ihr noch gefehlt, dass ihre Freundin sich darüber amüsierte, wie sie wegen Aramis zu spät zu ihrem *Facetime*-Call mit Achim kam. Mike hingegen schien es schade zu finden, dass Marie sich verabschiedet hatte. Angela fragte sich, ob sie ihn ermuntern sollte, einfach anzurufen. Die junge Mutter würde sich gewiss darüber freuen und ihn vielleicht sogar noch zu sich einladen. Dann könnte er im Schloss den restlichen Abend damit verbringen, weiter das Kinderzimmer einzurichten, anstatt in dem zur Wohnung umgebauten Gartenhäuschen seine Lieblingsserie 24 zum dritten Mal innerhalb von wenigen Wochen von vorne zu beginnen, weil er keine andere fand, die für ihn auch nur ansatzweise so interessant war. Und wenn sich in der Tat etwas zwischen den beiden anbahnte, könnte ja am Ende wirklich die positive Entwicklung entstehen, die Angela sich nun lieber ausmalen wollte als eine negative: Die Beziehung der beiden könnte glücklich verlaufen, gar zu einer Ehe führen und nicht mit

Liebeskummer enden und mit Tränen in der Nacht, um die es schade wäre.

Doch dann dachte Angela, dass sie sich lieber nicht einmischen sollte. Wenn die jungen Leute sich sehen wollten, könnten sie auch von selbst darauf kommen, dass Alexander Bell das Telefon erfunden hatte (und wohl heutzutage sehr über das Smartphone staunen würde). Außerdem musste sie ohne jegliche weitere Zeitverzögerung an ihr iPad. Hoffentlich war Achim noch erreichbar!

Angela legte noch einen Zahn zu und hastete in den ersten Stock. Dort sauste sie über die Holzdielen des Flures und an den gerahmten, schon etwas vergilbten Standesamtsbildern von Achim und ihr vorbei ins Schlafzimmer. Auf dem beigen Flokati-Teppich vor dem Bett schlief Putin und pupste vor sich hin. Um atmen zu können, riss Angela das Fenster auf, schnappte sich ihr iPad, zog Schuhe und Socken aus, setzte sich auf ihr Bett und hoffte, dass ihr Achim noch da war.

Er war es! Gott sei Dank! Und dank Facetime konnte er nicht riechen, wie sehr sie noch nach Wodka stank. Im Gegensatz zu gestern war die Verbindung diesmal exzellent. Achim schien draußen in einer Tapasbar zu sitzen. In irgendeinem kleinen Pyrenäen-Ort. Dabei hatte sie gedacht, er wäre oben in den Bergen. Was war da los?

Um Achims Mund glänzte rötlich schimmerndes Fett. Wenn einer nicht dazu in der Lage war, Chorizo-Würstchen zu essen, ohne sich einzusauen, dann war es ihr Ehemann. Er konnte von Glück sagen, dass sie schon in ihn verliebt gewesen war, bevor sie das erste Mal gemeinsam ein Restaurant besuchten.

«Angela!»

«Achim», schnaufte sie erleichtert.

«Ich habe mir schon Sorgen gemacht.»

«Musst du doch nicht», lächelte sie.

«Wie geht es deinen Furunkeln?»

«Wem?»

«Du hast doch Furunkel an den Beinen.»

«Ich habe keine Furunkel, das hast du falsch verstanden.»

«Sind es Karbunkel?»

«Nein, ich habe gar nichts an den Beinen.»

«Ich mache mir wirklich Sorgen um dich», ließ Achim sich nicht so einfach abspeisen.

Angela betrachtete ihren Mann. Er sah sie an, als ob er sie vor allem Unbill auf dieser Welt beschützen wollte. Sie war gerührt und wollte ihm die Sorge nehmen: «Ich schwöre dir, ich bin gesund.»

«Ich sehe zwar, dass du die Finger nicht dabei gekreuzt hast, du hast ja dein iPad in der Hand. Aber was ist mit deinen Zehen?» Erst vor wenigen Wochen hatte Angela bei einem anderen Schwur ihre Zehen gekreuzt. Damals ging es um das Versprechen, dass sie bei dem Mordfall Baugenwitz keine Alleingänge mehr machen würde.

«Ich zeig sie dir.» Angela drehte das iPad in Richtung ihrer Füße.

«O mein Gott!», rief Achim aus.

«Was?» Angela riss das iPad wieder hoch, um sein Gesicht zu sehen.

«Deine großen Onkel … sie sind ja ganz blau.» Er schien beim Anblick ihrer Zehen mehr Schmerz zu empfinden als sie selbst.

«Nenne sie bitte nicht ‹große Onkel›.»

«Große Tanten?»

«Auch nicht.»

«Große TantInnen?»

«Achim!»

«Was ist geschehen?»

«Das ist eine lange Geschichte.»

«Erzähle sie, wir haben doch Zeit.»

«Es ist aber auch eine langweilige Geschichte», schwindelte Angela.

«Du hast dich verletzt, das ist nicht langweilig.»

«Mach bitte nicht mehr daraus, als es ist.»

«Du wirst es mir erzählen. Spätestens wenn ich morgen wieder zu Hause bin.»

«Du bist was?», fragte Angela erschrocken.

«Morgen Abend bin ich wieder zu Hause.»

«Du hast doch noch eine Woche Urlaub!»

«Etwas ist los, das spüre ich genau, und ich mache mir nun mal Sorgen.»

«Das musst du nicht. Genieße deinen Urlaub.»

«Ich habe den Flug aber schon gebucht.»

«Du hast waaas?» Angela bekam leichte Panik.

«Ich habe den Flug schon gebucht.»

«Dann buch ihn einfach wieder um!»

«Das geht nicht, eine Umbuchung ist nicht in dem Tarif enthalten.»

«Dann buche einen neuen. Das Geld haben wir doch.» Angela hatte von ihrem Kanzlerinnengehalt stets etwas zurückgelegt wie auch Achim von seinen Bezügen als Professor der Quantenchemie. Mit dem privaten Geld wurde in dieser Ehe besser gehaushaltet als in jedem Staat.

«Das geht leider auch nicht.»

«Aber warum denn nicht?», fragte Angela.

«Ich vermisse dich einfach», gab Achim zu.

Angela schaute ihren Mann an, wie er ihr aus dem iPad entgegensah, und war gerührt. Sie wäre es vielleicht sogar noch mehr gewesen, wenn das Chorizo-Fett um seinen Mund nicht so geglänzt hätte. Oder halt, nein, gerade das rührte sie umso mehr. Die Tatsache, dass sie so etwas Albernes dermaßen berühren konnte, zeigte ihr, wie sehr sie ihren Achim nach all den gemeinsamen Jahrzehnten immer noch liebte. Und so sagte sie: «Ich vermisse dich auch.»

24

Yoga?» Mike konnte es nicht fassen, als sie wieder zu dritt auf der Terrasse saßen, Angela frisch geduscht und mit anderer Bluse, die wodkagetränkte hatte sie schon in die Waschmaschine geworfen. Eigentlich waren sie zu viert, der kleine Adrian Ángel lag im Körbchen neben der Mutter auf der Bank. Noch eigentlicher waren sie zu fünft, denn Putin strullerte wieder mal im Garten den Gollum-Gartenzwerg an. Der Personenschützer stellte mit einem fassungslosen Gesichtsausdruck seine Kaffeetasse auf dem reichhaltig gedeckten Frühstückstisch ab, an dem Marie die Morgensonne genoss und Angela sich gerade selbst gemachte Erdbeermarmelade auf ein leckeres Weltmeisterbrötchen strich. Sie antwortete ihm: «Ja, Sie machen Yoga.»

«Warum ich?»

«Wir müssen unauffällig herausfinden, was Charu Benisha gestern im Haus des Gärtners für ein Buch mitgenommen und mit wem sie telefoniert hat.»

«Das habe ich schon verstanden. Aber warum muss ich da hin?»

«Weil ich einmal Kanzlerin war und eine Frau wie Charu Benisha meinen Besuch sofort auf Social Media vermelden würde.»

«Sie hat immerhin 513 Follower auf Insta», sagte Marie und hielt ihr Handy hoch. Auf dem Bildschirm war der *Instagram*-Kanal von @charuyoga aufgerufen, und man konnte jede Menge Fotos sehen, auf denen die junge Frau ihren Körper dehnte und in schier unglaubliche Positionen verbog. Mike stöhnte: «Da tun mir ja schon beim Anschauen der Fotos die Knochen weh.»

«Ich würde dich gerne», lächelte Marie Mike an, «zum Yoga begleiten und sehen, wie biegsam du so bist.»

Angela staunte immer wieder, dass Marie redete, wie ihr der Schnabel gewachsen war. Wie wunderbar musste es sein, wenn man nicht jedes Wort auf die Goldwaage legen musste! In der Politik war das für Angela eine Notwendigkeit gewesen, aber jetzt fand sie es betrüblich, dass sie nach all den Jahrzehnten im Geschäft verlernt hatte, selbst unbeschwert zu plappern.

«Ich … bin», sagte Mike verunsichert, «nicht gerade biegsam.»

«Dann sehe ich mir das halt an», lachte Marie.

«Möchtest du das wirklich?» Mike wusste nicht, was er davon halten sollte. Offensichtlich wollte er sich vor Marie nicht bei den Yogaübungen blamieren, zugleich freute er sich, dass sie Zeit mit ihm verbringen wollte.

«Hätte ich es sonst gesagt?», lächelte Marie ihn so nett an, dass er gar nicht anders konnte, als zurückzulächeln.

Angela war nun endgültig klar, dass sich da zwischen den beiden etwas anbahnte. Umso mehr zwang sie sich, an einen positiven Ausgang dieser Beziehung zu glauben.

«Okay», sagte Mike lachend, «komm mit und schau zu, wie ich Yoga mache.»

Zumindest hatte Angelas Personenschützer seinen Ermittlungsauftrag angenommen. Nun galt es, ihren eigenen zu definieren. Sie war an diesem Nachmittag, kurz bevor Achim nach Hause kommen würde, mit Aramis zum Tee verabredet. Wie aber nutzte sie die Zeit bis dahin am besten? Merle Borscht und Peter Kunkel waren weiterhin die Hauptverdächtigen, auch wenn Charu im Haus des Gärtners gewesen war. Also musste sie in diese Richtung ermitteln. Da bot sich ein Gespräch mit dem Sohn von Aramis sogar noch mehr an als mit der Tochter des

Bestatters Borscht. Beide hatten Erpresserbriefe erhalten, aber Peter hatte sich zudem sehr für das Haus des Gärtners interessiert. (Falls er es kaufen sollte, würde er ein Desinfektionskommando durchschicken müssen, wie man es aus China bei Virusausbrüchen kannte.)

«Ich werde», verkündete Angela nach einem Biss ins Erdbeerbrötchen, «gleich den Sohn von Kunkel besuchen.»

«Mister Latex-Man?», fragte Marie.

«Wenn du ihn so nennen willst.»

«Captain BDSM wäre auch ein passender Name.»

«Äh, was für eine Organisation ist BDSM?», verstand Angela nicht so recht. «Eine Regierungsorganisation oder eine Nichtregierungsorganisation?»

«Nicht Regierung», lachte Marie. «Obwohl, wenn es dafür eine Regierungsorganisation gäbe, wäre das schon lustig.»

«Und wofür steht diese Nichtregierungsorganisation BDSM?»

«Ach, Angela, du bist süß», lächelte Marie freundlich.

«Weil ich nicht jede Abkürzung jeder Interessengruppe kenne?»

«Du musst wirklich noch viel lernen.»

«Vielleicht muss man aber auch nicht alles wissen», mischte sich Mike ein, «ich bringe ihr das auf jeden Fall nicht bei!»

«Sie muss sich ohnehin zu Recherchezwecken die Webseite von Peter Kunkel ansehen», grinste Marie.

«Muss sie nicht!» Mike wollte seine Schutzbefohlene offenbar nicht nur vor physischen Angriffen bewahren.

«Hab dich nicht so», lachte Marie, schnappte sich das iPad von Angela und begann zu surfen. Nach wenigen Augenblicken sagte sie: «Okay, die Seite habe ich etwas anders erwartet.»

«Was ist denn da zu sehen?», fragte Angela.

«Zeig es ihr nicht», bat Mike hastig.

«Keine Angst, da ist nichts Übles.»

«Nein?», atmete Mike auf.

«Es ist kein BDSM.»

«Was immer das auch sein mag», sagte Angela bestimmt und schnappte sich das iPad. Auf dem Bildschirm war etwas zu sehen, was sich ihr nicht auf Anhieb erschloss. «Was sehe ich da?»

Die anderen beiden beugten sich zu ihr, um ebenfalls auf das iPad blicken zu können. Marie erklärte: «Ein paar Leute in Kutten und mit Fackeln an einem Grab.»

«Das Grab von Kaufmann Hachert», stellte Angela fest. «Und bei dem Mann ganz vorne kann man unter der Kapuze das Gesicht von Peter Kunkel erkennen.»

«Aber was machen die da?», fragte Mike.

«Wenn du mich fragst, ist das ein satanisches Ritual», antwortete Marie.

«Wegen der Roben und der Fackeln?», fragte nun Angela.

«Und weil, wenn du weiter nach unten scrollst …»

Angela tat es.

«… ‹Heil Satan› da steht.»

Tatsächlich waren diese Worte in feuerroter Schrift auf schwarzem Untergrund zu sehen

«Das sind ja Satanisten», stellte Mike fest.

«Schnellmerker», lächelte Marie freundlich.

Angela dachte sich, dass ihr Personenschützer in einer Beziehung mit Marie sich den ein oder anderen Flachs würde gefallen lassen müssen …

«Ja … das bin ich wohl.»

… und er es nicht schaffen würde, clever zu kontern. Dann betrachtete Angela sich wieder Peter Kunkel, wie er zwölf Kuttenträger mit Kapuze anführte. Anschließend scrollte sie weiter und staunte: «Da gibt es einen Link zu einem Shop?»

Sie klickte darauf, die Seite wechselte, und tatsächlich erschien ein Webshop namens *Satanazon*. Angela fragte sich, wie schnell die Anwälte von Jeff Bezos wohl diesen Namen finden und verbieten lassen würden. Bei *Satanazon* wurden die verschiedensten Sachen für den modernen Satanisten von Welt angeboten: schwarze Mönchskutten in den Größen S bis XXXL, Fackeln, Ketten mit Pentagrammen, Schlüsselanhänger mit dem Spruch «Ich habe nur einen Herrn und Meister» und diverse andere Artikel in der Preisrange von 3,99 bis 1199,99 Euro. Den Höchstpreis musste man für einen limitierten Druck eines Kupferstichs von Bengt Jakob Hachert berappen. Anscheinend, so kombinierte Angela, hatte dieser Mann für die Satanisten eine hohe Bedeutung. Was hatte sie in dem Buch über ihn noch mal gelesen? *Veritas! Discipuli enim solus est satanas. Et infidelium est mendacium – Die Wahrheit! Nur für die Jünger. Den Ungläubigen die Lüge.* Es war nun klar, welche Sorte Jünger damit gemeint war. Die Jünger Satans.

«Ganz schön geschäftstüchtig, der Junge», staunte Mike. «Die haben sogar Same-Day-Lieferungen.»

«Ich bin», sagte Angela, «dem ein oder anderen Konzernboss begegnet, bei dem ich auch schon gedacht habe, er wäre mit dem Teufel im Bunde.»

«Wie der VW-Heini», fragte Marie, «der sein Werk in China verteidigt, das sich in der Region befindet, in der auch die Gefangenenlager der Uiguren sind?»

«Der könnte auch so eine Kutte tragen», rutschte es der ansonsten so diskreten Angela heraus.

«Vielleicht ist er ja auch auf dem Foto drauf.» Marie zog das iPad in ihre Richtung, ging wieder auf die vorherige Seite und vergrößerte den Ausschnitt.

«Der nicht», staunte Angela. «Aber Charu Benisha.»

25

Dann hat sie …», sagte Mike aufgeregt.

«… vor dem Haus des Gärtners …», redete Marie weiter.

«… womöglich mit Peter Kunkel telefoniert», vollendete Angela.

«Wir reden wie Tick, Trick und Track», merkte Marie an.

«Wie wer?», fragte Angela, die nicht mit Donald Duck, sondern mit den *Digedags* aufgewachsen war.

«Du bist echt eine Kulturbanausin.»

Das hatte zu Angela noch niemand gesagt.

«Was meinst du, wurde vielleicht doch nicht Merle Borscht gemeinsam mit Peter Kunkel erpresst …»

«… sondern Peter Kunkel …», redete Angela weiter.

«… mit der Yogatante?», vollendete Mike.

«Wir müssen echt aufhören …», sagte Marie.

«… zu sprechen …», redete Angela weiter.

«… wie bei Donald Duck», vollendete Mike.

«Ja …»

«… das sollten …»

«… wir wirklich!»

Alle drei seufzten, und Marie warf Putin etwas Schinken zu. Angela missfiel das, sie hatte allerdings schon lange aufgegeben, ihre Freundin darum zu bitten, den Mops nicht am Tisch zu füttern. Sie hörte ohnehin nicht darauf.

«Als wir im Institut von Ralf Borscht waren», erinnerte sich Angela, «hatte er zu seiner Frau gesagt: ‹Du warst wieder bei ihm.› Und Charu hatte ihm widersprochen: ‹Es gibt keinen mysteriösen Liebhaber.› Aber vielleicht gibt es doch einen Mann, mit dem sie ein Verhältnis hat. Und zwar Peter Kunkel.»

26

Mike schob den Kinderwagen durch ein Gewerbegebiet, das etwa fünfzehn Kilometer entfernt von Klein-Freudenstadt lag und in dem sich das Yogastudio von Charu Benisha befand. Marie begleitete ihn mit einem *Coffee to go* in der Hand. Die beiden hatten das Elektroauto von Angela einige Meter entfernt vor einer Tierfutterfabrik geparkt. Der Wagen war so klein, dass Mike sich beim Ein- und Aussteigen den Kopf anstieß und es einer logistischen Meisterleistung gleichkam, den Kinderwagen ein- und auszuladen. Wie so oft hatte Mike sich bei der Fahrt hierher gewünscht, Angela hätte sich nicht für den kleinsten und billigsten aller umweltfreundlichen Dienstwagen entschieden.

«Du trinkst echt viel von dem entkoffeinierten Kaffee», stellte Mike mit Blick auf ihren Becher fest.

«Den Kaffee ohne Koffein trinke ich nur wegen des Babys. Normalerweise trinke ich sieben Kaffees am Tag. Kaffee ist für mich ein Grundnahrungsmittel.»

«Das kann nicht gesund für deinen Magen sein.»

«Aber für die Seele.»

«Ich meine ja nur, du solltest ein bisschen auf dich aufpassen.»

«Ist es dir wichtig, dass es mir gut geht?», lächelte Marie erstaunt.

Natürlich war es ihm wichtig. Schließlich war Marie ja eine Freundin seiner Dienstherrin. Außerdem mochte er sie. Sogar sehr. Womöglich ein bisschen zu sehr. Doch das sollte er sich wohl besser nicht anmerken lassen. Schließlich war er in offizieller Mission unterwegs. Er setzte sein bestes Pokerface auf und antwortete: «Das hätte ich zu jedem gesagt.»

«Du bist süß.»

«Ich», ihre Bemerkung brachte Mike völlig aus dem Konzept, «bin … was?»

«Süß. Wie du versuchst, dein Pokerface aufzusetzen.»

Marie hatte sein Pokerface durchschaut? Und, noch viel wichtiger, sie fand ihn süß?

«Und süß ist auch, wie du in deinen Leggings aussiehst.»

«Wie oft denn noch, das sind keine Leggings.» Mike hatte seine enge Winterjogginghose für den Yogaunterricht angezogen.

«Egal, du hast darin einen tollen Hintern.»

Mike traute seinen Ohren nicht. Wann hatte eine Frau das letzte Mal seinen Hintern gelobt? Vor zehn Jahren? Fünfzehn? Nie?

«Ich wünschte, ich wäre auch so durchtrainiert», seufzte Marie.

«Du hast doch einen tollen Körper», rutschte es Mike heraus. Im nächsten Augenblick fragte er sich, ob er zu weit gegangen war. So etwas sagte man doch nicht zu einer guten Bekannten, die vielleicht sogar schon etwas wie eine Freundin war, selbst wenn sie gerade eine Bemerkung über seinen Hintern gemacht hatte. Ihr Kompliment musste noch lange kein Hinweis darauf sein, dass sie ihn attraktiv fand.

«Ach, lass», winkte Marie ab. «Ich weiß selbst, dass ich diverse Pfunde zu viel draufhabe.»

Mike wollte das partout nicht so stehen lassen. Pfunde hin oder her, er fand diese Frau so, wie sie war, wunderschön. Und sie sollte das auch so sehen. Deshalb erwiderte er: «Weißt du …»

«Ja?»

«Ich finde es durchaus attraktiv, wenn eine Frau ein paar Röllchen hat.»

Die sonst so gewitzte Marie schwieg mit einem Mal. War es, weil sie sein Kompliment verunsicherte? Oder weil er damit endgültig zu weit gegangen war? Oder weil es einfach ein viel zu dämliches Kompliment war – welche Frau wollte schon hören, dass sie Röllchen hatte? Hätte er doch nur seine Klappe gehalten! Er setzte die Freundschaft mit dieser tollen Frau aufs Spiel. Wie konnte er die Situation nur retten? Fieberhaft dachte er nach. Ach, wie er es hasste, immer so unsicher im Umgang mit Frauen zu sein.

«Wir sind da», sagte Marie und deutete auf einen grauen Zweckbau, der nicht schmuckloser hätte sein können.

«Gott sei Dank», rutschte es Mike heraus, dem vor lauter fieberhaftem Nachdenken der Kopf schwirrte.

«Freust du dich so sehr aufs Yoga?», staunte Marie.

«Ich wollte das immer mal ausprobieren», flunkerte er.

«Hätte ich nicht gedacht», antwortete Marie. Es war nicht auszumachen, ob sie ihm wegen der Röllchen noch böse war. Warum nur waren Frauen so verdammt schwer zu durchschauen?

«Ist aber so», flunkerte er weiter.

«Dann ist es wirklich schade, dass du gar kein Yoga machen kannst.»

«Kann ich nicht?» Mike fand den Gedanken so gar nicht schade.

«Charu hat anscheinend ihre Yogaschule aufgegeben.»

Mike setzte wieder sein Pokerface auf, um sich seine Erleichterung nicht anmerken zu lassen.

«Du kannst bei ihr aber einen Kurs in Poledance machen.»

«Poledance?» Das Pokerface entglitt ihm völlig.

Marie deutete auf ein Schild, auf dem *Charus Pole Dance School* stand, wobei die l jeweils durch einen Schattenriss von einer Frau an der Stange ersetzt worden waren.

«Anscheinend lässt sich damit mehr Geld verdienen als mit Yoga», mutmaßte Marie.

Mike war verwirrt: Sich vor Marie beim Yoga zu blamieren, war das eine, sich als Mann an einer Poledance-Stange zu rekeln vor einer Frau, die man attraktiv fand – das überstieg sein Vorstellungsvermögen. Er hatte nur ein einziges Mal Poledance live gesehen, als Kollegen ihn vor zwanzig Jahren in einen Strip-Club in Vegas gezerrt hatten. Die ganzen vier Stunden dort war er damit beschäftigt gewesen, die akrobatischen Damen nicht anzusehen, weil es ihm so unangenehm gewesen war.

Marie öffnete die Tür, Mike folgte ihr mit dem Kinderwagen. Von innen wirkte das Gebäude genauso zweckmäßig wie von außen. Aus einem Raum weiter unter im Gang hörten sie den Song *Material Girl* von Madonna. Sie gingen an Türen vorbei, die zu anderen Firmen gehörten: *Peng Bio-Vogelfutter* oder *Einie Tech Consulting*. Weiter hinten konnten sie ein Schild ausmachen, auf dem *Sprengstoff Pionier* stand. Daneben ein oranger Pfeil, der in den Keller führte.

«*Sprengstoff Pionier* und *Peng Vogelfutter* sollten die Namen tauschen», grinste Marie.

«*Sprengstoff Peng*», verstand Mike und musste lachen. Marie war nicht nur eine hübsche Frau, sie besaß auch Humor. Damit unterschied sie sich von allen Frauen, mit denen er bislang liiert gewesen war.

Vielleicht sollte er sich mit Marie mal zu einem richtigen Date verabreden, ohne Streichen und Möbelaufbau. Klar, als stillende Mutter würde sie kaum mit ihm in eine Bar gehen. Aber vielleicht könnten sie beide ja wenigstens einen Film gemeinsam schauen. Wenn er ganz mutig war, würde er sie sogar fragen, ob sie Lust hätte, mit ihm *Bodyguard* anzuschauen. Den Schmachtfetzen mit Kevin Costner und Whitney Houston hatte er als Elfjähriger mit seinen Eltern im Fernsehen gesehen und dabei auf dem Wohnzimmersofa vor lauter Aufregung zwei Tüten Chips verdrückt. Als der Film endete und die Tüten leer waren, hatte er gewusst, welchen Beruf er einmal ergreifen wollte. Er würde Marie mit dem Film zeigen können, wie viel sein Job ihm bedeutete. Und wenn sie das verstand, würde sie sich noch mehr von allen Frauen unterscheiden, die er bisher kennengelernt hatte. Ja, beschloss Mike, nachdem sie Charu auf den Zahn gefühlt hätten, würde er so einen gemeinsamen Filmabend für heute Abend vorschlagen.

27

Angela entschloss sich, mit Putin den Weg über den Friedhof zu nehmen, um zum *Bestattungsinstitut Kunkel* zu gelangen. Dabei machte sie noch einen Abstecher zum Mausoleum des Kaufmanns Bengt Jakob Hachert, der offenbar eine wichtige Figur für den hiesigen Satanskult war. Die Fackeln lagen noch immer verteilt auf dem Boden. Man konnte bei Satanisten wohl auch kein ökologisches Bewusstsein erwarten.

«Hey!», rief eine Stimme hinter ihr. Es war Peter Kunkel, der sich ihr näherte. Er trug wieder sein sommerliches Bestatteroutfit und ging, wie immer das eine Bein hinterherziehend, auf sie zu. «Ihr Köter darf hier nicht rumpinkeln!»

Angela schaute zu Putin, der gerade an der Steinpyramide sein Bein heben wollte, dann wieder zu Kunkel junior und sagte: «Nennen Sie ihn bitte nicht Köter.»

«Er ist aber einer!»

«Wenn Sie meinen Mops nicht anders nennen, werde ich dafür sorgen, dass er hier auch noch ein Häufchen hinterlässt.»

«Gut, dann ist er halt kein Köter», grummelte Peter Kunkel und sah grimmig zu dem Mops, der ganz brav dastand und wirklich nicht verstand, warum Menschen sich ständig so aufregen mussten.

«Dieses Grabmal», stellte Angela nonchalant fest, «ist sehr ungewöhnlich.»

Peter musterte sie.

«Und Ihnen anscheinend sehr wichtig.»

«Sie haben sich meine Website angesehen.»

Angela hatte diesen Kunkel junior unterschätzt. Bisher war er für sie der inkompetente Sohn von Aramis gewesen, der sich nachts Kutten überzog oder sich auch mal in Latex fotografieren ließ. Aber er hatte sie schnell durchschaut.

«Ja, das habe ich», gestand sie.

«Und warum? Sie interessieren sich wohl kaum für den Satanskult. Auch wenn die ganzen Verschwörungstheoretiker im Internet das gerne über Sie verbreiten.»

«Eine Freundin hat mich auf die Seite aufmerksam gemacht, und daher weiß ich, dass Sie, im Gegensatz zu mir, einer sind», antwortete Angela mit einer Halbwahrheit.

«Warum interessiert Sie das?»

«Satanisten hätte ich nun mal nicht in Klein-Freudenstadt erwartet.» Noch eine Halbwahrheit.

«Das ist es aber nicht allein, was Sie interessiert», stellte der junge Kunkel fest.

Durchschaute der Mann, dass sie ihn für verdächtig hielt?

«Wie kommen Sie darauf?»

«Sie fragen sich, ob ich Galka ermordet habe.»

Ja, er durchschaute sie. Aber wieso? Weil er wirklich der Mörder war? Und falls ja, hatte er die Tat zusammen mit Charu begangen? Oder eher mit Merle Borscht?

«Stellen Sie mir», bot der junge Bestatter kühl an, «ruhig alle Fragen, die Sie stellen wollen.»

«Woher wissen Sie, dass ich mich für den Mord an Galka interessiere?»

«Sie haben eine gute Freundin von mir in den Knast gebracht», antwortete Peter abweisend.

«Pia von Baugenwitz», stellte Angela fest.

«Sie hat mir erzählt, dass Sie es waren, als ich sie im Gefängnis besucht habe.»

«Pia hat nun mal zwei Morde begangen.»

«Ich hatte gehofft, dass sie es nicht war, aber sie hat es mir bei dem Besuch direkt ins Gesicht gesagt.» Die Tatsache schien ihn zu erschüttern.

«War Pia auch eine Satanistin?»

«Nein, sie hat sich über uns immer lustig gemacht.»

«Das passt auch besser zu ihr. Wenn Sie sagen, dass sie Ihre Freundin war: Waren Sie beide auch ein Paar?»

«Nur Freunde.»

«Aber es gibt eine Frau in Ihrem Leben», stellte Angela mehr fest, als dass sie es fragte.

Peter schwieg.

«Charu Benisha.»

Wieder keine Antwort.

«Und deswegen hat Galka Sie beide erpresst.»

«Sie haben den Brief auf meinem Schreibtisch gesehen?», schluckte Kunkel junior.

«So ist es», bestätigte Angela, erwähnte aber weder, dass sie ihn mitgenommen hatte, noch, dass sie von dem zweiten wusste. Der junge Bestatter blickte betreten zu Boden. «Haben Sie und Charu den Gärtner umgebracht, weil er sonst Ihr Verhältnis publik gemacht hätte?»

«Wenn wir jeden umbringen würden, der von uns weiß …» Er ließ den Satz in der Luft hängen.

«Müssten Sie auch die anderen Satanisten töten?»

«Und Charus Freundinnen. Und meine kleine Schwester.»

«Und Ihren Vater?», fragte Angela nach.

«Dem würde es nicht gefallen, wenn er wüsste, dass ich mit Charu zusammen bin. Er hasst alles, was mit dem Namen Borscht zu tun hat.»

Angela hatte da ihre Zweifel. Klar, Aramis mochte den alten Borscht nicht. Aber er hatte doch Merle vorgestern umarmt. Hier auf diesem Friedhof, keine hundert Meter entfernt von dem Ort, an dem sie jetzt stand. Warum störte sie das nun wieder? Warum mochte sie die Vorstellung von Aramis als alleinstehendem Witwer lieber? Weil sie, wie Marie vermutete, wirklich ‹auf ihn stand›? Auf einen Mann, mit dem sie sich so gut über Emilia Bassano unterhalten konnte, der eine künstlerische Ader besaß und heimlich ein Porträt von ihr malte?

Sie wollte nicht ‹auf ihn stehen›.

Sie durfte nicht ‹auf ihn stehen›!

Wenn sie auf jemanden ‹stand›, dann wohl auf ihren Achim!

Exakt: Sie stand nur auf Achim!

«Was ist mit Ihnen?», fragte Kunkel junior.

«Wie … wieso fragen Sie das?» Angela fühlte sich mächtig ertappt.

«Nun, Sie sind ganz rot geworden.»

Oh nein!

«Geht es Ihnen gut? Sie werden immer röter», staunte Kunkel.

Angela fasste sich an die Wangen. Sie waren ganz warm. Und das nicht nur von der Sonne. Große Güte!

Das konnte nur eins bedeuten …

… sie stand tatsächlich auf Aramis!

28

In diesem Raum hält sich vermutlich die Yogatante auf», sagte Marie und deutete auf eine halb offene Tür, die grellpink war und so gar nicht in den grauen Zweckbau zu passen schien. Mike und sie gingen zur Tür und blickten in einen Raum mit sechs Pole-Stangen, von denen nur eine besetzt war. An ihr war Charu. Die durchtrainierte Frau tanzte zu der lauten Musik in einem knappen pinken Höschen und einem noch knapperen pinken Top. Sie war dabei so verführerisch, dass Madonna sich bei ihrem Anblick das erste Mal im Leben alt vorgekommen wäre. Mike betrachtete sie mit offenem Mund. Leider bemerkte er es erst, als Marie leise sagte: «Na klar, du stehst voll auf Röllchen.»

Mike schaute zu Marie: Sie sah verletzt aus. Er verstand nicht genau, warum. Dachte sie etwa, er würde ihren leicht molligen Körper im Vergleich zu dem von Charu nicht attraktiv finden? Was sollte er Marie jetzt darauf antworten? Dass er ihren Körper wirklich hübsch fand? Gar sexy? Aber wäre das nicht total übergriffig?

«Meine Fresse», stieß Marie mit Blick auf Charu aus. Auch Mike sah nun wieder hin. Die Poledancerin rutschte kopfüber mit gespreizten Beinen von der Decke die Stange herunter, und Mike gab seinem Mund den Befehl: ‹Bleib zu! Bleib zu! Bleib … okay, zu spät, du bist wieder auf.›

«Du findest so etwas wirklich heiß.» Marie wirkte nun ein wenig …

betrübt? Und Mike betrübte es, sie womöglich betrübt zu haben. Was war seine Kinnlade nur für eine Idiotin!

«Kann ich etwas für Sie tun?», fragte Charu, die mit dem Kopf unten an der Stange angekommen war. Die beiden blickten zu ihr, und sie sprach einfach weiter, während sie elegant ihre Beine auf den Boden zum Spagat abgleiten ließ. «Sie sind doch der Typ mit dem *Modern Talking*-Sarg.»

«Ja, für meinen Onkel», antwortete Mike.

«Ich dachte, er wäre für Ihre Tante.»

Au Mist, vor lauter Trouble hatte er die Legende, die Angela für ihn zurechtgezimmert hatte, schon wieder vergessen. Daher antwortete er hastig: «Er ist eine Art Tantenonkel.»

«Tantenonkel?»

«Ja.»

«Was ist das denn?»

«Nun … also …»

«Sie/er war», sprang Marie dem überforderten Mike bei, «genderfluide. Sie wissen schon.»

Hach, Marie war nicht nur hübsch und humorvoll, sie war auch noch geistesgegenwärtig!

«Okay, die Welt ist bunt», nahm Charu die Erklärung hin, sprang artistisch aus dem Spagat in den Stand und fragte: «Und was führt Sie dann zu mir? Wir haben zwar hier in dem Gebäude auch noch unser großes Sarglager und eine Unterfirma, aber Ihr Ungetüm steht noch im Verkaufsraum.»

«Ich wollte eigentlich Yoga machen», erklärte Mike.

«Tja, die Kurse habe ich aufgegeben. Zu viel Konkurrenz. Allein im Landkreis gibt es zwölf Yogastudios.»

«Aber keine Poledance-Schule», kombinierte Marie.

«Nur fünf.»

«Fünf Poledance-Schulen? Wollen so viele Frauen das lernen?»

«Auch Männer.»

«Männer?» Plötzlich bekam es Mike mit der Angst zu tun, dass er, um die Tarnung aufrechtzuerhalten, wirklich an die Stange müsste.

«Warum wollen so viele Leute das lernen?», wollte Marie wissen.

«Nun, offiziell, weil es so ein gutes Training für den Körper ist.»

«Und inoffiziell?»

«Muss ich Ihnen das wirklich erklären?» Charu blickte sie etwas mitleidig an.

«Nein. Ich kann es mir schon vorstellen.»

«Und ich will es nicht», seufzte Mike.

«Prüde?», lachte Charu.

«Ach … ich … nein», antwortete Mike verlegen.

«Also ja», stellte Charu fest. «Ehrlich gesagt würde ich lieber Yogakurse geben. Aber eine Frau möchte auch unabhängig sein.»

«Um gleichberechtigt mit ihrem Mann zu leben», verstand Marie.

«Um überhaupt Kohle zu haben», antwortete Charu bitter.

«Gibt Ihr Ehemann Ihnen kein Geld?»

«Ich habe einen extrem strengen Ehevertrag unterschrieben. Kein Zugriff auf seine Konten, nur ein knappes monatliches Budget, und falls wir uns trennen, bekomme ich keinen einzigen Cent.» Charu wirkte verletzt und zornig zugleich.

«Das ist nicht in Ordnung von Ihrem Mann», sagte Mike. Er selbst hatte eine wirklich unsympathische Ex-Frau, aber auch wenn er vorher gewusst hätte, dass seine Ehe im Desaster enden würde, wäre er nie im Traum darauf gekommen, ihr einen Ehevertrag hinzulegen. Noch nicht mal, wenn er ein nennenswertes Vermögen besessen hätte. Er war da konservativ: Wenn man als Ehemann sein Jawort gab, dann auch ganz.

«Nein, ist es nicht», antwortete Charu bitter. «Aber das habe ich vor allen Dingen seiner Tochter Merle zu verdanken. Sie hat ihn dazu gebracht, den Vertrag aufzusetzen. Sie hat mir nie vertraut.»

«Warum denn nicht?», fragte Mike.

«Na, was meinen Sie, wo mein Mann und ich uns kennengelernt haben?» Um die Frage zu unterstreichen, deutete Charu auf die Poledance-Stange.

«Im Strip-Club?», fragte Mike unsicher.

«Nein, in der Weihnachtsbäckerei.»

«In der Weihnachtsbäckerei?»

«Natürlich im Strip-Club!» Charu war nun richtig zornig. Allerdings nicht auf Mike, sondern auf ihre Lebensumstände. Schweigend stapfte sie zum anderen Ende des Raumes. Dort stand ihre pinke Sporttasche, aus der das dunkelgrüne Buch, das sie gestern im Haus des Gärtners mitgenommen hatte, hervorlugte.

«Das ist», flüsterte Marie Mike zu, «ein Tagebuch. Die Leiterin des Waisenhauses, in dem ich aufgewachsen bin, hatte genau so eins.»

Charu trat mit der pinken Tasche auf die beiden zu und sagte: «Wenn Sie mich jetzt entschuldigen würden.»

«Ich dachte, Sie geben einen Poledance-Kurs», staunte Marie, während Mike gar nicht so böse war, nicht an die Stange zu müssen.

«Die Schule wird, wenn alles so läuft, wie ich mir das vorstelle, gar nicht mehr öffnen», erwiderte Charu.

«Nein?»

«Sagen wir mal so, ich habe einen anderen Weg gefunden», lächelte Charu süffisant und verließ den Raum. Dabei wackelte sie erneut meisterhaft mit ihrem Hintern, und Mike sah ihr wieder wie hypnotisiert nach.

«Vielleicht solltest du ihren Hintern mal zum Essen ausführen», bemerkte Marie.

Mike erkannte, wie sehr Marie sich bemühte, locker zu erscheinen und zu lächeln, aber ihre Augen lächelten nicht. Er hatte es verbockt, ganz klar. Marie würde heute ganz gewiss nicht zusammen mit ihm *Bodyguard* schauen.

29

Angela musste sich zusammenreißen. Nicht nur in diesem Moment, wo sie mit Peter Kunkel einen Mordverdächtigen vor sich hatte, sondern ganz allgemein: Eine verheiratete Frau wie sie durfte doch nicht auf einen anderen Mann wie Aramis ‹stehen›!

Und überhaupt, was sollte das heißen: auf einen stehen? Wo stand man denn da? Auf dem Brustkorb, auf dem Magen? Würde das nicht wehtun? Womöglich einem selbst? Wenn der andere nicht auf einen stand? Und dem eigenen Ehemann auch? Auf den man schon sein halbes Leben lang stand, nur anders?

«Alles in Ordnung?», hörte sie Kunkel junior wie aus der Ferne sagen.

«Natürlich, natürlich, natürlich», antwortete Angela hastig, «warum sollte nicht alles in Ordnung sein?»

«Weil Sie etwas irre dreinschauen.»

«Das … muss die Hitze sein …»

«Wenn Sie das sagen.»

Er schien Angela nicht zu glauben. Aber natürlich, so beruhigte sie sich, konnte Peter Kunkel ihre Gedanken nicht lesen und daher gewiss auch nicht darauf kommen, dass sie an seinen Vater gedacht hatte.

«Sie kennen meinen Vater nicht», sagte Peter kühl.

Grundgütiger, konnte der Mann Gedanken lesen? Wusste er etwa auch, was sie genau dachte? Angelas Herz pochte wie wild.

«Mein Vater würde durchdrehen, wenn er von mir und Charu erfahren würde.»

Angela atmete auf. Zum Glück, der junge Mann wusste doch nicht Bescheid. Sie war so erleichtert, dass ihr ein leises «Puh!» entfuhr.

«Puh?» Peter Kunkel fand ihre Reaktion offenbar unangemessen.

«Äh ... ich meinte ...», stammelte Angela.

«Ja?»

«Ich meinte ...»

«Sie meinten?»

«... Pu der Bär!»

«Pu der Bär? Was wollen Sie denn damit sagen?»

Das hätte Angela auch gerne gewusst.

«Eins kann ich Ihnen jedenfalls versprechen», sagte er nun mit gerechtem Zorn.

«Und was?»

«Ich war es nicht, der den Gärtner umgebracht hat. Und Charu auch nicht! Der Brief war nicht für uns.»

«Ach, wer hat denn dann die Tat begangen?», fragte Angela und hatte für einen Augenblick die Befürchtung, dass Peter nun den Verdacht auf seinen Vater lenken würde.

«Woher soll ich das wissen?»

«Puh», stieß Angela wieder aus. Erleichtert, dass Aramis' Name nicht gefallen war.

«Schon wieder Pu der Bär?»

«Äh ... ja ...»

Peter Kunkel sah sie irritiert an. «Sie sind echt merkwürdig.»

Das dachte Angela auch gerade über sich. Was war nur los mit ihr, dass ein Mann, den sie kaum kannte, sie so beschäftigte, dass sie nicht mehr klar denken konnte?

Bis ihr Herz damals für Achim entflammte, hatte es Wochen gedauert. Kein Wunder, brachte er doch bei den ersten Begegnungen vor lauter Nervosität kein Wort heraus. Erst als er über einen Bordstein stolperte und zu Boden fiel, waren die beiden sich nähergekommen. Sie hatte ihm die Hand gereicht, um ihm aufzuhelfen. Und als die ihre in der seinen lag, überkam Angela sofort das Gefühl, dass sie beide eins waren und sie diesen Mann nie wieder loslassen wollte.

«Ich mache Ihnen», sagte Peter, «einen Vorschlag, wie Sie bei Ihren Ermittlungen weiterkommen.»

«Und welchen?»

«Sie besuchen uns heute Abend zu unserem Ritual.»

«Sie werden mich doch nicht etwa an einem Kreuz verbrennen?», fragte Angela halb im Scherz.

«Nein», antwortete Kunkel ernst, «Sie werden Charus und mein Alibi von unseren Freunden bestätigt bekommen. Wir haben gestern mit ihnen zusammen die Nacht in einem Haus am Oberuckersee verbracht, um die Feierlichkeiten für den Todestag von Bengt Jakob Hachert heute zu planen.»

«Und Satanisten sind glaubwürdig?»

«Das sind alles ehrwürdige Leute.»

«Ach ja?»

«Wenn die Sonne untergegangen ist, kommen wir hierher. Überzeugen Sie sich selbst», sagte Peter Kunkel und humpelte davon. Angela blickte ihm nach und dachte: Das könnte eine Falle sein.

30

Als Angela mit Putin den Friedhof verließ, kreisten die Gedanken in ihrem Kopf und stellten dabei Rundenrekorde auf: Würde sie wirklich in eine Falle tappen? Falls ja, was würden die Hobby-Satanisten mit ihr anstellen? Sie dem Teufel opfern? Und wäre das nicht vielleicht sogar gut angesichts dessen, dass sie dann endlich aufhören könnte, an Aramis zu denken?

Als sie an der Kirche vorbei auf den Marktplatz trat, seufzte sie laut. Da hörte sie plötzlich hinter sich eine Frauenstimme: «Na, ist das Rentnerleben so belastend?»

«Ah!», erschreckte sich Angela. Sie drehte sich um und sah Obst-Angela, die breit grinsend feststellte: «Wir sind wohl ein bisschen schreckhaft heute.»

Angela ärgerte es ungemein, dass sie sich ausgerechnet vor dieser Frau eine Blöße gegeben hatte. Ein Grund mehr, endlich ihre Gefühle wieder unter Kontrolle zu bringen.

«Wie läuft es mit der Ermittlung?», fragte Obst-Angela.

«Sie wissen also auch schon, dass es einen Mord gab?»

«Na hören Sie mal. Hier spricht es sich rum, wenn jemand gestorben ist.»

«Aber hoffentlich nicht auch, dass ich ermittele?»

«Nein. Außer Ihrer schwarzen Freundin, Ihrem Ehemann, Ihrem Gorilla und mir weiß keiner hier, dass Sie den Mord an den beiden von

Baugenwitz aufgeklärt haben. Also kommt auch niemand außer mir auf die Idee, dass Sie jetzt wieder einen auf Miss Marple machen.»

Angela dachte sich, dass dies nicht ganz stimmte, Peter Kunkel wusste es dank der Mörderin Pia auch. Sie behielt diese Information jedoch für sich und antwortete: «Und dabei soll es bitte auch bleiben.»

«Keine Sorge, ich habe auch keine Lust, dass die Leute erfahren, dass ich mal was mit dem toten Schlossherrn hatte. Vor allen Dingen nicht mein Mann.»

«Ach, Sie sind verheiratet?», staunte Angela.

«Sie können ja wirklich gut kombinieren», spöttelte die Verkäuferin.

«Und Sie haben dennoch ein Verhältnis mit einem anderen Mann gehabt?»

«Das kann jedem mal passieren.»

«Nein», wehrte Angela ab, «kann es nicht!»

Oder …

… konnte es etwa doch?

«Der Körper will nun mal», lächelte die Verkäuferin, «was der Körper will.»

«Der … der … Körper?»

«Alles in Ordnung?»

«Ja … wieso?»

«Sie werden ganz rot.»

«Ich muss los …» Angela hastete davon und zog dabei den armen Putin an der Leine hinter sich her. Sie musste ihre Gesichtsfarbe dringend in den Griff kriegen! Wenn nicht nur ihre Freundin Marie herausfand, dass sie ‹auf Aramis stand›, sondern auch noch solche Menschen wie Peter Kunkel oder die Marktfrau … Nicht auszudenken!

«Und vergessen Sie nicht», rief Obst-Angela ihr noch hinterher, «ich helfe Ihnen gerne bei der Ermittlung. Sie müssen nur Bescheid sagen!»

«Ja, ja …», wimmelte Angela ab und eilte weiter.

‹Der Körper will, was der Körper will› – an so etwas hatte sie bisher überhaupt noch nicht gedacht. Plötzlich kam ihr in den Sinn, dass sie auch mal die Hand von Aramis berühren wollte …

Nein, nein und nochmals nein! Der blöde Körper hatte nichts zu wollen!

Angela hatte nur noch den Wunsch, sich zu Hause unter ihrer Decke zu verkriechen. Keine Ermittlung mehr, kein Aramis und vor allen Dingen kein Händchenhalten mit ihm!

Schon nach wenigen Schritten war der Fall jedoch wieder präsent. In dem Marktcafé, das den nicht allzu originellen Namen *Café am Markt* trug, saßen im Außenbereich zwei Personen an einem Tisch, die Angela aufgrund ihrer Familiengeschichten niemals zusammen vermutet hätte: Merle Borscht und Jessica Kunkel. Die Sprösslinge der Erzrivalen nippten an ihren jeweiligen Kaffees. Sie wirkten dabei angespannt und mindestens so verschieden wie ihre Väter. Hier die Betriebswirtin Mitte dreißig im Hosenanzug, dort die etwa fünfzehn Jahre jüngere Trauerrednerin mit roten Sneakers und roter Lederjacke, die sie selbst in dieser Hitze noch trug. Gemeinsam war ihnen wohl nur, dass sie aus den jeweiligen Bestattungsinstituten ‹etwas ganz und gar anderes› machen wollten, wenn sie zum Zug kämen. Zumindest Merle Borscht hatte die Chance dazu, stand doch in einem der Zeitungsartikel, die Angela auf dem iPad gelesen hatte, dass sie das Institut ihres Vaters nächstes Jahr übernehmen würde. Jessica hingegen würde es mit ihrem Vater schwerer haben, denn Aramis wollte es der Familientradition gemäß an seinen Sohn übergeben.

Angela betrachtete die beiden Frauen, wie sie vor sich hin schwiegen. Sie erinnerten sie an Minister in den letzten Tagen einer Koalition. Besonderes Augenmerk legte sie dabei auf Merle Borscht. Was fand Aramis nur an ihr?

Gut, sie war einigermaßen intelligent, sonst würde sie kaum die Finanzen eines Unternehmens im Griff haben. Und sie war hübsch. Sogar im klassischen Sinne schön. Und Hosenanzüge standen ihr richtig gut. Sogar besser als Angela. Kein Wunder, bei der Figur … Okay, nun war klar, was Aramis an ihr fand.

«Lesben», sagte plötzlich eine Stimme hinter ihr. Natürlich Obst-Angela.

Angela zuckte erschreckt zusammen.

«Sie sind echt leicht aus der Fassung zu bringen.»

«Sie müssen damit aufhören», zischte Angela die Verkäuferin an. Dann blickte sie wieder zu den beiden Frauen im Café. Gott sei Dank hatten sie nichts mitbekommen und hingen weiter ihren anscheinend trüben Gedanken nach. Leise fragte Angela nach: «Die beiden sind also homosexuell?»

«Das wollte ich mit ‹Lesben› ausdrücken.»

«Sind die beiden auch ein Paar?»

«Ich habe mal gesehen, wie sie sich heimlich hinter der Kirche geküsst haben.»

«Die Armen haben bestimmt Angst davor, ihre Liebe öffentlich zu leben.»

«Quatsch! Für wie rückständig halten Sie uns hier?»

«Na ja …», antwortete Angela, beschämt, dass sie gegenüber den Klein-Freudenstädtern so voreingenommen war.

«Hier haben die Leute nichts gegen Homos.»

«Aber Sie doch bestimmt.»

«Warum?»

«Erstens sagen Sie ‹Homos›, und zweitens sind Sie in der AfD.»

«Ich habe nur was gegen Fremde. Und da auch nur gegen die, die nicht hierhergehören.»

«Das ist ja echt tolerant.»

«Finde ich auch.»

Angela überlegte sich, ob sie sich jetzt mit der Frau streiten sollte. Aber dann würde es vermutlich sehr schnell laut werden, und Merle

Borscht und Jessica Kunkel würden sie bemerken. Also schluckte sie ihren Unmut herunter und beobachtete die beiden weiter. Gewiss hielten sie ihre Beziehung wegen ihrer Väter geheim. Zwei Männer, die sich so spinnefeind waren, dass ihre Töchter Angst davor hatten, ihre Liebe frei zu leben.

«Ärger im Paradies», stellte die Obstverkäuferin fest, denn Merle versuchte, Jessicas Hände zu berühren, doch die zuckte zurück. Anscheinend befanden sich die beiden in einer Beziehungskrise.

Was hatte Jessica noch mal gesagt, warum sie vorgestern in der Früh über den Marktplatz gehuscht war? Sie hatte in der Baugenwitzstraße bei ihrer Freundin – bei der es sich doch nicht, wie zuerst vermutet, um eine Gleichaltrige handelte, sondern um Merle Borscht – übernachtet und war morgens schon unterwegs, weil sie noch eine Trauerrede schreiben musste. War dies eine Ausrede, und hatten die beiden Liebenden zusammen Galka ermordet? Weil der Erpresser ihnen damit gedroht hatte, den Vätern von ihrem Verhältnis zu erzählen?

Dagegen sprach jedoch, dass Angela einen der beiden Briefe auf dem Schreibtisch von Peter Kunkel entdeckt hatte, auch wenn der vehement bestritt, dass er für ihn bestimmt gewesen war.

Angela überlegte, ob sie sich auch ins Café setzen sollte, um unauffällig etwas mehr zu erfahren. Just in diesem Moment fragte Obst-Angela: «Wollen wir hingehen und herausfinden, was die von dem Mord wissen?»

Damit hatte sich die Sache für Angela erledigt. Auf keinen Fall würde sie mit der Marktfrau gemeinsam ermitteln. Daher antwortete sie: «Nein, das wäre wohl zu direkt.»

«Okay. Ich muss mich ohnehin noch um den Zaun an unserer Südweide kümmern. Gestern Nacht ist meine Kuh Luise ausgebüxt.»

Dabei musste es sich um die Braungefleckte handeln, die Angela an Anja Kunkels Grab gesehen hatte, kurz bevor Putin die Leiche entdeckt hatte.

«Luise hat einen unglaublichen Freiheitsdrang, sie will immerzu ausbüxen. Und jetzt hat sie es geschafft. Wenn ich an so einen Quatsch wie Wiedergeburten glauben würde, dann würde ich denken, sie war in ihrem früheren Leben meine sture Oma.»

Angela musste schmunzeln. Sowohl als Physikerin als auch als Pfarrerstochter glaubte sie nicht an Wiedergeburten. Auch wenn ihr in beiden Eigenschaften bewusst war, dass auf Erden viele Dinge geschahen, für die die Wissenschaft keine Erklärungen parat hatte.

Der Blick der Bäuerin fiel noch mal auf das schweigende Paar im Café: «Die beiden werden niemals glücklich.»

«Wieso?»

«Na, das Mädchen hat ein Psycho-Problem.»

«Wie meinen Sie das?»

«Sie ist eine Ritzerin», antwortete Obst-Angela und ging davon. Angela betrachtete die junge Frau, die trotz der Hitze ihre rote Lederjacke über dem T-Shirt trug. Weil sie die Narben an ihren Armen verdecken wollte?

Der arme Aramis hatte es nicht leicht mit seinen Kindern. Der Sohn verehrte Satan, die Tochter fügte sich selbst Verletzungen zu.

Aramis – mein Gott, sie war doch mit ihm zum Teetrinken verabredet. In nicht mal einer halben Stunde. Höchste Zeit, sich ein wenig frisch zu machen!

31

Angela stand vor dem antiken Ganzkörperspiegel und betrachtete sich von Kopf bis Fuß. Sie trug das Outfit, in dem sie schon den ganzen Tag herumgelaufen war. Es war schon etwas verschwitzt und hier und da verknittert. Wenn sie so zu Aramis gehen würde, könnte er sich jedenfalls nicht einbilden, sie hätte sich extra für ihn hübsch gemacht.

Doch je länger Angela sich so anschaute, desto mehr fand sie, dass sie ja nun auch nicht herumlaufen konnte wie der letzte Kujampel. Das wäre unhöflich gegenüber diesem kultivierten Mann. Und überhaupt: Seit sie in Klein-Freudenstadt lebte, hatte sie sich nicht mehr schick gemacht. So verfiel Angela von einem Extrem ins andere: Sie zog sich ihre weiße Lieblingsbluse und ihren magentafarbenen Lieblingsblazer an, legte ihre Lieblingsbernsteinkette um und trug ein wenig Rouge auf. Anschließend machte sie sich die Haare zurecht mit jenem Spray, das sie so gerne mochte, weil es einen Hauch von Aprikose verströmte und ihrer Frisur auf die richtige Art Halt gab, sodass sie am Ende einer 13-stündigen Sitzung noch so aussah wie beim Begrüßungstrunk.

Aber auch diesmal war Angela mit ihrem Spiegelbild unzufrieden: Sie war aufgedonnert, als ob sie gleich den französischen Präsidenten treffen würde. Und wenn der sich schon immer bemüßigt gefühlt hatte, ihr bei der Begrüßung Küsschen zu geben und beim gemeinsamen Tee und freundlicher Konversation ihre Hand zu tätscheln, konnte es auch dazu kommen, dass Aramis mit seiner Hand auch mal die ihre berührte. Ein erschreckender Gedanke. Aber auch irgendwie …

… ein schöner?

Sie malte sich aus, wie Aramis und sie Tee tranken. Wie sie sich über seine Bildhauerarbeiten unterhielten, über Shakespeare und Emilia Bassano, wie sie kleine Scherze über den Earl of Oxford machten, über die nur Menschen lachen konnten, die von dem England dieser Zeit fasziniert waren. Und wie bei dem angeregten und fröhlichen Gespräch Aramis seine Hand auf die ihre legen würde …

«Du hast dich ja echt schick für mich gemacht, Puffeline», ertönte eine Stimme.

«AHH!», schrie Angela viel lauter als vorhin bei der Obstverkäuferin. Sie drehte sich erschrocken um, und da stand der schmächtige Achim in seinen kakifarbenen Wandershorts, kakifarbenem Hemd, schwarzen Wanderstiefeln und hochgezogenen schwarzen Socken. Er hatte seinen hellbraunen Rucksack umgeschnallt und sein immer noch beeindruckend volles schwarzes Kurzhaar, in dem es nur einige wenige Silbersträhnen gab, mit einer Schiebermütze bedeckt. Er sah aus, als ob er einem jener *Indiana Jones*-Filme entsprungen wäre, die Marie so gerne mochte und deren Charme sich auch Angela nicht entziehen konnte. Als sie ihren Achim mit einem Mal so im Schlafzimmer sah, hätte Angela vor lauter Schreck, von ihm dabei ertappt worden zu sein, wie sie sich für einen anderen Mann schick machte, am liebsten gleich wieder ‹AHH› geschrien.

«Du hattest recht damit, dass wir das Geld zum Umbuchen besitzen», berichtete Achim ihr bestens gelaunt, «das habe ich getan und einen noch früheren Flieger genommen. Alles, um wieder schnell bei dir zu sein, Puffeline.» Er schaute Angela so lieb dabei an, dass sie sich schäbig vorkam, überhaupt nur an das Händchenhalten mit einem anderen Mann gedacht zu haben.

«Was hast du?», fragte Achim, der jede noch so kleine Stimmungsschwankung von ihr wahrnehmen konnte.

«Ich …» Angela wusste nicht, was sie erwidern sollte. Von Aramis konnte sie nicht erzählen, anlügen wollte sie ihren Mann jedoch auch nicht. Das hatte sie noch nie getan. Lügen vergiften Ehen. Das wusste sie schon, nachdem sie als junger Mensch *Wer hat Angst vor Virginia Woolf?* gelesen hatte. Das Theaterstück über eine zerrüttete Ehe war furchteinflößender als jeder *Dracula*-Film. Angela wollte ihren Achim aber auch nicht mit Schwindeleien abspeisen, bei ihm handelte es sich um ihren Ehemann, ihren Vertrauten, und nicht um einen politischen Gegenspieler oder, schlimmer noch, um einen Parteifreund. Wie oft hatte sie zu Armin Laschet gesagt: «Natürlich nehme ich dich ernst.» Aus diesem Grund antwortete Angela erst einmal … gar nichts.

«Ich weiß schon, was los ist», rief Achim.

O Gott, er wusste, dass sie zu einem anderen gehen wollte?

«Du kannst mir nichts vormachen», lächelte er freundlich.

Angela begann zu zittern.

«Ich habe die Obstverkäuferin auf dem Marktplatz getroffen.»

Die Obstverkäuferin? Hatte Aramis irgendjemandem von der Verabredung erzählt, und wusste nun ganz Klein-Freudenstadt von ihr, inklusive dieser Tratschtante?

«Es ist lieb, dass du das vor mir verheimlichen wolltest, damit ich mir keine Sorgen mache», lächelte Achim.

Warum lächelte er? Wenn er wusste, worum es ging, warum war er dann nicht eifersüchtig?

«Du kannst mir alles erzählen.»

Alles? Aber was bedeutete ‹alles› genau? Mehr als eine winzig kleine heimliche Schwärmerei für den Mann, zu dem sie eigentlich hatte gehen wollen, gab es ja nicht zu beichten. Vielleicht half es erst mal, darüber zu reden, dass es um eine Mordermittlung gehen sollte: «Also, der Mann …»

«Welcher Mann?»

Wie ‹welcher Mann›? Wusste er etwa doch nichts von Aramis?

«Was genau hat dir die Obstverkäuferin erzählt?»

«Dass du wieder in einem Mordfall ermittelst», lächelte Achim.

Angela fiel ein Stein vom Herzen, er dachte also immer noch, sie habe sich für ihn schön gemacht.

«Du hättest es mir ruhig sagen können», lächelte Achim und wedelte dabei spielerisch tadelnd mit dem Zeigefinger, «du kleine Schlingeline.»

«Schlingeline?» Angela war von diesem Begriff, der in jedem Rechtschreibprogramm unterstrichen wurde, irritiert.

«Es ist politisch nicht korrekt, die maskuline Form zu verwenden.»

Ja, ihr Achim ging mit der Zeit. Wenn ein weißer alter Mann sich bemühte, kein weißer alter Mann zu sein, dann war es dieser liebenswerte weiße alte Mann.

«Es ist also», stellte er fest, «wieder an der Zeit für Sherlock und Sherlockine.»

Ihr lieber Mann war, wenn Angela ehrlich war, eher ein Watson. Nein, eigentlich war er sogar der Mister Stringer für ihre Miss Marple. Aber natürlich sagte sie so etwas nicht laut. In einer guten Ehe gehörte es sich nicht, die Schwächen des anderen aufzudecken. Achim hatte ja auch nie ein Wort darüber verloren, dass sie als Kanzlerin pro Jahr ein Kilo zugelegt hatte. Im Gegenteil hatte er immer wieder betont, dass sie für ihn die schönste Frau der Welt war. Er unterstrich dies mit einem Exkurs über den Maler Peter Paul Rubens und dass in dessen Zeit kein Mensch auf den Gedanken gekommen wäre, dünne Frauen könnten attraktiv sein. Ein Exkurs, auf den Angela gut hätte verzichten können.

«Lass uns ins Café gehen», schlug Achim vor, «dort sortieren wir in Ruhe alle Fakten, um herauszufinden, wer der Mörder ist.»

Jetzt konnte Angela das erste Mal wieder lächeln. Vielleicht half ihr das Gespräch mit Achim tatsächlich, in dem Fall weiterzukommen. Er war zwar eine Art Mister Stringer, aber er hatte ihr immer helfen können, wenn sie nach einer Lösung für ein kompliziertes Problem gesucht hatte. So war er es gewesen, der sie 2011 auf den Gedanken gebracht hatte, die Energiewende einzuleiten. Sie hatte sich nach dem Unglück von Fukushima am Küchentisch über eine Karte mit den deutschen Atomkraftwerken gebeugt. Zu dem Zeitpunkt bereitete sich Achim gerade auf eine Darmspiegelung vor und kommentierte die nächste Dosis Abführmittel mit den Worten: «Auf die könnte ich gut verzichten.» So war Angela überhaupt erst auf die Idee gekommen, genauso über die Kernenergie zu denken. Ihr Mann war nun mal wie ein frei schwirrendes Proton, das ihre Gedankenneuronen in neue Richtungen stieß.

«Wohlan», sagte sie, «gehen wir einen Kaffee trinken.»

«Und lösen gemeinsam den Fall!», lachte Achim.

«Und lösen gemeinsam den Fall!», lachte auch sie.

32

Also, ich fasse mal zusammen», sagte Achim auf der Außenterrasse des Marktplatz-Cafés, auf der zwei Stunden zuvor noch die beiden Frauen gesessen hatten. Er trug seine blaue Lieblingshose und ein weißes Kurzarmhemd, das aussah, als ob er es bei KiK gekauft hätte, in der Tat aber 60 Euro gekostet hatte, weil es Fairtrade gehandelt worden war. Wenn es um solche Dinge ging, war Achim konsequenter als so mancher Grünen-Abgeordnete. Er trank seinen dritten Espresso aus – er hatte einen Magen aus Stahl und einen Blutdruck, der sich durch rein gar nichts beeindrucken ließ – und fuhr fort: «Wir haben also derzeit zwei verdächtige Liebespaare. Zum einen Peter Kunkel und Charu Benisha und zum anderen Merle Borscht und Jessica Kunkel. Beide Paare hätten ein Motiv, da ihre Beziehungen ein Geheimnis bleiben sollen.»

«So ist es», bestätigte Angela, die ihren Latte macchiato nicht anrührte, weil sie vorhin eine Diskussion zwischen zwei Kellnern über die seit Wochen ungereinigte Milchdüse mitangehört hatte. Von Aramis hatte Angela ihrem Mann bisher nur das für den Fall Nötigste erzählt. Und dazu gehörte eben nicht, dass sie dem Bestatter ein Buch geschenkt hatte und es Themen gab, über die man sich besser mit ihm unterhalten konnte als mit Achim.

«Außerdem gibt es noch die Kombination Peter Kunkel und Merle Borscht, weil du auf deren jeweiligen Schreibtischen die Erpresserbriefe gefunden hast.»

«Ja.»

«Also», stellte er fest, «ist die Sache im Prinzip doch ganz einfach.»

«Wirklich?», staunte Angela, die in ihrem Leben recht wenigen Sachen begegnet war, die im Prinzip ganz einfach waren.

«Wenn die Satanisten heute Abend Peter Kunkels Alibi bestätigen, fallen die beiden Kombinationen mit ihm aus, und es bleibt nur das Paar Merle Borscht und Jessica Kunkel übrig.»

«Jessica ist gerade mal Anfang zwanzig. Bei Agatha Christie sind es nie die jungen Liebenden, die morden», wandte Angela ein. Ihr gefiel der Gedanke nicht, dass die Lösung des Falls so einfach sein sollte. Sie hatte Mitgefühl mit dem Paar, das seine Beziehung heimlich leben musste.

«Das Leben ist aber kein Roman», stellte Achim fest.

«Höchstens mal Realsatire», musste Angela zustimmen.

Achim bestellte seinen vierten Espresso – sollte er damit mal aufhören, würde das der Espresso-Industrie einen spürbaren Umsatzrückgang bescheren. Angela begann zu grübeln: Sollte es wirklich so einfach sein?

Sie schob den zweifelhaften Latte macchiato weg und bat den Kellner um ein Glas Weißweinschorle. Es war schon nach 18 Uhr, also war Alkohol zur Nervenberuhigung erlaubt. Zumal sie nervös war. Immerhin hatte sie Aramis versetzt und ihm noch nicht einmal Bescheid gesagt. Da der Bestatter kein Handy benutzte, hatte sie ihm nicht unauffällig eine SMS schicken können. Ihn direkt in seinem Beerdigungsinstitut anzurufen, war nicht infrage gekommen, da Achim stets an ihrer Seite gewesen war. Sie konnte nur hoffen, dass Aramis nicht zufällig vorbeikommen würde und sie vor ihrem Ehemann konfrontierte. Die Vorstellung war fürchterlich, und Angela konnte sie erst verdrängen, als der Kellner Espresso und Schorle servierte und sie einen großen Schluck nahm.

«Alternativ», lächelte Achim schelmisch, «könntest du aber auch zu

Merle Borscht in ihre Wohnung in der Baugenwitzstraße gehen und ein paar Flaschen Wein mitnehmen.» Er deutete auf die Weißweinschorle.

«Was?», staunte Angela.

«Bei Wein sagen alle die Wahrheit.»

Obwohl sie auf dem Caféstuhl saß, stand Angela auf dem Schlauch.

«*In vino veritas* – im Wein liegt die Wahrheit.»

Veritas!

Und wieder war Achim wie ein frei schwebendes Proton, das ihre Gedankenneuronen in neue Bahnen stieß. Was hatte noch in dem Buch des Satanisten Bengt Jakob Hachert gestanden? *Discipuli enim solus est satanas. Et infidelium est mendacium.*

Das war es! Jetzt war Angela klar, dass Peter Kunkel ihr wirklich eine Falle auf dem Friedhof stellen wollte. Vor lauter Freude gab sie Achim einen überschwänglichen Kuss auf die Wange.

«Womit habe ich denn das verdient?», fragte er erfreut.

«Du hast Peter Kunkel und Charu Benisha als Mörder überführt!»

«Ähem … was?» Nun war es Achim, der auf dem Schlauch stand.

«Die Wahrheit», sagte Angela. «Nur für die Jünger des Satans. Den Ungläubigen die Lüge.»

«Ah ja …», kam Achim einfach nicht vom Schlauch herunter.

«Das stand in einem Buch über den verstorbenen Kaufmann Hachert, den die Satanisten verehren.»

«Und?»

«Wenn die Satanisten mir, so wie von Peter Kunkel angekündigt, bestätigen, dass sie mit Charu Benisha und Peter Kunkel in der Mordnacht zusammen waren …»

«Heißt es, dass sie dich als Außenstehende anlügen», trat Achim endlich vom Schlauch. «Und Peter Kunkel und Charu in Wirklichkeit gar kein Alibi besitzen.»

«Aber dafür ein wunderbares Motiv!»

«Fall gelöst?», fragte Achim.

«Nicht so schnell, Mister Stringer.»

«Nennst du mich etwa wie den Freund von Miss Marple?»

«Ich meinte, nicht so schnell, Sherlock», korrigierte sich Angela rasch. Der Moment war viel zu ernst, um sich über die Hackordnung im Ermittlerteam zu kabbeln. «Was wir bisher haben, reicht leider nicht für eine Verhaftung. Deswegen müssen wir Peter und Charu mit dem Verdacht konfrontieren, gleich nachdem sie uns mithilfe ihrer Satanisten das falsche Alibi serviert haben.»

«Und was soll das bringen?»

«Hoffentlich, dass sie einen Fehler machen, der dazu führt, dass wir sie überführen können.» Angela holte ihr iPhone aus der Tasche. «Ich werde alles heimlich aufzeichnen. Mit der Diktierfunktion in meiner Blazertasche.»

«Das ist aber recht gewagt», begann Achim, sich zu sorgen.

«Puffel, was habe ich dir gesagt, als du beim Heiratsantrag zuerst kein Wort rausbekommen hast?»

«Wer nicht wagt, der nicht gewinnt.»

«Ganz genau.»

«Und ich habe gewonnen», strahlte Achim und legte seine Hand in die ihre. Es fühlte sich so vertraut an. Wie immer, wenn ihre Hände sich berührten, fühlte Angela sich eins mit ihm. Ihr wurde wieder bewusst, wie sehr sie zusammengehörten. Und sie fragte sich, welcher Satan sie bei ihrer ‹Mit Aramis Händchen halten›-Fantasie geleitet hatte.

33

Der kleine Trupp betrat den Friedhof und wurde dabei vom Licht des Vollmonds und der vielen Sterne beschienen. Angela konnte nur hoffen, dass die Konfrontation mit Peter Kunkel und Charu Benisha friedlich verlaufen würde. In einer körperlichen Auseinandersetzung würden sie und ihre Entourage gegen einen ganzen Satanistenaufmarsch keine Chance haben. Klar, Achim würde furchtlos kämpfen, aber vermutlich nur wenige Sekunden bestehen. Weder Rentner noch Quantenchemiker waren nun mal bekannt dafür, in körperlichen Auseinandersetzungen als Sieger vom Platz zu gehen, und Achim war nun mal beides. Putin war wahrlich kein Beschützerhund, gewiss müsste man ihn retten, wie vor einigen Tagen, als er einen Spatz jagte und dabei in einen Tümpel fiel. Normalerweise hätte man auf Mike zählen können, doch der war nervös wie nie. Ständig blickte er sich um, als ob der Leibhaftige hinter ihm her wäre. Gut für ihn, dass bei dem Einstellungstest für Personenwächter nicht abgefragt wurde, ob man Angst vor Geistern hatte.

«Das hier ist nicht gut», murmelte er.

«Das haben Sie schon dreiunddreißigmal gesagt», stellte Angela fest.

«Weil es nicht gut ist.»

«Es gibt keine Geister.»

«Woher wollen Sie das wissen?»

«Die Wissenschaft hätte ihre Existenz sonst schon längst bewiesen.»

«Die Abwesenheit von Beweisen bedeutet nicht den Beweis für Abwesenheit», widersprach Mike.

«Woher haben Sie das denn?»

«Ich habe in der Corona-Zeit ganz viele Wissenschafts-Podcasts gehört.»

Angela seufzte, ihr war klar, dass man Menschen ihre Ängste nur bedingt ausreden konnte. Vielleicht hätte ihn Marie beruhigen können, aber die hatte sich verständlicherweise mit ihrem Baby ins Schloss zurückgezogen. Bei der Verabschiedung von Mike war sie ihm gegenüber etwas reservierter als sonst gewesen. Klar, sie hatte gelächelt, aber irgendwie lag dabei auch Enttäuschung in ihren Augen. Mike hatte daraufhin verlegen zu Boden geschaut. Man musste keine Meisterdetektivin sein, um zu kombinieren, dass irgendetwas zwischen den beiden vorgefallen war.

Angela gefiel das nicht. Sie hatte sich ausgemalt, dass ihre gute Freundin und der geschätzte Personenschützer glücklich miteinander werden, gar heiraten würden. Sollte sie bei Marie mal nachfragen, was genau vorgefallen war? Oder erst mal bei Mike? Sollte sie vielleicht sogar die Kupplerin spielen?

«Oh», sagte Achim und unterbrach damit Angelas Gedankengang. Sie sah zu ihm. Er stand traurig vor einem Grab. Es war die letzte Ruhestätte von Juliana Blume, jenem Kind, das im 18. Jahrhundert keine fünf Jahre alt geworden war. Angela konnte sich gut vorstellen, was ihr Mann gerade dachte.

Achim unterbrach ihre Gedanken ein zweites Mal. Diesmal durch ein Niesen, vermutlich war ihm ein Pollen oder ein kleines Insekt in die Nase geflogen. Es war so laut, dass Mike erschreckt zusammenfuhr. Er hatte bestimmt Angst, dass von dem Lärm Geister, Vampire oder Zombies erwachten. Nun trompetete Achim in sein Taschentuch, wobei ein klein wenig Rotz unbemerkt an der Nase hängen blieb. Ja, nicht alles an dem eigenen Ehemann war hinreißend. Um genau zu sein, 21 Prozent waren es nicht, wie Angela mal auf einem Zettel errechnet hatte, den Achim niemals hätte sehen dürfen. Aber wie sagte schon Osgood Fielding am Ende des Films *Manche mögen's heiß*: ‹Nobody is perfect!›

Und dennoch: Weder Kakihosen noch Rotz an der Nase konnte sie sich bei Aramis vorstellen. Schon wieder dachte sie an den Bestatter, obwohl sie sich vorhin erst gefragt hatte, wie sie sich überhaupt zu einer Händchen-halte-Fantasie mit ihm hatte hinreißen lassen. Doch jetzt, hier auf diesem Friedhof am Grab der kleinen Juliana, wurde Angela klar, warum der Mann ihr ständig in den Sinn kam. Es lag nicht, wie sie anfangs noch gedacht hatte, an der blöden Sommerhitze. Auch nicht an der gelegentlichen Langeweile, die das Rentnerleben mit sich brachte. Es lag daran, dass sie bei dieser Ermittlung ständig damit konfrontiert wurde, wie vergänglich die menschliche Existenz war. Wie viele Jahre würden ihr selbst noch auf Erden bleiben? Zehn? Zwanzig? Dann wäre sie knapp neunzig. Und bis dahin würde sie ein Leben führen, in dem sich nichts mehr großartig ändern würde.

Etwas in ihr sperrte sich offensichtlich gegen dieses Schicksal. Sonst würde sie sich nicht andauernd in Mordermittlungen stürzen. Und sich auch nicht mit Aramis beschäftigen. Einem Mann, der ihr kulturelles Verständnis bereichern konnte. Und vielleicht auch … ihr Leben?

Noch bevor Angela sich selbst maßregeln konnte, dass solche Gedanken gegenüber Achim unfair waren und sie doch gefälligst zufrieden sein sollte mit der Ehe, die sie führte, zischte Mike: «Und das da vorne ist auch nicht gut.»

«Haben Sie einen Geist gesehen?», konnte sich Angela ihren Spott nicht verkneifen.

«Ich wünschte es mir fast.»

Sie blickte in die Richtung, in die Mike schaute: Die Satanisten, es waren genau dreizehn an der Zahl, gingen in einer Art Prozessionszug zum Grab des Kaufmanns, dessen Geburtstag sie heute zelebrieren wollten. Allesamt trugen sie scharlachrote Roben, hatten ihre Kapuzen dabei jedoch noch nicht aufgesetzt. Daher waren die einzelnen Personen im Mondlicht klar zu erkennen: Vorneweg gingen Peter Kunkel und Charu Benisha, die wieder ihre pinke Sporttasche dabeihatte, und gleich dahinter ... Martin, der Kommissaranwärter? Ja, er war es. In der Satanistenkutte hätte sie ihn fast nicht erkannt, zumal er keine dünnen weißen Handschuhe trug, sondern schwarze. Kunkel und der junge Polizist kannten sich also aus diesem Kult. Beide hatten den gleichen Schwur geleistet, der besagte, dass die Wahrheit nur für die Jünger des Satans bestimmt sein sollte. Das bedeutete auch, dass Angela erst mit der Polizei würde zusammenarbeiten können, wenn sie das Geständnis der beiden Mörder auf dem iPhone hatte.

«Wollen wir näher ran?», fragte Achim leise.

«Noch nicht», sagte Angela. «Wir schauen uns das erst mal an.»

«Oder wir könnten auch wieder gehen», schlug Mike vor.

«Oder wir könnten ignorieren, dass Sie dies gerade gesagt haben», zischte Angela scharf.

«Oder das», gab sich Mike geschlagen.

Alle drei gingen hinter einer Grab-Statue in Deckung, die den Erzengel Gabriel darstellte. Putin legte sich mit einem Seufzer hin und schloss die Äugelein, er war müde und hatte sich gewundert, warum er so spät noch mal raussollte. Dabei hatte er seinem Frauchen einen Blick zugeworfen, der wohl sagen sollte: Ihr Menschen seid so was von merkwürdig.

Hinter dem Erzengel konnten sie sich vorerst sicher sein, nicht von den Satanisten entdeckt zu werden. Die hatten mittlerweile das Grabmal erreicht, und zwölf der dreizehn zogen sich die Kapuzen über den Kopf und stellten sich in Zweierreihe auf. Vorne standen Peter Kunkel und der Kommissaranwärter Martin. Nur Charu Benisha blieb allein. Sie war auch die Einzige, die ihr Haupt noch nicht bedeckt hatte.

«Jetzt geht's los, jetzt geht's los», sang Mike leise, vermutlich um seine Nervosität zu überspielen.

Angela warf ihm einen strengen Blick zu.

«Ich halt ja schon die Klappe», flüsterte Mike noch leiser und nervöser.

Charu Benisha stieg die sechs Treppen zum Grabmal hoch und stellte ihre pinke Sporttasche neben sich ab.

«Sie ist wohl», raunte Angela den anderen zu, «deren Priesterin.»

«Dann ist sie aber», stellte Mike fest, «eine sehr freizügige Priesterin.»

«Warum?», fragte Angela.

«Darum.»

Angela sah wieder zu den Satanisten. Charu hatte ihren Umhang zu Boden fallen lassen und trug bis auf ein knappes scharlachrotes Höschen nichts darunter. Dass auch Achim den Blick nicht von ihr abwenden konnte, ärgerte Angela. Von wegen, er teilte das Schönheitsideal von Rubens. Wäre Angela eine emotionale Person, hätte sie ihm womöglich mit der *Longchamp*-Tasche eins übergezogen. Aber sie war ja hier, um zu ermitteln, und so konzentrierte sie sich wieder auf das Geschehen rund um das Grabmal. Charu rief: *«Ut satanas adoremus, tolle tuum faces!»*

«Was ist toll?», fragte Mike, der im Gegensatz zu Angela und Achim kein Latein konnte.

«Sie sagt», übersetzte Achim, «um Satan zu huldigen, nehmt eure Fackeln.»

Die zwölf Satanisten hoben ihre Fackeln vom Boden auf und zündeten sie an. Die Gruppe schien nun im hellen Licht. Über Charus Körper irrlichterte der Schein der Flammen, als ob sie eine Feuerkönigin aus *Game of Thrones* wäre, von dem Angela und Marie mittlerweile zweieinhalb Staffeln durchgesuchtet hatten, wie Marie es nannte. Was die Serienfiguren alles anstellten, um den Thron zu besteigen, erinnerte sie an das Gerangel um den CDU-Parteivorsitz. Es bedurfte keines Blicks zu Achim und Mike, um zu wissen, dass sie die Frau wie gebannt anstarrten.

Charu Benisha öffnete ihre Sporttasche, kramte ein wenig darin herum, und Mike sagte: «Da ist das Tagebuch des Gärtners drin.»

«Sein Tagebuch?», staunte Angela.

«Marie ist fest davon überzeugt, dass es eins ist.»

«Dann steht bestimmt darin, womit Galka die beiden erpresst hat. Charu hat es mitgehen lassen, um die Beweise zu vernichten.» Jetzt war sich Angela endgültig sicher, die beiden Mörder vor sich zu haben. Es galt nur noch, den beiden das Geständnis zu entlocken.

Die Priesterin holte eine Fackel aus ihrer Tasche und verkündete den Jüngern Satans: *«Satanas, ut vos vocant. Ecco, ego lux in virgin tadeas.»*

«Und was hat sie jetzt gesagt?», fragte Mike, dem das Ganze nicht geheuer war.

«Sie sagt», übersetzte nun Angela, «Satan, wir rufen dich. Sehe, ich entzünde die Fackel der Jungfrau.»

«Wenn die eine Jungfrau ist, fress ich einen Besen», kommentierte Achim, von dem Angela fand, er solle sich über das sexuelle Vorleben dieser jungen Frau gefälligst keine Gedanken machen.

Charu nahm ein Feuerzeug, entzündete die Fackel, und diese …

… explodierte!

Mit einem lauten Knall.

Und Charu mit ihr.

In einem gigantischen Feuerball.

Die Satanisten wurden von der Druckwelle zu Boden geschleudert. Mike und Achim zuckten zusammen. Putin jaulte auf wie noch nie zuvor in seinem Mopsleben. Angela nahm ihn sofort in die Arme und hielt dem armen Tier die Ohren zu. Und dabei starrten sie alle in die lodernden Flammen.

34

Geister wären mir lieber gewesen», seufzte Mike, während Kommissar Hannemann die Satanisten vernahm und staunte, dass sich sein Kollege Martin unter ihnen befand. Ausgerechnet Ralf und Merle Borscht waren als Bestatter herbeigerufen worden und transportierten erstaunlich gefasst Charu Benishas verbrannte Überreste in einem schwarzen Sack in Richtung Rechtsmedizin ab. Der ätzende Brandgeruch hing wie eine Glocke über dem Friedhof. Achim und Mike standen blass und schockiert neben der Erzengel-Statue und kämpften mit der Übelkeit. Selbst Mops Putin sah aus, als ob er von heute an vegetarisches Futter bevorzugen würde. Angelas eigener Magen hingegen war stabil. Sie hatte in ihrem Leben schon viele üble Gerüche ertragen, so zum Beispiel das strenge Moschus-Parfüm des weißrussischen Präsidenten Lukaschenko, bei dem man nur froh sein konnte, dass keine paarungsfreudigen Moschustiere in der Nähe waren. Oder jenen von 27 Staatschefs nach einer durchgemachten Nacht beim EU-Krisengipfel. Oder eben auch den von Achims Socken am Ende einer vierwöchigen Wanderung.

Angela beobachtete Peter Kunkel. Er saß regungslos auf den verrußten Stufen des Grabmals und wirkte wie am Boden zerstört. Nicht wie jemand, der gerade seine Geliebte in die Luft gesprengt hatte. Entweder war er an Charu Benishas Tod vollkommen unschuldig – und somit womöglich auch am Tod des Gärtners, auch wenn Angela noch nicht klar war, wie die beiden Morde zusammenhingen. Oder er war ein extrem guter, total ausgebuffter Schauspieler. Wie seine gute Freundin Pia von Baugenwitz, die Angela vor einigen Wochen hinter Gitter gebracht hatte.

Kommissar Hannemann trat zu Angela. «Sie wollen jetzt bestimmt meine Zeugenaussage aufnehmen», eröffnete sie das Gespräch.

«Nein», antwortete Hannemann.

«Nein?», staunte Angela.

«Der Fall ist klar.»

«Der Fall ist …?», staunte Angela noch mehr.

«Klar. Haben Sie was an den Ohren?»

«*Sie* haben ihn gelöst?» Für Angela war dieser Gedanke so unvorstellbar, dass sie die Beleidigung unbeantwortet ließ.

«Und ob ich das habe.»

Angela konnte es kaum fassen. Dieses Erbsenhirn war gerade mal eine halbe Stunde vor Ort, wie konnte es da einen Mörder entlarven?

«Und?», fragte sie.

«Und was?»

«Wer war der Mörder?»

«Mörder?»

«Ja, wer war der Mörder?» Angela hegte selten Gewaltfantasien. Aber diesen Totalausfall von Kommissar hätte sie gerne mal zu einer Coronaleugner-Demonstration geschickt und laut gerufen: Der da produziert die Chips für Bill Gates!

«Es gibt keinen Mörder.»

«Was?» Angela konnte es kaum fassen.

«Sie haben ja wirklich was an den Ohren.»

«Und Sie nichts dazwischen.»

«Ich muss doch sehr bitten.»

«Die Frau ist explodiert!» Angela musste sich zurückhalten, Hannemann nicht zu schütteln.

«Die Fackel war defekt.»

«Die Fackel war … was?»

«Ich kenne in Templin einen guten Ohrenarzt, der holt Ihnen das Schmalz in Windeseile heraus. Der hat auch ein sehr gutes Praxismanagement, da muss man nicht lange warten …»

«Wieso war die Fackel defekt?», unterbrach Angela.

«Martin hat mir das erklärt.» Hannemann deutete auf den Kommissaranwärter, der mit Peter Kunkel gerade davonging und seinen Arm um ihn gelegt hatte. Angela erkannte dabei, dass die schwarzen Neurodermitis-Handschuhe des Mannes aus einem festen Material bestanden. Charus Liebhaber wirkte weiterhin, als ob er sich in einem katatonischen Schockzustand befände. Hätte sein Freund Martin ihn nicht rechtzeitig weggezogen, wäre er direkt vor den Leichenwagen des Bestatters Borscht gelaufen.

«Und was genau hat Martin Ihnen erklärt?»

«Aus der Fackel sollte ein riesiges Feuerwerk kommen, aber die war offenbar defekt und ist explodiert.»

«Und das glauben Sie?»

«Ich habe keinen Anlass, meinem Kollegen zu misstrauen. Zumal alle Zeugen seine Aussage bestätigen.»

«Sie glauben Satanisten?»

«Die meisten von ihnen sind ehrbare Bürger von Klein-Freudenstadt. Gut, vielleicht nicht Henning Koll, der hat früher dazu geneigt, nackt über den Marktplatz zu laufen und zu rufen: ‹Die Revolution ist nah!› Und dabei hat er sich selbst den Namen Schniedel Castro gegeben …»

«Sie wollen einfach um jeden Preis Arbeit vermeiden», entfuhr es Angela. Sie rechnete mit einer empörten Reaktion des Kommissars. Doch der machte sich gar nicht erst die Mühe, ihr zu widersprechen.

«Kein Mensch braucht Überstunden.»

«Wollen Sie nicht wenigstens die Kollegen vom BKA hinzuziehen?»

«In Klein-Freudenstadt kommen wir auch ohne Hilfe von außen

zurecht», sagte Hannemann nun so scharf, dass Angela endgültig klar war, dass er Charus Tod unbedingt zu den Akten legen wollte. Sich weiter mit ihm zu streiten, würde ihre Haare noch grauer machen, als sie ohnehin schon waren. (Ihr erstes graues Haar hatte sie schon vor langer Zeit bei sich entdeckt, als sie nämlich erfahren hatte, wie Helmut Kohl seine Wahlkämpfe finanziert hatte.) Und dennoch insistierte sie: «Sie müssen das Bundeskriminalamt rufen.»

«Soll ich Ihnen die Adresse geben?», fragte Hannemann.

«Welche Adresse? Vom BKA?» Angela war irritiert.

«Nein, die vom Ohrenarzt», grinste er frech und ging davon.

Das waren die schlimmsten Augenblicke in Angelas Leben: Wenn geistig und/oder moralisch kleine Männer sich ihr überlegen fühlten und sie diese nicht direkt auskontern konnte. Dann blieb ihr nur übrig, sich auf die nächste Begegnung mit ihnen umso gründlicher vorzubereiten. Beim nächsten Zusammentreffen mit Hannemann, das schwor Angela sich, würde sie ihm die Mörder von Fred Galka und Charu Benisha präsentieren.

35

Sollten wir jetzt nicht mal nach Hause?», fragte Achim, der im Mondlicht so bleich aussah wie ein Vampir.

«Genau, lassen Sie uns gehen», ergänzte Mike, dessen Teint eher grünlich wirkte wie bei einem Vampir, dem man Knoblauchbrot serviert hatte. Zusammen mit einem Silberbecher. Gefüllt mit Weihwasser.

«Wenn die Polizei den Tatort nicht untersucht», antwortete Angela bestimmt, «dann müssen wir das selbst machen.»

«Aber …», hob Mike an.

«Mike», unterbrach ihn Achim.

«Ja?»

«Sie wissen doch, wenn meine Frau sich etwas in den Kopf setzt …»

«… können wir nichts dagegen tun», vollendete der Personenschützer den Satz, und beide Männer seufzten im Duett. Sie stapften Angela halbherzig hinterher, und für einen kurzen Augenblick fragte sie sich, ob es in Ordnung war, dass sie auch privat so dominant auftrat wie früher im Kabinett. Doch dann sagte sie sich, dass sie eben nicht privat unterwegs war, sondern privat ermittelte. Dies waren zwei Paar Schuhe.

Ein Paar Schuhe, nämlich die Sneaker der Toten, lag angekohlt auf dem obersten Treppenabsatz des Grabmals. Von der Druckwelle war ihre einst pinke Sporttasche offenbar durch die Luft geschleudert und deren Inhalt überall verstreut worden.

«Das Tagebuch», fiel Angela schlagartig ein.

«Tagebuch?», fragte Mike irritiert, dem die Kombination aus Tatort und Reich der Untoten sichtlich von Sekunde zu Sekunde unheimlicher wurde. Was erwartete er? Dass Charu Benisha gleich als Geist hier auftauchen würde?

«Sie meint vermutlich», erklärte Achim, «das Tagebuch des Gärtners, das, wenn ich es richtig sehe, da drüben im Azaleen-Busch liegt.»

Angela blickte zu den Azaleen, und in der Tat lag da ein verbranntes Büchlein. Ihr Herz klopfte höher. Wenn die Seiten darin noch intakt waren, würde sie lesen können, wen Galka womit erpresst hatte, und somit erfahren, wer die beiden Mörder waren. Sie eilte zu dem Busch und griff nach dem verkohlten Buch.

Da rief Achim: «Nicht anfassen!»

Doch es war zu spät. Das Buch zerbröselte in Angelas Händen.

«Ich habe dich gewarnt», sagte Achim.

Angela fand, die Bemerkung hätte er sich sparen können. Sie ärgerte sich auch so schon genug, dass sie nicht vorsichtiger gewesen war. Vor ihr auf dem Kiesweg, der zu den Stufen des Grabmals führte, lagen die zu Asche verfallenen Seiten. Nur die letzte Seite des Tagebuches, die noch am Einband festhing, schien einigermaßen intakt zu sein. An den Rändern angesengt, aber ansonsten in halbwegs gutem Zustand. Angela stellte sich so ins Mondlicht, dass sie die Schrift des Gärtners lesen konnte.

Bald kann ich mir den Traum von den Malediven erfüllen und endlich abschließen mit dem verdammten Klein-Freudenstadt. Mit dem verdammten Friedhof. Den verdammten Kunkels. Den verdammten Borschts. Ach, hätte ich doch nur früher den Mut gefunden, mir mein mir zustehendes Geld zu holen.

Angelas Detektivhirn legte den fünften Gang ein: Die Immobilien-Prospekte von den Malediven, aus denen Galka die Buchstaben für seine Erpresserbriefe geschnitten hatte, waren für ihn also von großer Bedeutung gewesen. Sie verhießen ein neues Leben. Eins, das er sich durch das Geld aus den Erpressungen endlich leisten konnte.

Aber warum glaubte er, dass ihm das Geld zustehen würde? Diese Formulierung ließ darauf schließen, dass Galka der festen Ansicht war, dass seine Erpressung gerechtfertigt war. Weil ihm die Kunkels oder die Borschts oder beide zusammen etwas angetan hatten? Oder hatte Galka sich das nur eingeredet, weil er ein schlechtes Gewissen hatte, jemanden zu erpressen?

Erpressen!

Angela schlug sich mit der Hand auf die Stirn: Plötzlich war ihr so einiges klar. Warum war sie da nicht früher darauf gekommen?

«Warum haust du dich, Puffeline?», fragte Achim, der die rote Stelle auf der Stirn seiner Frau besorgt betrachtete. Schon beim kleinsten Schmerz seiner geliebten Frau fühlte er mit.

«Weil ich dumm bin.»

«Das bist du niemals», antwortete Achim, um sich gleich darauf zu relativieren, «außer vielleicht, als du damals in der *Wirecard*-Sache auf Karl-Theodor zu Guttenberg gehört hast.»

«Das ist gerade nicht das Thema!»

«Ja, stimmt», sagte Achim. «Deine Stirn ist das Thema. Sie ist ganz rot. Soll ich pusten?»

«Pusten?», entfuhr es dem staunenden Mike.

«Na, wenn Angela sich wehgetan hat, dann puste ich schon mal.»

Mike blickte erst ihn erstaunt an, dann Angela.

«Das mache ich», erklärte sie, «auch bei meinem Mann. Das ist doch normal unter Eheleuten.»

«Nein. Das ist es nicht», erwiderte Mike.

Nein? Für einen kurzen Augenblick fragte Angela sich, ob Aramis das etwa nicht machen würde. Und wenn nicht, welche Frau wollte schon mit einem Mann zusammenleben, der nicht so fürsorglich war wie ihr Achim? Und wieso dachte sie überhaupt darüber nach, wer mit Aramis zusammenleben wollte? Oh mein Gott, hörte das denn nie auf?

Nein, auf solche Gedanken kam sie doch nur, weil gerade vor ihren Augen eine Frau in die Luft gesprengt worden war und dadurch ihr Bewusstsein von der Vergänglichkeit des Lebens größer war als sonst.

«Wir reiben uns», erklärte Achim, «auch gegenseitig mit Sonnencreme ein, damit es keine freien Stellen im Gesicht gibt.»

Mike wusste sichtlich nicht, wie er diese Info verarbeiten sollte.

«Puffel?»

«Ja?»

«Ich würde euch jetzt gerne meine neue Erkenntnis zum Mord an Charu Benisha erzählen.»

«Sie wissen, wer es getan hat?», fragte Mike erfreut. Offensichtlich fühlte er sich mit der Mordermittlung wohler als mit den Eincreme-Gepflogenheiten seiner Chefin und ihres Gatten.

«Nein, das weiß ich leider nicht. Aber ich kenne das Motiv, warum sie getötet wurde.»

«Und was ist es?»

«Sie hat doch zu Ihnen im Yogastudio gesagt …»

«In der Poledance-Schule», korrigierte Mike.

«Was ist Poledance?», fragte Achim.

Mike wusste nicht, wie er das erklären sollte.

«Nicht jetzt, Puffel», ging Angela dazwischen.

Mike sah erleichtert aus.

«Charu hat doch gesagt», machte Angela weiter, «dass sie vielleicht einen Weg gefunden hat, an Geld zu kommen, ohne die Schule weiterführen zu müssen.»

«Ja, das hat sie», bestätigte der Personenschützer.

«Und Sie erinnern sich doch noch, wie wir Charu belauscht hatten, als sie vor dem Haus des Gärtners telefoniert hatte?»

«Ja, Sören hatte Möhren in den Öhren.»

«Wer ist Sören?», wollte Achim wissen. «Und warum hat er Möhren in den Öhren?»

«Das ist», erklärte Angela, «wie mit den Furunkeln.»

«Helfen da die Möhren?», staunte Achim.

«Nein, es handelt sich in all diesen Fällen um Missverständnisse, die aus schlechter Lautübertragung resultierten. Und all diese Missverständnisse haben etwas mit Reimen zu tun. So war es auch, als wir dachten, Charu hätte zu ihrem Gesprächspartner am Handy gesagt: ‹Ja, da hast du recht. Ich vermesse dich.›»

«Was hat sie denn dann gesagt? Ich vergesse dich?», wollte Mike wissen.

«Nein. Ich erpresse dich.»

«Charu», verstand Achim schnell, «hatte also das Tagebuch von Galka gelesen und so erfahren, von wem er Geld gefordert hatte. Und dann erpresste sie ihrerseits.»

«Ach, das meinte sie im Studio», begriff nun auch Mike, «mit dem anderen Weg, den sie gefunden hatte, um sich zu finanzieren.»

«Und wie Galka», beendete Angela die detektivische Kombination, «wurde sie von denjenigen ermordet, die sie erpresst hatte.»

«Leider können wir», deutete Mike auf das zerfallene Buch, «darin nicht mehr nachlesen, wer Charu auf dem Gewissen hat.»

«Um das herauszufinden», verkündete Angela, «muss ich einen Termin mit einer gewissen Person machen.»

«Peter Kunkel», kombinierte Achim.

«Nein, nicht mit ihm direkt. Ich will mit einer Person reden, die mir verraten kann, ob Peter zum Morden fähig ist. Ob er seinen Schockzustand vorspielt oder tatsächlich so erschüttert ist.»

«Sie wollen doch nicht etwa», fragte Mike, «zu Ihrem Ver…»

Bevor der Bodyguard das Wort Verehrer vollenden konnte, machte Angela hinter Achims Rücken eine Abschneidebewegung vor ihrem Hals. Mike begriff sofort und hörte schlagartig auf zu sprechen.

«Ver…?», fragte Achim erstaunt.

«Was?», fragte Mike zurück.

«Sie haben gerade gesagt: ‹doch nicht etwa zu Ihrem Ver›. Was soll das bedeuten? Ver?»

«Ich meinte damit Ver… Ver…»

«…dächtigen», half Angela nur allzu gerne aus.

«Genau, genau, ich meinte, Sie wollen doch nicht etwa zu Ihrem Verdächtigen», sagte Mike, die Schweißperlen auf seiner Stirn glitzerten im Mondlicht.

«Und um welchen Verdächtigen geht es hier, wenn nicht um Peter Kunkel?», wollte Achim wissen. Und Angela, die froh war, dass Aramis nicht zur Sprache gekommen war, antwortete wahrheitsgemäß: «Ich will gar keinen der Verdächtigen treffen. Ich meinte eine andere Person.»

«Wen denn?»

«Pia von Baugenwitz.»

36

Angela betrat, begleitet von Mike, das erste Mal in ihrem Leben ein Gefängnis. Sie hatte dafür nicht etwa den BKA-Chef, dessen Nummer sie noch im Handy hatte, um einen Gefallen gebeten, sondern einfach einen Besuchsantrag gestellt. Es war ihr klar, dass dieser aus zwei Gründen schnell bewilligt werden würde. Der erste war: Es gab keine Warteliste, auf die man sich hätte setzen müssen. Pia von Baugenwitz hatte außer Peter Kunkel niemanden mehr, der sie besuchte. Nach den beiden Morden hatte sich die ganze Verwandtschaft von ihr losgesagt. Und der zweite Grund war: Angela war sich sicher, dass das Teenagermädchen der Versuchung, jener Frau zu begegnen, die sie hinter Gitter gebracht hatte, nicht würde widerstehen können.

Angela und Mike wurden in einen kahlen, betongrauen Besuchsraum geführt, der von Neonlicht beleuchtet wurde und dessen kleines Fenster vergittert war. Möbliert war er mit einem wackeligen Holztisch und drei trostlosen Holzstühlen – ein Ensemble, das man sonst nur auf Sperrmüllhaufen oder in Berliner Amtsstuben vorfand. Hinter dem Tisch saß die junge Frau mit den blau gefärbten Haaren. Sie trug einen orangen Gefängnisanzug, der Mike erstaunte: «Ich dachte, in deutschen Gefängnissen kann man in seinen Privatsachen herumlaufen.»

«Das ist meine Privatklamotte.»

«Verstehe ich nicht.»

«Den zu tragen, ist ein ironisches Statement.»

«Das kann ja heiter werden», seufzte Mike.

«Haben Sie mich etwa», wandte Pia sich an Angela, «vermisst?»

«Um ehrlich zu sein, meine Sehnsucht nach dir hielt sich in Grenzen.»

«Danke, gleichfalls», lächelte die junge Frau. Sie hatte nichts von ihrem Selbstbewusstsein eingebüßt.

Angela und Mike nahmen Platz. Dabei schaute der Personenschützer sein Gegenüber drohend an. Er war zwar meist ein liebenswerter Schussel, aber er hatte durchaus Momente, in denen er einschüchternd wirken konnte. Leider war dies keiner von ihnen, denn Pia lachte: «Musst du deine mangelnde Potenz kompensieren, indem du so tust, als wärst du ein harter Macker?»

«Meine Potenz ist nicht mangelnd!», protestierte Mike und zappelte damit, wie Angela bemerkte, schon an Pias Köder.

«Sagt nur ein Mann, der seine mangelnde Potenz kompensieren will.»

«Sie ist nicht mangelnd!»

«Und schon wieder sagt er es», grinste Pia.

«Was soll ich denn auch sonst sagen, damit man mir das glaubt?», schnaubte der Bodyguard.

«Wann du das letzte Mal Sex hattest.»

«Das … geht dich gar nichts an», wurde Mike mit einem Male defensiv.

«Habe ich mir gedacht», grinste sie nun noch mehr.

Mike wirkte hilflos. Allen im kargen Besuchsraum war klar, dass er schon seit Langem unfreiwillig abstinent sein musste. Angela kam ihm zu Hilfe: «Wir sind nicht hier, um uns über das Liebesleben meines Personenschützers zu unterhalten.»

«Über Ihres?», grinste das blauhaarige Mädchen so breit, dass es nicht mehr breiter gehen konnte.

«Bloß nicht!», sagte Mike hastig.

«Nein», bemühte Angela sich um Fassung, «ich möchte mit dir über Peter Kunkel reden.»

«Peter?» Pias Neugier war geweckt. «Sie machen hier eine Hannibal-Lecter-Nummer?»

«Hannibal?» Angela war irritiert. Was hatte der Heerführer der Antike mit dem Ganzen zu tun? Und warum hätte der einen Lektor gebraucht?

«Das ist», erklärte Mike, «eine Figur aus dem Film *Das Schweigen der Lämmer*. Es handelt sich um einen Serienkiller, der hinter Gittern sitzt. Eine FBI-Agentin besucht ihn im Knast, damit er ihr bei der Überführung eines anderen Serienkillers hilft.»

Angela verstand nun. Marie hatte mal versucht, ihr eine schwedische Serie mit einem Serienkiller zu zeigen, aber die war ihr zu düster gewesen. Und das nicht nur, weil das Wetter darin die ganze Zeit so schlecht war.

«Also», schaute Pia Angela fordernd an, «was ist nun, Clarice?»

«Heißt so die FBI-Agentin in dem besagten Film?»

«Gut kombiniert, Meisterdetektivin.»

«Du bist doch mit Peter befreundet?»

«Yup.»

«Und du als Mörderin musst doch einschätzen können, ob Peter dazu in der Lage wäre, Menschen zu töten?»

«Was bekomme ich, wenn ich Ihre Fragen beantworte?»

«Wie bitte?»

«Hannibal Lecter hat auch was von Clarice Starling bekommen.»

«Ich habe nicht die Macht, dir irgendwelche Erleichterungen im Gefängnis zu gewähren.»

«Es ging Hannibal auch mehr um Persönliches.»

«Persönliches?»

«Sie verraten mir ein paar Dinge aus Ihrem Leben, dann verrate ich Ihnen ein paar Dinge über Peter.»

«Was für Dinge soll ich verraten?»

«Liebesdinge», grinste Pia.

«Moment mal, du freches Gör», echauffierte sich Mike. Angela legte ihm jedoch schnell die Hand auf die Schulter, um ihn zu besänftigen, und fragte: «Warum interessiert dich das?»

«Ach, im Gefängnis hat man sonst nichts zu lachen.»

Dass man Teenagerinnen besser ernst nehmen sollte, war Angela dank Greta Thunberg schon lange bewusst, aber diese junge Mörderin war wirklich eine harte Nuss. Wenn sie sich nicht auf den Deal einließ, würde Angela mit ihren Ermittlungen nicht weiterkommen. Also schlug sie vor: «Wir machen es so: Ich beantworte eine Frage, dann du. Und abwechselnd immer so weiter.»

«Einverstanden. Meine erste Frage lautet: Wie oft machen Sie und Puffel es so?»

«Werde hier nicht unverschämt!» Mike sprang von seinem Stuhl auf.

«Bitte setzen Sie sich», forderte Angela mehr, als dass sie darum bat. Mike tat, wie ihm geheißen, und grummelte: «Ich wäre jetzt lieber bei Hannibal Lecter.»

«Also, wie oft machen Sie und Ihr Mann es?», hakte Pia nach.

«Einmal die Woche.»

«Mehr, als ich erwartet habe.»

«Mehr, als ich je wissen wollte», rutschte es Mike raus.

«Wieso?», lächelte Angela. «Einmal die Woche sollte man das Bett schon mal neu machen.»

«Das meinte ich nicht!», protestierte Pia.

«Dann musst du präziser formulieren», lächelte Angela süffisant. Dieses junge Ding musste schon früher aufstehen, wenn es von ihr Intimes erfahren wollte.

Pia verzog das Gesicht, Mike entspannte sich das erste Mal, seitdem sie in dem kargen Raum waren. Angela erklärte: «Jetzt bin ich dran.

Beantworte mir meine Frage von vorhin: Ist Peter Kunkel fähig, Menschen zu ermorden?»

«Nein, er ist ein totales Weichei. Wenn ich Sie wäre, würde ich in eine ganz andere Richtung schauen.»

«Und in welche?»

«Jetzt bin ich wieder dran.»

«Schieß los», nickte Angela.

«Ist Puffel ein guter Liebhaber?»

Mike hörte schlagartig auf zu atmen.

«Ist diese Frage», lächelte Pia, «nun präzise genug?»

«Ja, das ist sie», lächelte Angela ebenfalls. «Er ist ein guter Liebhaber.»

«Das erstaunt mich», sagte Pia.

Mikes Augen verrieten, dass es ihm auch so ging.

«Er hat mich», lächelte Angela wieder süffisant, «lieb wie kein anderer.»

Jetzt war es an Pia aufzustöhnen, erneut war sie ausgetrickst worden.

Mike grinste anerkennend.

«Ich habe es dir doch gesagt: Du musst dich präziser ausdrücken», lächelte Angela noch süffisanter als zuvor. «Und jetzt sag mir: In welche Richtung soll ich schauen?»

«In die Vergangenheit. Nach meiner Erfahrung haben Morde immer mit der Vergangenheit zu tun.»

«Weil du gemordet hast, um an das Erbe deiner Urahnen zu kommen.»

«Genauso ist es.»

«Und welche Vergangenheit hast du bei Peter im Sinn?»

«Ich bin wieder dran: Was finden Sie an einem Mann sexy?» Jetzt war die junge Frau früher aufgestanden. Diese Frage warf Angela aus der Bahn. Sie brauchte ein wenig, um zu antworten: «Wenn ein Mann liebevoll ist.»

«Bullshit», antwortete Pia. «Wenn Sie mehr erfahren wollen, dann sagen Sie mir die Wahrheit.»

«Warum interessiert dich mein Liebesleben so?»

«Weil ich mir einfach nicht vorstellen kann, dass Sie eins haben. Ich glaube, kein Mensch in Deutschland kann das. Nicht wahr, Mike?» Die junge Frau blickte zu dem Personenschützer. Angela ebenfalls. Der wand sich: «Na ja, was soll ich da sagen …?»

«Die Wahrheit», bat Angela.

«Irgendwie kann man sich das wirklich nicht vorstellen», gestand Mike leise.

Angela wirkte betroffen. Warum traute man ihr das nicht zu? War es das Alter? Ihre Position in der Gesellschaft? Oder wirkte sie etwa … unattraktiv? Nicht begehrenswert?

«Was für eine Sorte Mann», fragte Pia unerbittlich, «finden Sie sexy?»

Mike vergrub das Gesicht in seinen Händen.

«Menschen mit Kultur», antwortete Angela wahrheitsgemäß. Und kaum hatte sie das ausgesprochen, erschien vor ihrem geistigen Auge Aramis. Sie hätte gerne Achim gesehen, aber es war Aramis.

Angela war erschrocken. Sie fand einen anderen Mann als Achim sexy. So etwas durfte in einer guten Ehe doch nicht vorkommen, oder? Wenn verheiratete Minister oder Ministerinnen bei Sektempfängen anderen fasziniert auf den Po geschaut hatten, war sie immer davon ausgegangen, dass in deren Ehen gerade etwas nicht stimmte. War das in ihrer Ehe auch der Fall?

Oh mein Gott, sie dachte plötzlich an Aramis' Hintern!

«Was für eine superöde Antwort», befand Pia, die an ihrem Spiel sichtlich die Lust verloren hatte. Sie stand auf, ging in Richtung Tür und sagte: «Ich möchte wieder in meine Zelle und an die Wand starren. Das macht mehr Spaß.»

«Ich habe aber noch eine Frage bei dir gut.»

Pia hielt inne. «Okay, Hannibal Lecter hielt sich auch an die Absprachen.»

«Auf welche Vergangenheit genau soll ich bei Peter schauen?»

«Ich weiß es nicht genau.»

«Du weißt es nicht genau?»

«Ich habe nur so eine Ahnung. Sie können ja mal herausfinden, warum Peter hinkt», schlug sie vor und verließ den Raum. Und während Angela grübelte, was sie damit meinen könnte, sagte Mike: «Die besuchen wir nie wieder!»

37

Angela saß auf jener schattigen Friedhofsbank, auf der Aramis bei ihrer ersten Begegnung das Emilia-Bassano-Buch gelesen hatte. Neben ihr, mit dem Kopf auf ihrem Schoß, lag Putin und schnarchte vor sich hin. Achim hatte sie gefragt, ob sie mit ihm die Hobbit-Gartenzwerge neu anmalen und dabei die exzellente englische Audioversion von *Der kleine Hobbit* hören wollte, um auf andere Gedanken zu kommen, doch sie hatte verneint. Nicht etwa, weil ihr Mann stundenlang darüber schwärmen konnte, wie detailreich und akribisch der Autor J.R.R. Tolkien die Welt von Mittelerde erschaffen hatte. Da hörte Angela ihm lieber zu, als wenn er über die Feinheiten des *Scrabble*-Spiels referierte. Regelrecht rührend fand sie sogar, dass Achim in der Lage war, Sätze in den Sprachen zu sagen, die Tolkien extra für die Bücher erfunden hatte. Einmal hatte Achim zu ihr auf Sindarin, der Sprache der Grauelben, aus tiefster Seele gesagt: «Le Melin.» Und als sie daraufhin fragte, was das bedeutete – sie fand, es klang sehr nach einem guten französischen Restaurant –, antwortete Achim: «Ich liebe dich.»

Er liebte sie.

Sie liebte ihn.

Daran gab es keinen Zweifel.

Und dennoch ging ihr Aramis nicht mehr aus dem Kopf. Genau deswegen hatte sie zu Achim gesagt, dass sie mit dem Mops spazieren gehen würde, um über den Fall nachzudenken, über den sie jedoch nicht nachdachte, eben weil Aramis jeden ihrer Gedanken besetzte.

«Ach, Putin», sagte sie zu dem schnarchenden Mops, «was stimmt nur nicht mit mir?»

«Hrchmmmmf», schnarchte der Mops.

«Soll ich Aramis für immer aus dem Weg gehen? In diesem kleinen Ort? Das geht doch gar nicht, oder?»

«Hrchmmmmf», schnarchte Putin weiter.

«Oder soll ich nicht wenigstens mal zu ihm gehen, um mich dafür zu entschuldigen, dass ich ihn gestern versetzt habe? Das gehört sich doch, nicht wahr?»

«Hrchmmmmf.»

«Und wenn er mich doch noch mal zum Tee einladen würde, würde ich vielleicht eine Tasse mit ihm trinken. Es könnte doch gut sein, dass er sich dann entzaubert und der Spuk für mich vorbei wäre. Macron machte am Anfang auch einen großartigen Eindruck. Aber als ich ihn näher kennenlernte, verflog der schnell.»

«Hrchmmmmf.»

«Kannst du auch was anderes sagen als ‹Hrchmmmmf›?»

«Pffchrr.»

«Ach, Putin, manchmal glaube ich, du bist das einzige Wesen auf der ganzen Welt, das mich versteht.»

«Pfchrr.»

«Noch vor ein paar Monaten hätte ich nicht gedacht, dass ich das mal zu einem Putin sage.»

«Pfchrr.»

«Obwohl, das ist schon unfair gegenüber Achim. Er versteht mich in 93 Prozent aller Fälle. So einen Wert hat sonst kein Mensch in meinem Leben erzielt. Nicht mal Obama. So etwas kann Aramis doch nie übertrumpfen … oder?»

Pups.

Diesmal kam kein Schnarchen von Putin, sondern ein Furzgeräusch. Wenn er sich entspannte, lockerte sich auch der Darm.

«War das jetzt ein Kommentar, dass ich endlich aufhören soll, über die Männer zu quasseln?»

Pups.

Angela musste lachen und wedelte dabei die schlechte Luft weg.

«Ich kann nicht mehr!»

Das war jetzt nicht Putin.

Es war das verzweifelte Aufheulen einer Frau. Angela sah sich um. Es dauerte ein wenig, bis sie lokalisierte, woher es kam. Am verwilderten Grab von Anja Kunkel saß Merle Borscht auf einem kniehohen Stein und weinte.

Angela überlegte, ob sie zu der blonden Frau gehen oder sie in ihrem Kummer allein lassen sollte. Doch es galt, einen Fall zu lösen. Und daher auch herauszufinden, warum Merle Borscht traurig war. Es war schwer vorstellbar, dass sie wegen ihrer Stiefmutter Charu Benisha so weinte. Merle hatte aus ihrer Abneigung zu ihr nie einen Hehl gemacht. Sie hatte auch in der Nacht zuvor keine Tränen vergossen, als sie den Leichnam mit ihrem Vater abtransportiert hatte. Genau genommen hatte auch der frischgebackene Witwer keine Tränen vergossen.

Angela kam in den Sinn, wie bitterlich Achim weinen würde, wenn sie versterben sollte. Und sie, falls sie ihn überleben würde. Das bedeutete in der Konsequenz: Wenn unerträglicher Kummer vermieden werden sollte, durfte keiner von beiden sterben.

Sie hatte schon realistischere Lösungen für Dilemmata gefunden.

Angela schüttelte sich. Seit sie in Rente war, hatte sie zu viel Zeit, um über Fragen nachzudenken, über die man keinesfalls nachdenken sollte, wenn man sich nicht die Laune vermiesen wollte. Sie konzentrierte sich wieder auf Merle Borscht. Warum weinte sie ausgerechnet am Grab der verstorbenen Ehefrau von Aramis? Jener Frau, mit der offenbar der verstorbene Gärtner zuerst liiert gewesen war?

«Wir müssen aufstehen», rüttelte Angela ihren Mops wach. Er blickte sie an nach dem Motto: Wieso störst du einen großen Geist beim Furzen?

«Auf geht's!» Angela schob seine Schnauze von ihrem Schoß und stand auf. Putin machte die Augen wieder zu. Er dachte gar nicht daran, sich in Bewegung zu setzen. Wie oft hatte ihr Mops sie an jene hochrangigen Beamten erinnert, die sie dazu hatte drängen wollen, die Digitalisierung in den Behörden endlich, endlich voranzubringen.

Angela nahm den Mops auf den Arm und schleppte ihn in Richtung Grab. Sie blieb einige Meter hinter Merle Borscht stehen und legte Putin ab. Der rollte sich auf die Seite und schlief und pupste selig weiter. Merle drehte sich zu ihr um, sprang von dem Stein auf und trocknete sich die Tränen mit dem Ärmel ihrer Bluse.

«Alles in Ordnung?», fragte Angela.

«Sieht es so aus, als ob alles in Ordnung wäre?»

«Nein, natürlich nicht. Verzeihung. Trauern Sie um Ihre Schwiegermutter?»

«Um die Stripperin?», lachte Merle höhnisch.

Offensichtlich trauerte sie nicht um sie.

«Wegen der trauert nicht mal mein Papa.»

«Hat er sie denn nicht geliebt?»

«Was hätte er an ihr lieben können außer der Gelenkigkeit und den falschen Titten?»

«Warum hat er sie dann geheiratet?» Angela verstand das nicht. Sie wäre mit Achim nie den Bund des Lebens eingegangen, ohne ihn zu lieben.

Merle antwortete nicht.

«Trauert er immer noch Ihrer Mutter hinterher?»

Merle stieß einen verächtlichen Laut aus.

«Einer anderen Frau?»

Merle blickte zu Boden. Das war es also. Borscht hatte keine neue

Liebe für jemanden empfinden können, weil er eine alte Liebe nicht verwunden hatte.

«Wer war sie?»

Merle blickte weiter zu Boden. Angela schwieg. Ihr Blick wanderte zum Grabmal, und da kam ihr das Polaroidfoto mit Anja Kunkel auf der Motorhaube des Volvo in den Sinn, das Borscht von Galka erhalten hatte. Angela deutete zu dem Grab und fragte: «Auch Ihr Vater hat sie geliebt? Wie Kurt Kunkel? Und Fred Galka?»

«Galka?» Merle sah sie erstaunt an.

«Ich habe gehört, dass er und Anja Kunkel auch eine Beziehung hatten.»

«Wo haben Sie denn diesen Schwachsinn gehört?»

«Ähem …» Angela wollte nicht verraten, dass sie bei ihrem Einbruch in das Haus des Gärtners ein Foto von ihm mit der jungen Anja Kunkel gefunden hatte. Daher antwortete sie: «Von Silvio, dem Friseur.»

«Die Klatschtante weiß doch gar nichts. Wissen Sie eigentlich, was er über Sie und Ihren Mann sagt?»

«Nein», antwortete Angela und war sich auch nicht sicher, ob sie das wirklich wissen wollte.

«Dass Sie ein altes Liebespaar sind.»

«Das ist doch was Schönes.»

«Nicht, wenn er Sie beide im nächsten Satz mit eingeschlafenen Füßen vergleicht.»

«Das ist ja bodenlos», empörte sich Angela, auch weil sie sich ein wenig erwischt fühlte. Sicher, ihre Ehe vollzog sich in eingespielten Bahnen, aber langweilig war sie deswegen noch lange nicht, oder?

«Es ist nicht schön, wenn Leute sich für das Privatleben anderer interessieren. Nicht wahr?»

«Nein, das ist es nicht», nickte Angela und hoffte, dass keiner der tratschenden Dorfbewohner mitbekam, wie gut sie sich mit Aramis verstand.

«Und ich finde es auch nicht schön, dass Sie sich für meins interessieren», klagte Merle sie nun an.

«Wie bitte?»

«Haben Sie etwa geglaubt, dass ich nicht mitbekommen habe, wie Sie mich und Jessica angestarrt haben, als wir gestern im Café saßen?»

«Mir war nur aufgefallen, dass Sie beide so traurig aussahen.»

«Jessy hat vorgestern Nacht mit mir Schluss gemacht.» Merles Tränen brachen sich wieder Bahn. «Ich dachte, wir könnten noch einmal darüber reden … aber sie hat einfach nur dagesessen und geschwiegen …»

Jetzt war Angela endlich klar, warum Jessica Kunkel vorgestern früh über den Marktplatz gehastet war und dabei so aufgewühlt gewirkt hatte. Sie war bei Merle Borscht gewesen, um die Beziehung zu beenden.

Angela hatte Mitgefühl mit der weinenden Frau und fragte sich, ob sie sie in den Arm nehmen sollte wie Aramis vor wenigen Tagen. Anscheinend hatte er von der Beziehungskrise der beiden gewusst. Und daher wohl auch davon, dass seine Tochter mit der Tochter seines Erzfeinds zusammen war.

Merle Borscht bemerkte, wie Angela sie voller Mitgefühl anblickte. Sie wollte aber kein Mitleid, und deshalb mischte sich Zorn in ihre Tränen: «Ja, wir waren ein Paar. Können jetzt alle wissen. Ist ja eh vorbei! Und wo wir schon dabei sind. Sie liegen völlig falsch: Anja und Fred sind Geschwister gewesen.»

«Galka war ihr Bruder?»

«Dass Sie das bei der ganzen Schnüffelei nicht herausgefunden haben …»

«Schnüffelei?» Angela fühlte sich gleichermaßen erwischt wie angegriffen.

«Glauben Sie etwa, ich habe nicht bemerkt, dass Sie mein Büro durchsucht haben?»

Nun fühlte Angela sich mehr erwischt als angegriffen.

«Und dass Sie den Brief mitgenommen haben.»

Jetzt fühlte sie sich nur noch erwischt.

Merle Borscht hatte sie noch mehr durchschaut als Peter Kunkel am Tag zuvor. Arbeiteten die beiden etwa doch zusammen? Andererseits: Würde nicht ein jeder wie Merle reagieren, wenn er Angelas höchst unprofessionelle Ermittlungsversuche bemerkte? Sie musste besser werden als Detektivin. Nur weil sie einmal eine Mörderin überführt hatte, hieß das noch lange nicht, dass sie ein Profi war. Einmal ist keinmal.

«Der Brief wurde bei uns im Institut für Charu Benisha abgegeben», erklärte Merle, nun wieder gefasster. «Sie können ihn gerne behalten.»

Für Charu Benisha? Und Merle Borscht hatte den Brief nur auf ihrem Schreibtisch abgelegt? Hatte die Yogalehrerin also doch niemanden mit den Einträgen in Galkas Tagebuch erpresst?

Wie hatte sie nur so danebenliegen können? Sie musste wirklich besser werden! Und dafür musste sie ihre Unzulänglichkeit nicht nur sich selbst gegenüber eingestehen, sondern auch ihrem Gegenüber: «Ich ermittele tatsächlich in dem Fall. Und es tut mir leid, dass ich Ihr Büro dabei durchsucht habe. Ich habe volles Verständnis dafür, wenn Sie mich anzeigen.»

«Ich habe schon genug Probleme. Da brauche ich nicht auch noch ein Gerichtsverfahren mit einer Ex-Kanzlerin.» Merle setzte sich wieder auf den Stein. All ihre Wut schien verflogen. Angela schwieg, sie wusste nicht, was sie als Nächstes sagen sollte.

Pups.

«Ich fände es schön, wenn Ihr Hund mich in meinem Kummer nicht auch noch vollstinken würde.»

«Erlauben Sie mir zu fragen, warum Sie an diesem Grab sitzen?»

«Nein, erlaube ich nicht.»

«In Ordnung.»

«Aber ich antworte trotzdem», sagte die von den Tränen erschöpfte

Frau. «Anja war meine Patentante. Sie war mehr für mich da als meine Mutter. Viel mehr.»

Angela betrachtete die Statue. Anja Kunkel musste ein großes Herz gehabt haben. Sonst hätte ihr Aramis nicht so ein Bildnis aus Stein gehauen. Dass sie die Patentante der Tochter seines Rivalen gewesen war, machte auch Sinn. Schließlich waren die beiden Bestatter früher einmal Geschäftspartner gewesen.

«Ich habe noch eine Frage, die Sie mir wohl ebenfalls kaum erlauben werden.»

«Ich habe ein Alibi. Ich habe die ganze Nacht neben Jessica im Bett gelegen.»

«Das habe ich gar nicht fragen wollen», antwortete Angela, die sich zugleich dachte, dass dieses Alibi nicht viel wert wäre, falls Liebende im echten Leben doch gemeinsam töteten.

«Was wollen Sie denn wissen?»

«Wissen Sie, weswegen Charu erpresst worden ist?»

«Ach, keine Ahnung. Bestimmt wegen irgendetwas aus ihrem Stripperleben.»

«Bei den Kunkels gab es aber ebenfalls so einen Brief.»

«Haben Sie deren Sachen also auch durchwühlt?», spottete Merle.

«Ja, das habe ich», gestand Angela. «Dieser Brief ging an Peter Kunkel.»

«Ah ja?»

«Und er stammte von Galka.»

«Von Galka? Glauben Sie etwa, dass die beiden ihn umgebracht haben?»

«Sie hatte immerhin hinter dem Rücken Ihres Vaters ein Verhältnis mit Peter Kunkel.»

«Diese Schlampe», sagte Merle verächtlich. Respekt vor der Toten schien sie nicht zu verspüren.

«Sie haben davon nichts gewusst?»

«Dass sie fremdvögelt, habe ich mir schon gedacht, aber dass es Peter war, erstaunt mich dann doch. Glauben Sie, er hat Charu getötet?»

«Warum sollte er?»

Nachdem Pia von Baugenwitz gesagt hatte, dass der sein Bein nachziehende Mann zu so einer Tat nicht fähig sei, hatte Angela über diese Möglichkeit nicht mehr nachgedacht.

«Keine Ahnung, vielleicht haben sie sich zerstritten.»

Ja, vielleicht, dachte Angela, hatte Charu mit Peter telefoniert und zu ihm gesagt: ‹Ich vergesse dich›, und das hatte ihn zornig gemacht. So zornig, dass er sie tötete? Dagegen sprach jedoch eins: «Er wirkte am Tatort sehr erschüttert.»

«Könnte Tarnung gewesen sein. Als Mörder würde ich auch nicht gerade vor allen freudig den *Macarena* tanzen», sagte Merle.

«Sie glauben wirklich, dass Peter Kunkel zu so etwas fähig wäre?»

«Er ist ein Satanist!»

Das war ein Punkt.

«Können Sie mich jetzt bitte in Ruhe lassen?»

«Selbstverständlich.»

«Danke.»

«Nur eins noch.»

«Meine Güte, Sie sind wie ein Bluthund.»

«Was ist mit Peter Kunkels Bein geschehen?»

«Ein Autounfall, als er dreizehn war.»

«Was für ein Unfall?»

«Fragen Sie doch den, der ihn verursacht hat.»

«Und wer war das?»

«Sein Vater.»

38

Mike konnte Maries Schweigen kaum mehr ertragen. Seit einer Stunde tapezierte er das Kinderzimmer. Der kleine Adrian Ángel schlief nebenan in seiner Wiege, und Marie hatte bislang kein einziges Wort mit ihm geredet. Sie saß die ganze Zeit auf dem gemütlichen, abgewetzten Sofa, das sie aus ihrer alten Wohnung ins Schloss mitgebracht hatte, und schaute einfach nicht von ihrem Handy auf. Es war das erste Mal in seinem Leben, dass Mike eifersüchtig auf *Instagram* war.

Angespannt rollte er eine neue Bahn auf dem Tapeziertisch aus. Marie hatte zwei verschiedene Muster gekauft. Eins mit kleinen Autos, eins mit pinken Einhörnern. Sie wollte nicht, so hatte sie Mike gestern noch erklärt, dass ihr Sohn nur seine männlichen Eigenschaften entdeckte. Mike war das eindeutig zu neumodisch, worauf Marie ihn freundlich lachend aufgefordert hatte, er solle doch selbst mal seine weiblichen Seiten entdecken. So etwas hatte Mike noch von keiner Frau gehört. Ja, Marie war so anders als alle anderen. So bezaubernd. Aber auch so verdammt verwirrend.

Und noch nie war Marie so verwirrend gewesen wie jetzt. Ihm war zwar schon klar, dass sie ihm seinen Hypnoseblick auf Charus Hinterteil übel nahm. Doch was genau sie verärgert hatte, verstand Mike nicht. Im Grunde gab es zwei Interpretationsmöglichkeiten, eine schmeichelhafte und eine weniger schmeichelhafte. Die schmeichelhafte lautete: Marie war eifersüchtig. Die weniger schmeichelhafte: Marie hielt ihn für einen Primitivling, der Frauen willenlos auf den Hintern gaffte. Nur: Welche von den beiden Möglichkeiten entsprach der Wahrheit?

Bei seinem Glück die zweite. Und dennoch hoffte Mike, dass Marie ein klein wenig eifersüchtig war. Bei dieser Vorstellung lächelte er in ihre Richtung. Marie blickte zwar genau in diesem Moment von ihrem Handy auf, doch sie erwiderte sein Lächeln nicht. Stattdessen konzentrierte sie sich wieder auf den kleinen Bildschirm, als ob es dort einen unglaublich interessanten *Instagram*-Post zu lesen gäbe, von dem der Fortbestand der menschlichen Gattung abhing.

Mike kleisterte die Tapetenbahn ein und besann sich auf etwas, das seine Chefin ihm einmal gesagt hatte, als er lange Zeit nicht zum Wäschewaschen gekommen war und plötzlich nur noch seine alten *Bambi*-Boxershorts zur Auswahl standen: Probleme kann man nur so lange ignorieren, bis man sie nicht mehr ignorieren kann.

Das galt auch hier. Er musste die Angelegenheit ansprechen. Sofort! Auch nur eine weitere Minute des Schweigens könnte er nicht mehr ertragen. Mike legte die Kleisterbürste beiseite und fragte geradeheraus: «Bist du sauer, weil ich Charu auf den Hintern geglotzt habe?»

Marie blickte von ihrem Handy auf. Immerhin ein Teilerfolg. Doch dann antwortete sie: «Warum sollte ich deswegen sauer sein?»

War das nicht nur eine Gegen-, sondern auch eine Fangfrage?

«Du bist wirklich nicht böse?»

«Du kannst auf jeden Hintern der Welt glotzen. Ich urteile nicht.»

Sie urteilte. Und wie sie urteilte. Aber weiterhin war Mike nicht klar, warum genau sie es tat. Hielt sie ihn nun für einen Primitivling, oder war sie doch eifersüchtig?

«Wenn du auf knochige Hintern stehst, ist das deine Sache. Ich habe nicht so einen.»

Eifersüchtig. Ganz klar, sie war eifersüchtig. Und das bedeutete: Sie empfand etwas für ihn. Beinahe hätte Mike sie vor Freude umarmt. Aber das wäre in der Situation ein bisschen komisch gewesen, denn Marie war immer noch sauer auf ihn. Wie könnte er dafür sorgen, dass sich ihre Laune besserte? Nun, ganz einfach mit einem Kompliment. Ja, genau, er würde ihr ein Kompliment machen!

Was Mike in diesem Augenblick vergaß, war die Tatsache, dass er beim Flirten in etwa so talentiert war wie ein Albatros beim Landen.

«Du hast einen viel attraktiveren …» Mitten im Satz brach Mike ab, denn ihm wurde schlagartig bewusst, dass es völlig unangemessen war, diesen Satz mit dem Wort Hintern zu beenden. Er sollte lieber Maries Augen loben, die so wunderbar leuchteten, wenn sie lachten. Ihre tolle Ausstrahlung. Ihre herzerfrischende und direkte Art. Sie aber auf ihren Hintern, so wunderbar Mike ihn auch fand, zu reduzieren, war nicht in Ordnung.

«Ich habe was?», grinste Marie, jedoch nicht böse, sondern offensichtlich auf freundliche Weise amüsiert davon, wie Mike mit offenem Munde dastand und um Worte rang.

«H, H, H…», stammelte Mike den Beginn des Wortes, das er aus Anstand nicht aussprechen wollte.

«H, H, H…?», lachte Marie freundlich.

«H…» Mike hatte sich das letzte Mal im Las-Vegas-Stripclub so hilflos gefühlt.

«Alles gut», lächelte Marie, «du hast auch einen tollen H, H, H.»

Mike hätte nun eigentlich erleichtert sein müssen, dass sie ihm mit diesem Kompliment eine Art Friedensangebot machte, doch er wurde puterrot. Fast wäre er erleichtert gewesen, dass in diesem Moment Frau Merkel mit Putin das Zimmer betrat, hätte sie nicht so extrem angespannt ausgesehen.

«Du kommst genau richtig», begrüßte Marie ihre Freundin, «Mike und ich machen uns gerade Komplimente über unsere Hintern.»

Nun wirkte Frau Merkel nicht mehr nur angespannt, sondern zudem noch irritiert. Und Mike betete, dass sie nicht näher auf das Thema einging.

«Findest du nicht auch, dass Mike einen sensationellen Po hat?», fragte Marie mit ihrer direkten Art, die, wie Mike nun fand, doch nicht immer nur erfrischend, sondern auch furchteinflößend war. Stünde nicht gerade eine Ex-Kanzlerin vor ihm, hätte er sich über das Kompliment bestimmt gefreut. Zwei Menschen, die sich anscheinend gegenseitig attraktiv fanden, würden auch zueinanderfinden können, und um das zu beschleunigen, könnte er nun doch endlich einen Filmabend mit seinem Lieblingsfilm *Bodyguard* vorschlagen. Aber es stand nun mal eine Ex-Kanzlerin vor ihm, und so betete Mike noch mehr, dass sein Hintern nicht Bestandteil der weiteren Konversation sein würde.

«Ich muss mit euch über den Fall sprechen», erklärte sie und setzte sich auf das Sofa, während Putin sich vor ihre Füße legte.

«Was gibt es denn?», fragte Marie.

«Ich werde zu Kurt Kunkel gehen unter dem Vorwand, dass ich mich entschuldigen will, weil ich ihn gestern zum Tee versetzt habe.»

«Du warst mit ihm verabredet?» Nicht nur Marie war verblüfft, sondern auch Mike.

«Na ja, er hatte mich eingeladen. Aber ich bin nicht hingegangen wegen Achim.»

«Und warum willst du jetzt zu ihm?», fragte Marie.

«Er hat offenbar den Unfall verursacht, der für die Beinverletzung seines Sohnes verantwortlich ist.»

«Und was hat das mit dem Fall zu tun?»

«Ich weiß es noch nicht», seufzte Frau Merkel.

«Von wem hast du das mit dem Unfall?»

«Von Merle Borscht.»

«Die ist doch selbst», beteiligte sich Mike nun auch an dem Gespräch, «eine Verdächtige, zusammen mit ihrer Freundin.»

«Ex-Freundin», korrigierte Frau Merkel.

«Die beiden sind kein Paar mehr?»

«Nein. Und ich glaube auch nicht, dass es sich bei den beiden um die Mörder handelt.»

«Warum nicht?»

«Eine junge Liebende wie Jessica ist in den Krimis immer unschuldig.»

Mike fand dieses Argument nicht besonders stichhaltig. Überzeugender war hingegen, dass seine Chefin davon überzeugt war. Wenn er etwas in Klein-Freudenstadt gelernt hatte, dann war es, auf Frau Merkels Instinkte zu vertrauen.

«Hmm», fragte nun Marie. «Aber warum lenkt Merle Borscht dann den Verdacht auf den Vater ihrer Ex?»

«Dass der Unfall was mit dem Ganzen zu tun hat, hat nicht sie mir gesagt.»

«Also willst du dich einfach nur mit deinem Bestatter zum Tee treffen und nutzt die Ermittlung als Ausrede», grinste Marie, und Frau Merkel wirkte irgendwie ertappt. Nach einer Weile seufzte sie: «Zugegeben. Ich will auch hin, um ihn mir endgültig aus dem Kopf zu schlagen.»

«Berühmte letzte Worte», rutschte Mike sein Lieblingssatz heraus.

Beide Frauen blickten ihn an. Mike hätte jetzt gerne die Pan-Tau-Melone aus der Lieblingsserie seiner Kindheit gehabt, mit deren Hilfe man sich ganz klein machen konnte. Wirklich blöd, dass so eine Melone nicht zur Standardausrüstung eines Personenschützers gehörte.

«Was hältst du davon», fragte Marie, «wenn Mike und ich mal herausfinden, was es mit der Fackel auf sich hatte?»

«Mit der Fackel?», fragte Frau Merkel.

«Nun, jemand hatte sie mit einem Sprengsatz versehen. Das ist doch klar. Egal, ob die Satanisten und die Polizei denken, dass es ein Unfall war. Mike und ich haben gesehen, dass in dem Gebäude, in dem sich das Poledance-Studio von Charu befindet, auch eine Sprengstofffirma sitzt.»

«*Sprengstoff Peng*», erinnerte sich Mike nun wieder.

«*Sprengstoff Pionier*», korrigierte Marie lächelnd.

«Du hast ja wirklich», schmunzelte Frau Merkel, «das Zeug zu einer Co-Detektivin.»

«Ich bin nicht nur Mama», grinste Marie und warf Mike einen Blick zu, der ihm – wenn er es denn richtig deutete – signalisieren sollte, dass sie auch eine Frau war. Ja, er würde ihr heute Abend definitiv *Bodyguard* zeigen!

«Und, Angela, gehst du jetzt direkt zu dem Bestatter?», fragte Marie.

«Nein, ich muss vorher noch woandershin.»

«Zu deinem Mann, um ihm zu sagen, dass du mit einem anderen ein Date hast?»

Frau Merkel wirkte ertappt, wie noch nie in ihrer Zeit als Politikerin, dachte Mike.

«Du bist noch gar nicht auf den Gedanken gekommen, es ihm zu sagen?», staunte Marie.

Frau Merkel sah noch ertappter aus.

«Upps», sprach Marie aus, was auch Mike dachte.

«Er wird es schon verstehen, wenn ich es ihm erst nachher sage», versuchte Frau Merkel abzuwiegeln.

«Berühmte letzte ...», begann Mike. Doch noch bevor er den Spruch beenden konnte, sahen ihn beide Frauen mit zusammengekniffenen Augen an. Verdammt, nie war eine magische Melone zur Hand, wenn man sie mal brauchte!

«Wo», fragte Marie ihre Freundin, «willst du denn vorher hin?»

«Zu Silvio.»

«Silvio, dem Friseur?», staunte Mike.

«Ich will ihm Fragen zu Charu Benisha stellen. Merle Borscht hat erzählt, dass der Erpresserbrief an sie adressiert war.»

«Dann kann», kombinierte Marie, «Charu ja doch nicht in die Luft gesprengt worden sein, weil sie selbst jemanden erpresst hatte.»

«Genau. Und da sie früher bei Silvio gearbeitet hat, kann er mir vielleicht noch weitere Hinweise geben, zum Beispiel zu ihrem Verhältnis mit Peter Kunkel.»

«Und du kannst dich», grinste Marie, «ganz nebenbei auch für dein Date hübsch machen.»

«Auf den Gedanken bin ich ebenfalls noch gar nicht gekommen», antwortete Frau Merkel wenig glaubhaft. Marie ging auf sie zu, gab ihr ein Küsschen auf die Nase und sagte: «Du bist nicht mehr in der Politik. Du musst deine Freunde nicht anlügen.»

Frau Merkel lächelte zart. Marie hatte ihr Herz erobert. Wie jenes von Mike, nur auf andere Weise. Diese Frau war nun mal auf ihre Art genauso einzigartig wie die Ex-Kanzlerin. Doch Mikes Vorfreude auf den *Bodyguard*-Filmabend mit Marie wurde von einem anderen Gedanken getrübt: Er war in seinem Leben so oft von seiner Ex-Frau betrogen worden, dass er sich nun mit Frau Merkels Ehemann solidarisch fühlte. Und er fragte sich, ob es nicht der Anstand gebot, ihn zu warnen, dass es einen Nebenbuhler gab.

39

Auf ihrem Weg zum Friseur ging Angela über den Marktplatz von Klein-Freudenstadt, der in der nachmittäglichen Sommerhitze vor sich hin backte. Mops Putin, der sein Frauchen mit einem ‹Schon wieder los bei dieser Hitze›-Blick bedacht hatte, durfte bei Marie und Mike im kühlen Schloss bleiben.

Die weißen Pflastersteine des Platzes blendeten in der Sonne. Von dem Käsestand wehte es streng-würzig hinüber, ein Geruch, der wohl nur Putin gefallen hätte, der aus irgendwelchen Gründen sogar noch mehr auf Stinkekäse stand als Nicolas Sarkozy. Kein Wunder, dass die wenigen Touristen, die sich in den beschaulichen Ort verirrten, den Marktplatz an heißen Tagen mieden. Um der Obstverkäuferin nicht zu begegnen, schlug Angela einen großen Bogen um die Marktstände. Als sie das Café passierte, entdeckte sie in dessen Außengastronomie (eines dieser Worte, die Angela in den letzten beiden Jahren ihrer von Corona überschatteten Amtszeit überproportional häufig benutzt hatte) Jessica Kunkel. Die zierliche Frau trug diesmal eine orange Latzhose, aber immer noch ihre rote Lederjacke. Sie hatte einen Platz im Schatten ergattert, ignorierte den Kaffee vor sich und schrieb konzentriert in ihren Notizblock. Eine Trauerrede? Etwa für Charu Benisha? Oder den Gärtner? Für beide standen allerdings noch keine Bestattungstermine fest. Vielleicht verarbeitete sie auch gerade die Trennung von Merle Borscht?

«Merle hatte recht», sagte Jessica mit einem Mal, ohne von ihrem Block aufzuschauen.

Angela war für einen kurzen Moment irritiert. Sprach die junge Frau mit jemandem am Telefon, hatte sie diese kleinen weißen Dinger im Ohr, die Marie auch immer trug?

«Ja, ich meine Sie», drehte sich Jessica zu Angela, die sich augenblicklich ertappt fühlte. Offensichtlich hatten mittlerweile so einige Menschen in Klein-Freudenstadt den Eindruck gewonnen, dass sie eine neugierige Person war, die sich in anderer Leute Angelegenheiten mischte.

«Was wollen Sie von mir wissen, Frau Merkel?» Die junge Frau deutete einladend auf den anderen Stuhl am Tisch. «Ich gebe Ihnen auch einen Cappuccino aus.»

«Nicht nötig, ich zahle selbst», erklärte Angela, die nach über zwei Jahrzehnten als Ministerin und Kanzlerin die Compliance-Regeln so verinnerlicht hatte, dass sie immer noch reflexhaft ablehnte, wenn jemand ihre Rechnung übernehmen wollte. Sie setzte sich zu der zierlichen Frau, die sich im Gegensatz zu Merle Borscht nicht von Angelas Neugier angegriffen fühlte, sondern einfach nur niedergeschlagen zu sein schien. Gewiss von der Trennung. Und vielleicht auch von den tödlichen Ereignissen der letzten Tage?

Angela erkannte in der Verletzlichkeit der jungen Frau mit dem Bobhaarschnitt eine Gelegenheit, Informationen zu sammeln. Der Gedanke, dass dies unanständig sein könnte, kam ihr dabei zwar durchaus in den Sinn, doch sie hatte in all den Jahren in der Regierung ebenfalls verinnerlicht, die Schwächen anderer auszunutzen. Anfangs war sie sogar stolz darauf gewesen, wie gut ihr dies gelang. Doch Achim hatte sie ermahnt, dass man dieses neu gefundene Talent nur gezielt für die gute Sache verwenden dürfe. Mit großer Kraft gehe nun mal große Verantwortung einher. Als Angela ihren Mann gefragt hatte, ob er das von einem römischen oder einem griechischen Philosophen habe, erklärte der, dass er als kleiner Junge bei einem Verwandtenbesuch in Westdeutschland ein *Spider-Man*-Heftchen seines Cousins gelesen habe, in dem das gestanden habe. Große Philosophie konnte man eben nicht nur bei großen Philosophen entdecken.

Zuerst hatte sie sich über Achims moralischen Appell aufgeregt. Er hatte doch keine Ahnung, wie es in ihrem Beruf zuging. Wie konnte er glauben zu wissen, was notwendig war und was nicht? Doch schnell begriff Angela, dass er sich um ihr Seelenheil sorgte, und bemühte sich, seinen Rat zu beherzigen. Und nicht zuletzt deshalb wurde aus ihr eine halbwegs anständige Regierungschefin. Dank Achim. Hinter jeder Kanzlerin steht nun mal ein starker Mann.

«Warum lächeln Sie?», fragte Jessica irritiert.

«Ich musste gerade an meinen Ehemann denken.»

«So wie Sie gerade geschaut haben, müssen Sie ihn sehr lieben.»

Sehr lieben. Ja, das tat Angela. Dafür, wie Achim war. Viel mehr noch dafür, wie er zu ihr war.

Und wie dankte sie es ihm? Indem sie zu Aramis ging!

«Warum runzeln Sie jetzt die Stirn?»

Angela stutzte. Seit sie in Klein-Freudenstadt lebte, konnte offenbar jeder Mensch in ihrem Gesicht lesen wie in einem offenen Buch. Anstatt auf Jessicas Frage zu antworten, versuchte sie es mit einer Gegenfrage: «Lieben Sie Merle nicht mehr?»

Die zierliche Frau blickte sie schmerzerfüllt an.

«Sie lieben sie also doch noch?», kombinierte Angela.

Jessica sah noch schmerzerfüllter aus.

«Warum haben Sie sich dann von ihr getrennt?»

Nun rang die junge Frau mit den Tränen, und Angela fühlte sich mies. Mordermittlung hin oder her, sie wollte Jessica nicht zum Weinen bringen.

«Darf ich Ihnen etwas bringen?», fragte ein älterer rundlicher Kellner. Er lächelte wie ein Mensch, der mit sich im Reinen war, so wie ihr

Achim ebenfalls mit sich im Reinen war. Wieder eine Qualität ihres Ehemannes, die Aramis niemals haben würde. Der Bestatter wirkte immer traurig, belastet vom Schicksal seiner Familie, vermutlich auch von Schuldgefühlen, die ihn wegen des ominösen Unfalls plagten, bei dem sein Sohn sich die Gehbehinderung zugezogen hatte?

Nicht durch die Schuld der Sterne, lieber Brutus, durch eigne Schuld nur sind wir Schwächlinge.

Dieses Shakespeare-Zitat hatte Aramis ihr gegenüber erwähnt und damit erklärt, wie sehr er die Stücke des Barden – oder vielmehr der Bardin Emilia Bassano – schätzte. Eben weil sie sich mit Fragen der Schuld beschäftigten. Durch diese Linse konnte nur ein Mann die Werke betrachten, der selbst tiefe Schuld empfand. Es wurde Zeit, endlich mehr über diesen Unfall herauszubekommen. Angela bestellte einen Cappuccino, und als der Kellner gegangen war, fragte sie Jessica: «Darf ich Sie etwas Privates fragen?»

«Das machen Sie doch schon die ganze Zeit», erwiderte die Trauerrednerin.

«Nun …» Angela zögerte.

«Sorry, aber ich bin total fertig. Entweder fragen Sie, oder Sie fragen nicht, aber dann lassen Sie mich bitte weiterschreiben. Ich brauche das, um klarzukommen.»

«Ihr Bruder und Ihr Vater», rang Angela sich durch, «hatten einen Unfall?»

«Ja, vor zwanzig Jahren.»

«Vor zwanzig …» Angela begriff, was diese Zahl bedeutete.

«Ja.»

Die beiden Frauen schwiegen. Es dauerte eine Weile, bis Angela wagte weiterzusprechen. Leise und voller Empathie fragte sie: «Ihre Mutter …»

«Ja …», kam es kaum hörbar zurück.

Aramis trug also eine noch viel größere Schuld in sich als gedacht.

Er hatte einen Unfall verursacht, bei dem nicht nur sein Sohn schwer verletzt wurde, sondern auch die geliebte Ehefrau verstarb. Der arme Mann. Wie konnte er dieses Schicksal nur ertragen?

Jessica Kunkel wischte sich die Tränen mit dem Ärmel ihrer roten Jacke ab. Dabei rutschte er ein wenig hoch, und Angela sah die Narben an Jessicas Handgelenk. Sechs, sieben kleine und eine große. ‹Ritzerin› – so hatte die Landwirtin die junge Frau genannt. Jessica Kunkel war jedoch mehr als das. Sie war eine Frau, die versucht hatte, sich das Leben zu nehmen.

«Mein Beileid wegen Ihrer Mutter», sagte Angela voller Mitgefühl.

«Es ist schon in Ordnung.»

«In Ordnung?», fragte Angela verblüfft.

«Ich war noch ganz klein. Ich habe meine Mutter gar nicht gekannt. Nur Fotos und die Statue, die mein Vater von ihr gemacht hat.»

«Sie hatten deswegen wirklich keinen Kummer?» Angela fiel das angesichts der Narben schwer zu glauben.

«Nein», sagte Jessica und nahm das kleine Kännchen in die Hand, um Milch in ihren Kaffee zu schütten. Dabei bemerkte sie Angelas Blick und gestand: «Jedenfalls nicht wegen meiner Mama. Aber ich hatte welchen, weil ich in einer irren Familie aufwuchs. Mit einem Vater, der als Alleinerziehender überfordert war und der so sehr trauerte, dass er mich nachträglich mit Zweitnamen nach meiner verstorbenen Mutter benannte. Er hatte immer sie vor Augen, wenn er mich sah.»

Angela kam wieder das Bild in den Sinn, wie Aramis das kleine Baby Jessica in den Armen hielt.

«Mein Bruder stellte nach dem Unfall nur Irrsinn an, um sein Hinkebein zu kompensieren. Das tut er bis heute. Mein Vater kam damit nie klar. Und ich war mittendrin. Von allen ignoriert. Vergessen. Weil jeder der beiden mit sich selbst beschäftigt war.»

«Ich wollte nicht auf Ihre Narben starren», entschuldigte sich Angela.

«Schon in Ordnung. Ich bin drüber weg.» Jessica stellte das Kännchen wieder ab.

«Ja?»

«Wäre nach all den Jahren der Therapie auch schade, wenn nicht.»

«Sie waren in Behandlung?»

«Erst habe ich als Teenagerin Psychopharmaka bekommen. Morgens blaue, mittags rote und abends weiße.»

«Das half nicht?»

«Nein. Die haben mich nur komplett sediert. Gerettet hat mich am Ende *Therapeutisches Schreiben.*» Jessica tippte auf ihren Block. «Das hatte mir meine neue Psychologin letztes Jahr vorgeschlagen.»

Angela hatte also vermutlich richtiggelegen: Jessica schrieb sich gerade die Trauer über die Trennung von Merle von der Seele. Wenn doch nur mehr Menschen mit ihren seelischen Problemen so umgehen würden wie diese tapfere junge Frau. Die Welt wäre ein besserer Ort, wenn der ein oder andere Autokrat in jungen Jahren auf den richtigen Therapeuten oder die richtige Therapeutin getroffen wäre.

«Ich nehme nur noch abends zum Einschlafen eine weiße Pille. Aber eine viel schwächere als früher. Jetzt wach ich auch nicht mehr von Panikattacken auf, sondern höchstens von Uhus.»

«Haben Sie mit dem Schreiben auch verarbeitet, dass Ihr Vater und der von Merle die gleiche Frau liebten und sich deswegen anfeindeten?»

«Für Merle war es viel härter. Ihre Mutter hat deswegen die Familie verlassen, als sie klein war. Und das hat sie nie verwunden. Weil ihre Mutter nicht mehr da war, hat Merle auch ihren Vater so vergöttert. Hat alles gemacht wie er. Ging in die Armee wie er und machte anschließend die Ausbildung zum Bestatter. Und in einem Jahr wird sie alles von ihm übernehmen. Sie ist ein echtes Papakind.»

«Ich hatte aber den Eindruck, dass Merle die Dinge dann anders machen will als ihr Vater.»

«Darauf habe ich sie gebracht», lächelte Jessica wehmütig. «Wir wollten die beiden Institute zusammenlegen.»

«Merle hatte mir erzählt, sie wolle das Unternehmen vor allem profitabler machen.»

«Ja», lachte Jessica auf, «was mir vorschwebt, ist besser für die Trauernden. Und was besser für die Trauernden ist, wird am Ende auch profitabler sein. Das Discount-Geschäft ihres Vaters funktioniert über Menge, hat aber nur geringe Margen. Die Konten bei den Borschts sehen auch nicht viel besser aus als bei uns.»

«Und jetzt wollen Sie und Merle nicht mehr zusammenarbeiten?»

«Ich kann nicht mehr mit ihr zusammen sein.»

«Warum nicht?»

«Weil sie mich immer noch wie ein rohes Ei behandelt. Sie versteht nicht, dass die hier», Jessica zog ihren Ärmel hoch und zeigte auf die Narben, «zu meiner Vergangenheit gehören. Ich bin nicht mehr das selbstzerstörerische junge Ding, das schnell zusammenklappt und das beschützt werden muss. Ich bin stabil. Sie muss sich nicht mehr um mich sorgen. Sie kannte meine Pillen besser als ich. Merle war es auch gewesen, die gesagt hat, ich müsste mit den Pillen aufhören und einen anderen Ansatz versuchen. Wegen ihr habe ich die Therapie gewechselt. Das mit dem *Therapeutischen Schreiben* habe ich also eigentlich ihr zu verdanken …» Die Stimme stockte.

«Dann haben Sie die Beziehung beendet, weil Merle Ihre Entwicklung nicht versteht?»

«Ja, vorgestern Abend», antwortete Jessica.

«Aber Sie sind dennoch die Nacht bei ihr geblieben?», staunte Angela.

«Ja, nachdem ich mich ausgeheult hatte, sind wir eingeschlafen», bestätigte Jessica das Alibi von Merle Borscht und hatte somit zugleich ihr eigenes. Angela wollte ihr Glauben schenken. Eine junge Liebende wie Jessica war in den Krimis immer unschuldig.

Warum hielt sie an diesen Gedanken so fest? Seit wann war sie so romantisch? Seit sie Agatha-Christie-Romane zur Recherche las? Wohl kaum. Jessica hatte nun mal die blauen Augen ihres Vaters Aramis.

Angela seufzte.

Da kam der rundliche Kellner, servierte ihr den Cappuccino, und Jessica fragte: «Warum kann Merle nicht einsehen, dass ich viel stärker bin, als sie denkt?» Die blauen Augen sahen wieder traurig aus, wenn auch ganz und gar nicht wie bei einer Selbstmordkandidatin. Diese Frau, die sich selbst durch das Schreiben aus ihren dunkelsten Tiefen herausgearbeitet hatte, erschien Angela stärker als viele Menschen, die sich selbst als machtvoll darstellten.

«Warum schafft sie es nicht?» Jessica schüttelte betrübt den Kopf.

Obwohl die Opposition Angela gerne Gefühllosigkeit unterstellt hatte – insbesondere dann, wenn sie nicht deren Meinung war –, berührte sie Jessicas Verzweiflung. Genauso wie der Schmerz ihres Bruders Peter, der wegen des Autounfalls von Kindesbeinen an gehbehindert gewesen war. Vor allem aber berührte sie das Leid von Aramis, das er in sich trug. Eines hatte Angela beim Detektivspiel bisher nicht bedacht: Es ging dabei nicht allein um das Lösen von Rätseln. Es ging auch – und vor allem – um Menschen. Es ging immer und überall um Menschen.

In der Politik war Angela das zwar bewusst gewesen, aber es gab dort immer viele Beamte und Institutionen, die zwischen dem, was sie entschied, und den Bürgern, die es betraf, lagen. Jetzt saß sie allein mit Jessica und ihrer Geschichte an einem Tisch. Kein Mitarbeiter würde es übernehmen, Jessica in ihrem Liebeskummer zu helfen.

Angela stand auf, ging um den Tisch herum und strich ihr sanft über die Schulter. Es wirkte etwas ungelenk, sie hatte keine Übung darin, auf diese Weise Zuneigung und Mitgefühl zu zeigen. Doch da die junge Frau sich das gefallen ließ, hatte Angela offenbar das richtige Maß gefunden. Vielleicht hätte sie als Kanzlerin auch den ein oder anderen leidenden Menschen tröstend in den Arm nehmen sollen.

40

Achim hatte den Gollum-Gartenzwerg neu angemalt und stellte ihn zum Trocknen auf den Terrassentisch. Der Wind wurde ein wenig stärker, wie Achim bemerkte, gewiss würde es in wenigen Stunden ein Gewitter geben. Dazu musste er nicht auf eine Regenradar-App schauen, er konnte das an seinem großen Onkel spüren – Angela mochte es nicht, wenn er seinen Zeh so bezeichnete, und schon gar nicht, wenn er es bei ihrem tat.

Wo war sie eigentlich?

Angela sollte nicht ins Gewitter geraten und nass werden. Sie erkältete sich immer so leicht, und hier in Klein-Freudenstadt genoss sie nicht mehr die medizinische Rundumbetreuung, die ihr als Kanzlerin zuteilgeworden war. Um genau zu sein, wirkte der Landarzt von Klein-Freudenstadt wenig vertrauenswürdig, hatte er doch schon am frühen Nachmittag den ein oder anderen *Kleinen Feigling* intus.

Er könnte seine Frau jetzt natürlich anrufen und fragen, was sie gerade mache, aber das würde zu sehr wie Kontrolle wirken, und wenn er eins nicht wollte, dann war es, seine Frau einzuschränken. Denn dies war, Achims Meinung nach, das Geheimnis einer guten Ehe: sich gegenseitig Freiheit zu gewähren. Und zwei Decken für die Nacht zu haben, damit man dem anderen seine nicht im Schlaf wegzog.

Achim blickte in den Himmel, in dem nun schon die erste Wolke vorbeizog, und fühlte sich allein. Nur ein ganz kleines bisschen. Es wäre kaum der Rede wert gewesen, wenn ihm dieses Gefühl nicht so fremd gewesen wäre. Angela war zwar in ihrer Regierungszeit oft nicht bei ihm gewesen und die meiste Zeit davon auch wesentlich weiter entfernt als jetzt, aber stets hatte er sich mit ihr durch ein unsichtbares Band verbunden gefühlt. Dieses Band war jetzt auch vorhanden, das schon, doch es war eben ein ganz bisschen schwächer. Irgendetwas stimmte nicht mit Angela. War sie von diesen Mordfällen mehr absorbiert als von jenen an dem Ehepaar Baugenwitz? Oder saß der Schock von der gestrigen Nacht auf dem Friedhof so tief bei ihr?

Nein, Angela war schon merkwürdig gewesen, als er von der Wanderung nach Hause gekommen war. Und das nicht etwa wegen irgendwelcher Furunkel, die sie im Übrigen auch gar nicht hatte.

Achim seufzte. Er machte sich Sorgen um seine Frau. Das konnte er gut: sich Sorgen um sie machen. Darin war er fast so ein Großmeister wie im *Scrabble*. Das war nun mal das Dumme: Mit großer Liebe kamen auch große Sorgen.

Achim musste bei diesem Gedanken schmunzeln, er war ja fast so ein großer Philosoph wie Spider-Man. Gedankenverloren streichelte er den frisch gestrichenen Gollum-Gartenzwerg und hatte prompt die giftgrüne Farbe an seiner Hand. Er würde sie mit Terpentin abreiben müssen und dann den Zwerg noch mal bemalen. Aber er wollte beides nicht sofort tun. Dieses merkwürdige Gefühl der Einsamkeit machte ihn traurig. Und er mochte es nicht, traurig zu sein. Wer tat das schon?

Achim erinnerte sich daran, wie er sich selbst als Kind in solchen Momenten getröstet hatte. So zum Beispiel, als er als Zehnjähriger seinem Vater erklärt hatte, er wolle Quantenchemiker werden, und der nur geantwortet hatte: «Keine Ahnung, was das sein soll. Aber du wirst beim Abwasseramt arbeiten wie ich!» Es war das erste Mal gewesen, dass das Band zu seinem geliebten Vater einen ganz kleinen Riss bekam. So einen, wie er ihn nun aus irgendwelchen nicht fassbaren Gründen auch bei seinem Band zu Angela spürte. Als Kind war er, wenn er sich trösten wollte, allein auf den Balkon des Plattenbaus gegangen und hatte sein Lieblingslied gesungen: *Drei Chinesen mit dem Kontrabass.* Wie er es geliebt hatte, dabei die Vokale auszutauschen: *Drö Chönösen möt döm Köntröböss.* Vermutlich hatte die große Freude, die er beim *Scrabble*-Spiel empfand, hier ihren Ursprung.

Selbstverständlich wusste Achim, dass dieses Lied überhaupt nicht politisch korrekt war. Würde er es nun als erwachsener Mann singen und davon ein Video auf diese Plattform einstellen – wie hieß sie noch gleich? *Tic-Tac? Tiki-Taka? Taka-Tuka?* –, ein veritabler Shitstorm würde über ihn hereinbrechen. Und dennoch wollte Achim sich jetzt wie in seiner Kindheit besser fühlen. Also überlegte er sich, die Vokale bei seinem Lieblingslied auszutauschen: *Daydream Believer* von *The Monkees.* Achim schmetterte es ebenso laut wie schief, denn er konnte in etwa so gut singen wie seine Ehefrau: *«Cheer up, sleepy Jean, oh what can it mean to a daydream believer and a homecoming queen.»*

Nach dem ersten Durchgang rief Achim ganz laut: «Und jetzt mit Ö!» Und er sang: *«Chör öp, slööpö Jöön, öh whöt cön öt möön tö ö döydrööm bölöövör önd ö hömcömöng quöön.»*

Achim ließ den Gesang verhallen und dachte, dass es ein wenig wie Sächsisch geklungen hatte. Oder wie Norwegisch. Ob der Dialekt und die Sprache einen gemeinsamen Ursprung besaßen? Er nahm sich vor, dies bei Gelegenheit einen Linguisten zu fragen. Vielleicht bei einem Teller Linguini?

Achim lachte über sein albernes Wortspiel, das die meisten Menschen vermutlich nicht lustig gefunden hätten. Er stellte fest, dass er sich in der Tat schon etwas besser fühlte. So beschloss er, noch eine Strophe zu singen. Er hätte nun ‹Und jetzt mit Ä!› rufen können oder ‹Und jetzt mit Ü!›. Doch Achim war nun mal ein *Scrabble*-Fan (oder wie er sich selber nannte, ein *Scrabble*-Aficionado). Daher rief er laut: «Und jetzt mit F!»

Und er sang: «*Chffr fp, slffpf Jffn, fh whft cfn ft mffn tf f dfydrffm bflfver fnd f hfmfcfmfng qffn.*»

Als er damit fertig war, musste er so lachen, dass er sich am liebsten auf dem Boden gerollt hätte wie Putin in totem Fisch, wenn er einen fand. Beim letzten Fisch-Vorfall hatten sie Tage gebraucht, bis der Gestank aus dem Fell heraus war. Kein Geheimrezept hatte geholfen. Im Gegenteil, der Tipp, den Mops mit Essig und Roquefortkäse einzureiben, hatte sich als kontraproduktiv erwiesen und lediglich dazu geführt, dass das Haus nach totem Fischkäse in Essig stank.

Hach, wie gerne hätte Achim nun Angela bei sich gehabt. Sie fand seinen Humor zwar nicht immer lustig, aber diesmal hätte sie gewiss mitgelacht. Vielleicht hätten sie sich sogar beide vor Lachen ins Gras gelegt, wie früher als jung verliebte Wissenschaftler.

Wo steckte sie bloß?

Achims Laune trübte sich wieder, und so beschloss er, das Lied noch lauter zu schmettern. Und ja, er hätte sich jetzt einen anderen Konsonanten ausdenken können: ‹Und jetzt mit P!› oder ‹Und jetzt mit M!› Aber Achim war nun mal ein Mann, der sich gerne Herausforderungen stellte, sonst hätte er sich kaum Angela als Lebenspartnerin ausgesucht. So rief er: «Und jetzt mit Semikolon!»

Und er sang: «*Chsemikolonr semikolonp, slsemikolonpy Jsemikolonn, semikolonh …*»

Dann brach er ab.

Kein auch noch so alberner Gesang konnte ihm das merkwürdige Gefühl nehmen, das sich seiner bemächtigt hatte. Kein «Und jetzt mit Gedankenstrich!» und auch kein «Und jetzt mit Hashtag!». Genauso wenig wie ihm damals die ‹*Dra Chanasen mat dam Kantrabass*› die Traurigkeit hatten nehmen können, als sein Vater ihm kurz vor seinem Tod gesagt hatte: «Ich verstehe nicht, dass du dieses Quantendingsbums studierst. Du könntest ein viel besseres Leben in der Abwasserbehörde haben.»

Achim seufzte, blickte auf seine mit giftgrüner Farbe befleckte Hand und stellte fest, dass es nicht reichte, sich abzulenken. Er musste herausfinden, was nicht stimmte. Doch wenn er Angela direkt darauf ansprechen würde, wich sie garantiert aus. Sollte er ihr etwa hinterherspionieren? Aber was sollte er sagen, wenn sie ihn dabei entdecken würde? Er war ja kein James Bond. Obwohl: Der Agent wurde beim Beschatten von Feinden des Empires auch mit schöner Regelmäßigkeit entdeckt und dann in einen Kampf verwickelt. Komisch, dass die beim MI5 ihre Spione im Fach Observieren nicht besser ausbildeten.

Einen Kampf, wenn auch einen verbalen, wollte Achim nicht mit Angela führen. Nicht nur, weil er ihn vermutlich verlieren würde, sondern weil es ein weiteres Geheimnis ihrer guten Ehe war, Konflikte nicht bis zum bitteren Ende auszufechten. Um genau zu sein, saßen die beiden die wenigen Konflikte, die sie hatten, eher schweigend aus, meist erledigten sie sich schnell von allein. So zum Beispiel, als Achim seiner Frau zum Rentenbeginn einen Hund schenken wollte. Anfangs hatte Angela ihm noch in aller Deutlichkeit zu verstehen gegeben, dass sie auf gar keinen Fall ein Haustier haben wollte. Aber als Achim ihr dann an Heiligabend den jungen Mops entgegenhielt, liebte sie ihren ‹kleinen Hasemasen› über alles. Selbst nach dessen Fischwälzaktion hatte sie zu Putin gesagt: «Du bist mein Bester, mein kleiner Fischi-Hasemase. Willst du noch ein kleines Stückchen Roquefortkäse?» Achim hatte sich dabei ausgemalt, wie wohl der echte Putin auf diese Ansprache reagiert hätte.

Vielleicht sollte er einfach, wenn sie wieder da war, einen schönen Abend mit seiner Frau verbringen und das Ganze gar nicht erst ansprechen? Zusammen eine Oper ansehen, das mochten sie doch beide. Oder nein, vielleicht mal etwas ganz, ganz Wildes machen. So wie früher. Aber nicht Nacktbaden im Dumpfsee. Das wäre vielleicht doch etwas zu jugendlich gewesen. Aber einen klassischen Musicalfilm schauen, das wäre doch wunderbar. Einen Film mit Gene Kelly zum Beispiel, *Singin' in the Rain* oder *Brigadoon*. Oder mit Fred Astaire. Sie beide liebten doch den Film *Funny Face*. Achim hatte beim ersten Anschauen liebevoll zu seiner Angela gesagt: «Der Titel passt auch auf dich.» Und sie hatte lachend geantwortet: «Ich weiß nicht, ob ich das süß finden und dich küssen soll. Oder dir eine Ohrfeige geben.» Und dann hatte sie alles getan. Letzteres natürlich nur im Spaß.

Ja, ein Musical. Das würde das Band zwischen ihnen wieder heil machen. Es gab nun mal nichts auf der Welt, das der Seele so guttat.

Achim beschloss, seine Angela anzurufen, um mit ihr einen Musicalfilm auszuwählen. Was sie wohl zu *Du sollst mein Glücksstern sein* sagen würde? Während er darauf wartete, dass Angela ans Handy ging, stellte er sich vor, wie er dieses Lied mit Ö für seine Angela sang: *‹Dö söölst mön Glöcksstörn söön›*, und wie sie beide lachen würden.

Angela ging nicht ran.

Das war nicht unüblich. Zu Regierungszeiten hatte sie oft so viel zu tun gehabt, und in der kurzen Zeit in Klein-Freudenstadt fand sie des Öfteren das Handy nicht so schnell in ihrer großen *Longchamp*-Tasche, in der es zwischen Tausenden anderen Gegenständen lag. Nicht selten war darunter sogar eins ihrer unzähligen Shakespeare-Bücher, von denen sie Achim so gerne erzählte, obwohl er – wenn er ehrlich war – ihre Ausführungen über den Barden ähnlich uninteressant fand wie jene zur Neustruktur der Bundesfernstraßenverwaltung. Hatte Angela das Handy jedoch endlich aus der Tasche gefischt, rief sie ihn auch schnellstmöglich zurück.

Sie rief nicht zurück.

Irgendetwas stimmte in der Tat nicht. Und es war an der Zeit herauszufinden, um was es sich handelte. Seine Frau direkt zu verfolgen, hatte Achim aus guten Gründen vorhin ausgeschlossen. Aber er konnte auf andere Art Erkundigungen einholen, was bei Angela vor sich ging. Dazu müsste er nur Mike fragen.

41

Angie!», rief Friseur Silvio durch den ganzen Salon. «Angiiiiie!» Der blondierte Mann, der die obersten drei Knöpfe seines weißen Slim-Fit-Hemdes so offen trug, dass man eindeutig zu viel von seinem Brusthaar sah, eilte flotten Schrittes auf Angela zu und rief: «Angie! Deine Haare! Deine Haare! Wie sehen die nur wieder aus! Hach, wie gut, dass du zu mir kommst!»

Silvio war der einzige Mensch auf der gesamten Welt, der Angela von Angesicht zu Angesicht bei dem von ihr nicht geschätzten Spitznamen nannte. Bei ihrem ersten Besuch hatte er sie gefragt: «Darf ich dich Angie nennen?» Und Angela hatte geantwortet: «Nein, dürfen Sie nicht.» Und dabei noch angefügt: «Und ich fände es auch angemessen, wenn Sie mich nicht duzen würden.» Doch Silvio hatte nur gelacht: «Wunderbar. Sei herzlich willkommen, Angie!»

Dieser Mann hörte nur, was er hören wollte. Da war er ganz wie ein Verschwörungstheoretiker. Andere Informationen gingen bei ihm noch nicht einmal in ein Ohr rein und zum anderen wieder heraus. Das wäre ja schön gewesen, denn dann wären die Infos wenigstens für einen kurzen Moment in seinem Hirn gewesen. Es war vielmehr so, als trüge Silvio einen unsichtbaren Schutzschirm um seinen Kopf herum, der zu seinen Ohren nur das durchließ, was ihm genehm war.

«Angie, was hältst du davon, wenn wir mit deinen Haaren mal was Neues machen?», fragte Silvio mit einem Leuchten in den Augen.

«Deswegen bin ich nicht hier», antwortete Angela wahrheitsgemäß. Die sechs Wochen, die sie stets zwischen zwei Friseurbesuchen ließ, waren noch nicht um. Den Abstand zwischen den Terminen zu verringern, hielt Angela für Geldverschwendung. Das Etikett ‹schwäbische Hausfrau›, das man ihr zu Politikerzeiten angeklebt hatte, traf auf Angela, bis auf die Worte ‹schwäbisch› und ‹Hausfrau›, auch privat zu. Und was Neues mit ihren Haaren machen? Da handelte sie ganz nach dem Motto: Never change a winning Frisur! Außerdem war sie in den Salon gekommen, um Silvio wegen Charu Benisha zu befragen, die ja nach ihrer Ankunft in Klein-Freudenstadt für kurze Zeit bei ihm gearbeitet hatte. Es bestand die Möglichkeit, dass die Yogalehrerin und Peter Kunkel die Mörder von Galka waren, sich anschließend gestritten hatten und er sie daraufhin aus enttäuschter Liebe in die Luft sprengte. Der eine Brief hatte auf Peters Schreibtisch gelegen, der andere war – wenn man Merle Borscht Glauben schenken konnte – an Charu adressiert gewesen.

«Ich habe einen ganz neuen Blondton für dich, Angie.»

«Blond?», staunte Angela.

«Ja, das wird dir super stehen!»

Angela war von dem Gedanken überfordert.

«Ich benutze den auch!» Silvio zeigte auf sein dichtes, gegeltes Haar.

Von dem Gedanken war Angela noch überforderter.

«Dein Mann wird staunen!» Silvio legte die Hand auf Angelas Schulter und führte sie zu einem der Stühle am Waschbecken. Dabei roch sie sein Eau de Toilette, das eindeutig zu viel Spuren von Aprikose enthielt. Sie dachte, dass ihr Achim eigentlich nie bemerkte, wenn sie beim Friseur gewesen war. Selbst wenn sie die Haare, wie von Silvio vorgeschlagen, blondieren würde – was natürlich gar nicht infrage kam –, würde ihr Ehemann auf die Frage ‹Fällt dir etwas an meinem Aussehen auf, Puffel?› vermutlich ebenfalls so routiniert wie liebevoll antworten: ‹Du bist so schön wie eh und je.›

«Hach, Angie, alle werden staunen, wie jugendlich du dann wirkst, so *fashionista!*», strahlte Silvio, dem man alles vorwerfen konnte, nur keinen mangelnden Enthusiasmus.

Alle? Zu denen würden Mike und Marie gehören. Und Achim. Und auch … Aramis. Würde sie wirklich jünger auf ihn wirken? Und wäre das vielleicht sogar schön?

Ach, Unfug! Sie würde sich doch nicht für irgendeinen hergelaufenen Bestatter umstylen, selbst wenn er Shakespeare liebte und eine künstlerische Ader besaß und umwerfend aussah. Für niemanden auf der ganzen Welt würde sie das tun! Außer natürlich für die Wähler. Um deren Stimmen zu bekommen, hatte sie einst Style-Berater engagiert.

«Und vor allem: Du wirst dich nicht mehr alt fühlen, Angie!», frohlockte der lockige Silvio, der selbst erklärte neue Style-Berater, und drückte sie dabei in den Stuhl.

Angela fühlte sich doch gar nicht alt! Sondern altersangemessen. Aber wäre es nicht vielleicht doch mal schön, eine neue Frisur auszuprobieren? Nicht weil ein Wahlkampfmanager meinte, man könne damit 0,23–0,27 Prozent an Stimmen mehr bei der Bundestagswahl erreichen, sondern einfach nur für sich selbst?

Vielleicht würde Achim sich doch über eine solche Veränderung freuen und seine Ehefrau in einem ganz neuen Licht sehen. Nicht nur als vertraute Gefährtin in den Jahren der Rente. Und, na ja, womöglich würde sie auch Aramis damit gefallen. Es müsste ja nicht gleich eine Blondierung sein, nur ein etwas abgeänderter Schnitt: «Vielleicht ändern wir einfach nur ein wenig die Frisur.»

«Hach, Angie-Bangie, wie du willst. Aber du musst echt mutiger werden im Leben.»

Mutiger.

Bisher hatte Angela immer gedacht, sie sei vergleichsweise furchtlos.

«Weißt du, was das Beste an deinem neuen Haarschnitt sein wird, Angie-Bangie?»

«Dass Sie mich nicht noch ein einziges Mal Angie-Bangie nennen?»

«Hach, du bist so lustig, Angie-Bangie!»

«Was ist das Beste?», seufzte Angela, die wusste, dass sie für Silvio ab jetzt Angie-Bangie heißen würde.

«Wir können uns dabei die ganze Zeit unterhalten!»

Das war in der Tat nicht das Schlechteste, ging es ihr ja immer noch hauptsächlich um die Ermittlung. So lehnte sich Angela im Stuhl am Haarwaschbecken zurück und wollte nun das Gespräch auf Charu Benisha bringen. Doch da fragte Silvio: «Weißt du was, Angie-Po-Paingie?»

«Angie-Po-Paingie?», staunte Angela indigniert.

«Du hast die schönsten, dichtesten Haare, die ich je gesehen habe.»

Und schon hatte Angela ihren neuen Kosenamen wieder vergessen. Silvio wusste nun mal, wie er den Damen schmeicheln konnte. Der Friseur drehte den Wasserhahn auf, und Angela genoss das warme Nass, das in genau der richtigen Stärke über ihre Haare floss. Ja, dieser Mann besaß bei all seinen Fehlern doch so einige Talente, insbesondere konnte er den Kopf beim Waschen wundervoll massieren.

«Die arme Charu», begann Angela, auch damit sie wegen der magischen Finger nicht anfing zu schnurren.

«Ja, die Süße hatte ein sooooo großes Herz.»

«Hatte sie?», staunte Angela, die Charu nicht als besonders warmherzig in Erinnerung hatte.

«Eine Stripperin mit Herz, ganz wie im Film», schwärmte Silvio, «und das wurde ihr hier in Klein-Freudenstadt gebrochen.»

«Von Peter Kunkel?»

«Nein, von Ralf Borscht.»

«Von ihrem Ehemann?» Das erstaunte Angela sehr.

«Ja, Charu hatte so sehr auf ein neues Leben mit Ralf gehofft. Sie war total verliebt in ihn. Immerhin hatte er sie aus ihrem Stripperleben befreit. Aber das Ganze erwies sich als die Hölle.»

«Warum?»

«Na, zum einen war seine Tochter Merle immer wieder fies zu der armen Charu. Dabei hätte Merle sie ja nicht als neue Mutter akzeptieren müssen, das wäre auch komisch gewesen, Charu war doch jünger gewesen. Aber Merle hat Charu immer nur Nutte genannt. Dabei war Charu doch gar keine Professionelle, sondern nur eine Stripperin. Und Ralf, glaube mir, Angie-Po-Paingie, für den hat Charu anfangs wirklich viel empfunden.»

«Aber sie wurde unglücklich mit ihm?»

«Wie fändest du es denn, wenn du mit einem Mann verheiratet wärst, der immer noch einer alten Liebe hinterhertrauert?»

«Nicht schön», antwortete Angela, der es vermutlich das Herz zerreißen würde, wenn Achim von seiner Ex-Freundin besessen wäre. Erika, die Philosophieprofessorin, die so eifersüchtig gewesen war, dass Othello gegen sie wie ein tiefenentspannter Hippie wirkte. Einmal hatte Erika sogar, obwohl schon seit eineinhalb Jahrzehnten von Achim getrennt, am Fenster ihres Universitätsbüros gestanden und Angela, die auf einem offiziellen Termin zu Besuch war, mit Wasserbomben beworfen.

Auch wegen seiner Erfahrungen mit Erika sagte Achim oft, dass es das Geheimnis einer guten Ehe sei, dem anderen Freiheit zu geben. Ob er dazu wohl auch eine Verabredung mit Aramis zählen würde? Zu der Angela auch noch mit neuer Frisur erscheinen würde?

«Charu wollte aus Klein-Freudenstadt weg», erklärte Silvio.

«Mit Peter Kunkel?»

«Nein, der war nur ein Zeitvertreib für sie.»

Das sprach für die These, dass die beiden sich zerstritten hatten und Peter sie ermordet hatte.

«Gestern hatte mir die Süße noch jubelnd erzählt, dass sie endlich das Geld kriegen würde, um aus Klein-Freudenstadt wegzugehen. Sie wollte sich ein neues Leben aufbauen. In Bamberg.»

«Bamberg?»

«Sie liebte die Geschichten vom Sams. Und die spielen in Bamberg.»

«Es gibt schlechtere Gründe für eine Ortswahl», befand Angela.

«Ja», antwortete Silvio leise. Der Tod von Charu schien ihn tief getroffen zu haben.

«Hat sie gesagt, woher sie das Geld bekommen wollte?»

«Sie würde es von Leuten kriegen, die sich das selbst zuzuschreiben hätten.»

«Wen meinte sie damit?»

«Keine Ahnung. Sie klang dabei aber irgendwie fieser, als ich sie je erlebt habe.»

Charu, kombinierte Angela, hatte anscheinend doch jemanden erpresst, nachdem sie das Tagebuch gefunden hatte. Vermutlich die gleichen Personen, die Gärtner Galka um Geld hatte erleichtern wollen. Dies wiederum sprach dafür, dass die ehemalige Stripperin doch nicht die Adressatin von Galkas Erpresserbrief gewesen war. Hatte Merle Angela also angelogen? Um sie auf eine falsche Fährte zu locken? Oder wusste die Tochter von Ralf Borscht es nicht besser?

«Aber jetzt», Silvios Stimme stockte, «ist … Charu … tot.»

«Ja, das ist schrecklich», sagte Angela in einem sanften Tonfall.

«Sie war so … so … jung.»

Der Friseur hörte auf, den Schaum in die Haare zu massieren. Angela merkte, dass nicht nur Wasser ihre Kopfhaut befeuchtete, sondern auch noch etwas anderes Nasses auf ihr Gesicht tropfte. Silvio weinte. Immer mehr.

Trotz der schäumenden Haare stand Angela auf und betrachtete das Häuflein Elend. Sie konnte nicht anders, als Silvio in die Arme zu nehmen. Ungelenk. Aber dennoch.

«Du bist so lieb, Angie-Po-Paingie», schluchzte der Friseur.

Bei dem Spitznamen hätte Angela die Umarmung am liebsten wieder gelöst, aber sie tat es nicht. Stattdessen sagte sie: «Die Mörder von Charu werden ihre gerechte Strafe schon noch bekommen.»

«Mörder?» Silvio war dermaßen erstaunt, dass er vergaß zu schluchzen.

«Ja, selbstverständlich», antwortete Angela und war froh, loslassen zu können, da der Friseur nicht mehr weinte. Sie nahm sich ein Handtuch, um ihre nassen Haare selbst zu trocknen.

«Das war kein Mord.» Silvio rieb sich die Tränen mit dem Slim-Fit-Ärmel weg. «Das hat Martin mir gesagt.»

«Der Kommissaranwärter?», staunte Angela.

«Ja. Ich habe ihm vorhin die Haare geschnitten. Sein Chef sagt, die Sache sei ganz klar ein Unfall gewesen. Und Martin ist fest davon überzeugt, dass der Chef immer recht hat.»

Angela fragte sich, ob Martin wirklich so dumm war, Hannemann alles zu glauben. Oder ob er selbst etwas zu verbergen hatte, immerhin handelte es sich bei ihm doch um einen Satanisten-Freund von Peter Kunkel.

«Silvio?», fragte sie.

«Ja?»

«Glauben Sie, dass Charu erpresst worden ist?», wollte Angela ganz sichergehen, dass es sich bei ihr nicht doch etwa um die Täterin handelte.

«Wegen was sollte sie denn erpresst worden sein?», staunte der Friseur und führte Angela zu ihrem Platz am Spiegel.

«Wegen ihrer Vergangenheit zum Beispiel.»

«Ach, ganz Klein-Freudenstadt weiß seit Langem davon. Da zerreißt sich keiner mehr das Maul.»

«Dann wegen ihrer Affäre mit Peter Kunkel.»

«Davon wusste auch so gut wie jeder.»

«Auch Ralf Borscht?», fragte Angela, während sie vor dem Spiegel Platz nahm.

«Ich glaube schon.»

«Und war er eifersüchtig?»

«Nein.»

«Warum nicht? Selbst wenn er sie nicht liebte, hätte es doch seinen Stolz verletzen müssen.»

«Charu sagte, Ralf könne gar nicht wütend werden, weil er innerlich gebrochen sei.»

«Gebrochen?»

«Weil er sich für etwas schuldig fühle.»

Wie Aramis, schoss es Angela durch den Kopf.

«Das hat er ihr mal im Suff gestanden.»

«Hat Charu Ihnen gesagt, weswegen genau er sich schuldig fühlte?»

«Nein, das hat er ihr nicht erzählt.»

Angela dachte, dass es an der Zeit war, auch Ralf Borscht mal auf den Zahn zu fühlen.

«Und jetzt, Angie-Po-Paingie, haben wir mal wieder etwas Spaß. Es ist nicht gut, den ganzen Tag Trübsal zu blasen. Wir blasen etwas anderes.»

«Wie bitte?», fragte Angela pikiert.

«Den Föhn!», lachte Silvio, schnappte sich ein schwarzes, riesengroßes Turboding und stellte es an. Es dröhnte lauter als der Regierungsflieger. «Und weißt du was?»

«Was?»

«Jetzt blondieren wir dir doch noch die Haare.»

«Ich habe doch gesagt, dass ich das nicht will», rief Angela über den Lärm. Aber Silvio lachte nur: «Das Ding bläst so laut. Ich versteh dich gar nicht!»

42

Mike stiefelte durch das Gebäude, in dem sich neben Charus Tanzstudio auch die Firma *Sprengstoff Pionier* befand. Begleitet wurde er von Marie, die ihr Baby im Kinderwagen schob, und Mops Putin, von dem er eindringlich hoffte, dass er kein Häufchen machen würde. Solche Hinterlassenschaften mit Kackertütchen aufzuheben, gehörte zu jenen Tätigkeiten, auf die man in der Ausbildung zum Personenschützer nicht vorbereitet wurde. Sein Handy klingelte, und der Name *Chefins Puffel* leuchtete auf. Er beschloss, nicht ranzugehen. Herr Sauer würde wissen wollen, wo sich seine Frau aufhielt, und er müsste ihm dann von der ganzen Chose erzählen. Das würde nicht nur das Leben von Frau Merkel verkomplizieren, sondern auch das seine.

Der kleine Trupp kam an der Tür zum offenen Poledance-Studio vorbei. Mike blickte hinein und erinnerte sich daran, wie Charu an der Stange hinabgeglitten war, nur um festzustellen, dass so ein Gedanke an eine Tote unanständig war.

«Warum verziehst du das Gesicht?», fragte Marie.

«Ich habe an etwas gedacht, an das ich nicht denken sollte», antwortete Mike. Er wollte Marie nicht anlügen, dazu mochte er sie viel zu sehr. Aber es war ihm auch unangenehm, die Wahrheit sagen.

«An ihren Hintern», stellte Marie fest.

«Hmm», gab Mike indirekt zu.

«Das Hirn ist manchmal echt bescheuert», lächelte Marie. Sie schien kein bisschen böse zu sein. Und dann lächelte sie sogar noch mehr: «Ich hätte dich echt gerne mal an der Stange gesehen.»

«Was?» Mike war von dem Themenwechsel gleichermaßen erstaunt wie erfreut.

«Tanz doch mal, das lenkt gut von schlechtem Gewissen ab, das man nicht haben muss.» Marie verurteilte ihn nicht für seinen pietätlosen Gedanken, sondern wollte ihn stattdessen aufmuntern. Was für eine tolle Frau sie doch war!

Mike beschloss, auf den Spaß einzugehen. Er ging ins Studio und zu einer Stange, sprang an ihr hoch und klammerte sich mit Händen und Füßen fest, fast zwei Meter über dem Boden.

«Whao, Magic Mike!», lachte Marie im Türrahmen, während Putin zu der Stange trottete und erstaunt nach oben sah. «Mach uns einen Sexy Dance!»

Sexy Dance?

Mike hing das letzte Mal während der Ausbildung zum Personenschützer an einer Turnstange. Doch der Ausbilder hatte ihm keine *sexy moves* beigebracht. Obwohl potenzielle Attentäter über die bestimmt so erstaunt gewesen wären, dass man sie leichter hätte überwältigen können.

«Komm schon!», lachte Marie.

Mike wollte ihr den Spaß nicht verderben und streckte ein Bein aus. Er schaffte es zwar nicht ganz im rechten Winkel, aber 75 Grad bekam er schon hin.

«Das geht noch besser!», lachte Marie. Mike ahnte selbst, dass er mit dem ausgestreckten Bein in etwa so heiß aussah wie Frank-Walter Steinmeier beim Aerobic. Er dachte erneut an Charu Benisha und sah sie vor seinem geistigen Auge kopfüber mit gespreizten Beinen die Stange hinuntergleiten. Natürlich würde er bei so etwas niemals so elegant aussehen, aber Marie würde staunen, wie gut er in Form war.

Mit einem Ächzen, das den topfitten Eindruck, den Mike vermitteln wollte, ein wenig konterkarierte, kletterte er erst ein Stück nach oben und drehte sich dann einmal, sodass er kopfüber an der Stange hing. Seine Beine oben wickelte er um die Stange, die Hände unten klammerten sich um das Eisen.

«Whao!», staunte Marie.

Mike freute sich sehr darüber.

«Weitermachen, Magic Mike!», feuerte Marie ihn an, und Mike wollte dieser wundervollen Frau den Gefallen gerne tun. Doch unter ihm war Putin, der ihn hechelnd und sabbernd anstarrte. Wenn er jetzt wie Charu mit gespreizten Beinen hinabgleiten würde, käme es zu einer Kollision mit dem Mops.

«Weiter!»

Mike seufzte und hoffte einfach darauf, dass der Mops schon beiseite springen würde, wenn er unten ankam. So spreizte er die Beine ab, mehr als eine halb geöffnete Schere war nicht drin.

«Yeah!», lachte Marie. Und Mike freute sich, dass Marie Spaß hatte, und glitt mit dem Kopf zuerst langsam an der Stange herunter.

Knapp dreißig Zentimeter über dem Boden hielt er inne und starrte Putin, der immerhin einen kleinen Schritt zurückgetreten war, ins Gesicht. Aus seiner Perspektive sah der Mops aus, als würde er kopfstehen. Der Hund hechelte ihm seinen stinkigen Atem ins Gesicht. Leider hatte Mike keine Vorstellung davon, wie er wieder in eine senkrechte Position kommen sollte. Bei Charu hatte dies so einfach ausgesehen, aber bei einem Abgang wie dem ihren würde er sich mit Sicherheit einen Bandscheibenvorfall zuziehen. Das würde den sportlichen Eindruck, den er auf Marie machen wollte, mehr als nur ein wenig dämpfen.

Andererseits konnte er ja nun auch nicht ewig so kopfüber mit gespreizten Beinen und mit einem hechelnden Mops vor Augen knapp über dem Boden an der Stange hängen bleiben. Das Blut schoss ihm auch schon in die Birne.

Meine Güte, in was für blöde Situationen man sich als Mann so brachte, um einer Frau zu gefallen!

«Jetzt bin ich aber gespannt», lachte Marie freundlich.

«Frag mich mal», antwortete Mike keuchend.

«Soll ich helfen?»

Mike wog ab. Es war nicht so sehr die Tatsache, dass es unmännlich wirken würde, wenn sie ihm half, als vielmehr der Umstand, dass sie dafür seine Beine packen müsste. Ihre erste Berührung sollte romantischer und zärtlicher sein als die Hilfestellung bei einer schiefgelaufenen Turnübung.

Während Mike zögerte, entschied Putin für ihn. Der Mops schlabberte ihm einmal über das Gesicht. Mike rief «Bäh!» und verlor die Konzentration. Putin hüpfte reflexhaft zur Seite, und Mike schlug mit dem Kopf voran auf den Boden. Dort schrie er «Ahh!», um sogleich noch größeren Schmerz zu erleiden: Seine Beine knickten etwas unkontrolliert ab, was dazu führte, dass sein Gemächt gegen die Stange schlug. Diesmal rief Mike nicht «Ahh!» oder «Bäh!», sondern «Eijeijei!».

Während er sich schmerzverzerrt auf dem Boden krümmte, blickte Marie ihn mitleidig an. Das hatte er mit seiner Aktion nicht erreichen wollen.

Putin, der anscheinend ahnte, dass er irgendwas falsch gemacht hatte, trippelte wieder zu Mike und schlabberte ihm liebevoll durch das Gesicht. Das machte die Sache nicht wirklich besser. Marie eilte zu der Stange, hockte sich zu Mike, berührte sanft seine Schulter und fragte: «Geht's?»

Mike brachte nur ein «Hmmm» raus, das bejahend klingen sollte. Doch es wirkte wenig überzeugend, nicht zuletzt, weil seine Stimmlage dabei deutlich höher war als üblich.

Marie hob den immer noch schlabbernden Putin hoch und setzte ihn einen Meter entfernt wieder auf dem Boden ab. Für Mike war es bei all dem Schmerz ein kleiner Trost, dass ihm keine feuchte Hundezunge mehr durch das Gesicht fuhr. Am liebsten hätte er sich das Gesicht mit seinem Jackett-Ärmel abgewischt, aber er musste sich noch immer vor Schmerz den Schritt halten. Dankenswerterweise nahm Marie ihren weißen Stoffschal und befreite sein Gesicht vom Sabber.

Mike brachte ein «Danke» heraus. Seine Stimme klang zwar immer noch viel zu hoch, aber es war immerhin schon mal ein Wort. Marie setzte sich ganz auf den Boden und legte seinen brummenden Kopf auf ihren Schoß. Unter anderen Umständen wäre das Mike zu schnell zu nah gewesen, aber er konnte sich nicht wehren. Und es war ja auch wunderbar! Mit all seinem Willen brachte er heraus: «Ich bin wohl doch kein Magic Mike.»

«Nein, eher», lächelte Marie fast schon liebevoll, «ein Tragic Mike.»

Mike musste lachen. Es tat gut. Und weh zwischen den Beinen. Aber viel mehr gut als weh. Er blickte Marie in die Augen. Sie hörte auf zu lachen. Warum tat sie das? Weil sie ihn nun liebevoll anblickte!

Oder bildete er sich das ein? Nein, sie blickte ihn tatsächlich liebevoll an. Und sie streichelte über seine Stirn! Das tat noch besser. Viel, viel besser. Und auf eine ganz andere Art und Weise weh. Denn Mike erinnerte sich an das letzte Mal, als er von einer Frau so angesehen wurde. Die hatte er vom Fleck weg geheiratet. Und als diese Frau fremdging – immer und immer wieder –, hatte es ihn zerrissen. So einen Schmerz wollte er nie wieder erleben. Wenn er jetzt auf Maries liebevollen Blick einging, sie gar küssen würde, wie sie anscheinend wollte, würde er sein über die Jahre mühsam geflicktes Herz, das jetzt vermutlich ähnlich aussah wie jenes von Frankenstein zusammengenähtem Monster, der Gefahr aussetzen, wieder gebrochen zu werden. Selbst bei seinem Bundeswehreinsatz in Afghanistan hatte er nicht so viel Angst gehabt wie in diesem Augenblick.

Marie bemerkte, wie er sie nun ansah, und hörte auf zu streicheln. Mike versuchte, sich selbst zu beruhigen: Diese Frau war ein guter Mensch. Und es gab auch in dieser Welt Beziehungen, die nicht so waren wie die zu seiner Ex-Frau. Zum Beispiel führte seine Dienstherrin eine harmonische Ehe. Andererseits fand auch die auf einmal einen anderen Mann attraktiv. Waren alle Frauen so? Wenn selbst Frau Merkel so war? Ging es gar nicht anders, als dass man sich das Herz brechen lassen musste, wenn man liebte?

«Was ist?», fragte Marie.

Mike wusste nicht, wie er darauf antworten sollte, und wich aus: «Wir müssen hier doch ermitteln.»

«Willst du dich nicht noch ein wenig bei mir ausruhen?», bot Marie an.

«Ich bin okay.»

«Deine Stimme ist aber immer noch etwas hoch.»

«Ist sie das?», fragte Mike und hörte dabei am Klang, dass er sich die Frage hätte sparen können. Sogleich versuchte er es bemüht tief: «Ist sie das?»

«Selbst wenn du so tust, als ob sie es nicht wäre.»

«Mir geht's aber gut», erklärte Mike und setzte sich auf.

«Wenn du meinst», sagte Marie und klang dabei verletzt. Mike fühlte sich sofort schuldig. Es ging doch darum, sein Herz zu beschützen, nicht darum, Marie wehzutun! Er blickte zu ihr, doch sie sah hastig von ihm weg, stand ebenfalls auf und erklärte kurz angebunden: «Dann mal los!»

43

Jetzt oder nie, dachte Angela, als sie auf das *Bestattungsinstitut Kunkel* zuging. Jetzt würde sie Aramis wiedersehen. Jetzt würde sie mit ihm über den Unfall sprechen, bei dem seine geliebte Frau zu Tode gekommen war, und herausfinden, ob er mit den Mordfällen zusammenhing. Jetzt würde sie sich Aramis endlich aus dem Kopf schlagen!

Angela spürte, wie der aufkommende Wind gegen ihre frisch frisierte und mit Haarspray fixierte neue Frisur wehte. Wenn es um Spray ging, handelte Silvio stets nach der Devise: Sehr viel hilft sehr viel. Immerhin hatte sie ihn davon abhalten können, ihre Haare zu blondieren. Auch wenn das nicht einfach gewesen war, Silvio hatte sich in die Vorstellung verliebt, dass sie beide, zumindest was die Haarfarbe betraf, im Partnerlook gingen. In einer langen Verhandlung, die Angela in ihrer Intensität an jene über die Griechenlandhilfen erinnerte, hatten die beiden sich auf einen rötlichen Braunton für ihre Haare geeinigt. Oder war es ein bräunlicher Rotton? Egal, er war wunderbar! Silvio war zwar anstrengend, und das Haarspray, das er benutzt hatte, roch noch intensiver nach Aprikose als sein Eau de Toilette, aber Haare waschen, schneiden, legen und färben konnte er wie kein Zweiter.

Das von wilden Blumen umrankte Haus wirkte nicht mehr ganz so idyllisch wie beim ersten Besuch. Der bewölkte Himmel verlieh dem Haus eine melancholische Stimmung. Oder bildete sie sich das nur ein, weil sie inzwischen mehr über die tragischen Vorfälle in dieser Familie wusste?

Angela atmete tief durch, ging auf die Tür zu und fand sie verschlossen vor. Kein Wunder, das Institut schloss regulär um 17.00 Uhr. Aus ‹Jetzt oder nie› wurde ‹Nie›, und das Schicksal wollte ihr gewiss damit bedeuten, dass sie Aramis nicht mehr wiedersehen sollte. Für die Mordermittlung könnten ihm vielleicht auch Mike und Marie auf den Zahn fühlen und ihr alle notwendigen Informationen zutragen. Sie wollte sich gerade zum Gehen wenden, da hörte sie ein Hämmern. Es war das Geräusch von Meißel auf Stein, und es kam von hinter dem Haus. Aus dem ‹Nie› wurde ein ‹Jetzt›.

Oder?

In der Politik hatte Angela sich nie so unsicher vor einem Treffen gefühlt. Auch nicht, als sie das erste Mal von Helmut Kohl mit den Worten eingeladen wurde: «Und zum Essen gibt es eine ordentliche Portion Saumagen!» Damals hatte Angela sich, obwohl ihr mulmig zumute war, zusammengenommen. Und genau das tat sie nun auch. Sie ging um das Haus herum, betrat einen kleinen sandigen Weg, an dem links und rechts Wildrosen blühten, und entdeckte im hohen Gras des Gartens Aramis, wie er einen Stein bearbeitete, der aussah, als hätte sich Michelangelo gedacht: Heute hämmere ich mal eine besonders schöne Venus.

Gewiss hätte Angela die Schönheit dieser halb fertigen Büste länger bewundert, wenn es nicht einen noch faszinierenderen Anblick gegeben hätte: Aramis arbeitete mit bloßem Oberkörper. Und der sah beeindruckend aus – also für einen 70-jährigen Mann. Angela musste sich regelrecht dazu zwingen, ihn nicht mit Achim zu vergleichen. Es dauerte ein bisschen, bis sie sich darauf besann, dass es auf die inneren Werte eines Menschen ankam. Da sie sich jedoch nicht von dem Bann dieses Anblicks befreien konnte, bekam sie erst einmal keinen Ton heraus.

Aramis hatte sie inzwischen bemerkt, er hörte auf zu hämmern: «Sie?»

«Hallo», sagte Angela unsicher.

Aramis legte Hammer und Meißel auf den Boden, hob ein schwarzes T-Shirt auf und zog es sich über. Ein Teil von Angela hätte am liebsten gesagt: ‹Ach, das ist doch nicht nötig›, aber der vernünftige Teil von ihr konnte das gerade noch verhindern.

«Was kann ich für Sie tun?», fragte Aramis, und seine Stimme klang distanziert. Kein Wunder, dachte Angela, sie hatte ihn gestern versetzt. So etwas fand niemand schön.

«Ich wollte mich bei Ihnen entschuldigen», erklärte Angela, die dank seines bekleideten Zustands wieder klarer denken konnte, «dass ich gestern nicht gekommen bin.»

«Schon in Ordnung», antwortete der Bestatter. Das klang nicht so sehr nach verletztem Stolz, sondern eher betrübt.

«Ich hätte Ihnen wenigstens Bescheid sagen müssen», erklärte Angela.

«Dem mag ich nicht widersprechen.»

«Ich hätte jedoch jetzt ein wenig Zeit zum Plaudern.»

«Mir ist gerade nicht nach Tee», wehrte Aramis ab, allerdings, wie Angela zufrieden feststellte, eher halbherzig.

«Wir könnten auch ein Glas Wein zusammen trinken», sagte sie und traute sich dabei sogar, ihn anzulächeln.

«Könnten wir», lächelte er, wenn auch kaum merklich, zurück.

«Aber?»

«Sie haben keinen dabei.»

«Ich hätte eine Flasche als Entschuldigung mitbringen sollen, nicht wahr?», bemerkte Angela ihren Fauxpas.

«Dafür waren Sie beim Friseur», lächelte Aramis nun richtig.

«Stimmt», antwortete Angela und kicherte wie ein Schulmädchen.

«Sieht sehr hübsch aus.» Es war keine höfliche Floskel. Aramis fand ihre Frisur – und damit etwa auch sie? – sehr hübsch. Angela wurde flau. Aber nicht auf die ‹Helmut Kohl serviert gleich Saumagen›-Art, sondern auf eine völlig andere, schönere. So hatte sie sich zuletzt gefühlt, als Achim ihr vor langer Zeit den Hof gemacht hatte. Verschämt blickte sie zu Boden und entdeckte dort zwei Flaschen Bier. Damit Aramis nicht bemerkte, was sein Kompliment bei Angela auslöste, schlug sie vor: «Wir könnten auch das Bier trinken.»

«Sie trinken Bier?»

«Ab und an.»

«In Ordnung», antwortete Aramis, nahm die beiden Flaschen und öffnete sie mit der Spitze seines Meißels. Eine gab er Angela, hielt ihr die andere zum Anstoßen hin und sagte: «Prost!»

Angela stieß ihre Flasche gegen seine und trank. Das Bier war glücklicherweise noch kalt und erfrischte sie nach diesem heißen, turbulenten Tag.

«Wollen wir uns setzen?», deutete Aramis auf eine etwas verwitterte Holzbank, die umgeben von wunderschönen und intensiv duftenden Stockrosen war. Angela war nicht ganz sicher, ob die alte Bank sie beide würde tragen können. Mit einer galanten Handbewegung wies Aramis ihr den Platz. Sie setzte sich trotz ihrer Zweifel, und er gesellte sich zu ihr. Erst jetzt stellte Angela fest, dass die Bank recht klein war. Zwischen den beiden lagen vielleicht dreißig Zentimeter. Genug Abstand, um sich nicht aus Versehen zu berühren, aber nah genug, dass man Händchen halten könnte.

Händchen halten? Nix da! Sie war gekommen, um in einem Mordfall zu ermitteln. Und um sich diesen Mann ein für alle Mal aus dem Kopf zu schlagen!

«Ich habe noch mal über Emilia Bassano nachgedacht», sagte Aramis.

«Ah ja?»

«Ja», lächelte er so charmant, dass Angela seinem Blick auswich. Er machte es einem wahrlich nicht leicht, sich das Händchenhalten aus dem Kopf zu schlagen. «Wir werden wohl nie wissen, ob Emilia die Stücke geschrieben hat oder nicht.»

«Leider nein.»

«Aber bei einer Sache kann man sich meines Erachtens sicher sein. Emilia und Shakespeare kannten sich. Sie war die Mätresse von Lord Chamberlain, und die Theatertruppe von Shakespeare waren …»

«… die *Lord Chamberlain's Men*!»

«Ganz genau! Völlig unvorstellbar, dass Emilia und Shakespeare sich nicht über den Weg gelaufen sind. Und wissen Sie, wovon ich fest überzeugt bin?»

«Sie werden es mir vermutlich gleich sagen», antwortete Angela freundlich.

«Ja, das werde ich», musste Aramis lachen. «Nehmen wir mal an, Emilia hat doch nicht die Stücke geschrieben.»

«Gut, nehmen wir das an. Nicht gerne, aber tun wir es.»

«Dann könnte es doch sein, dass es sich bei ihr um die *Dunkle Dame* handelt.»

«Die aus Shakespeares Sonetten?», staunte Angela.

«Ja, in den ersten Sonetten neckt er seine große Liebe mit ihrem dunklen Aussehen, beschreibt sie als schön. Wie wir beide wissen, hatte Emilia …»

«… dunkle Haut!» Jetzt verstand Angela, worauf Aramis hinauswollte. Seine Theorie klang einleuchtend. Faszinierend. Fast schon genial!

«In den späteren Sonetten leidet Shakespeare, dass sie seine Liebe nicht gleichermaßen erwidert. Dass sie sich auch für andere Männer interessiert.»

«Emilia war nun mal eine selbstbewusste Frau. Nur weil ein großer Dichter sie liebte, ihr sogar verfallen war, heißt es doch nicht, dass sie ihn auch lieben musste.»

«Nein, das tut es nicht. Am Ende beschimpft Shakespeare sie sogar, dass sie einen schlechten Charakter hat, und kann dennoch nicht von ihr lassen. Er will einfach nur geliebt werden.»

«Wollen wir das nicht alle?», rutschte es Angela heraus.

Warum hatte sie das gesagt?

Sie wurde doch geliebt. Von Achim. Und sie liebte ihn!

«Ja, das wollen wir», antwortete Aramis. Jetzt war er es, der zu Boden blickte. Auf die gleiche Weise wie sie zuvor. Und auch wenn Angela es kaum glauben konnte, musste sie sich endgültig eingestehen, dass der Bestatter sie mochte. Oder um es mit Marie zu formulieren: dass er auf sie stand. Und dies, obwohl er gerade saß. Gerade mal eben dreißig Zentimeter von ihr entfernt.

«Und Shakespeare», sah Aramis wieder zu ihr, «verfluchte sich selbst, hatten ihn doch alle davor gewarnt, sich in die Dunkle Dame zu verlieben.»

«Der Arme.»

Aramis begann zu rezitieren:

«O weh, was gab die Liebe mir für Augen?
Sie sehn das Wahre nicht, nur das Verkehrte!
Wo ist mein Urteil, falls die Augen taugen,
Dass, was sie richtig sehn, ich falsch bewerte?»

Die Bank vibrierte von seiner wunderbaren, tiefen Stimme. Ein Schauer lief durch Angelas Körper. Dieser Mann konnte nicht nur über Shakespeare reden, er konnte sogar seine Sonette rezitieren. Eine wahre Künstlerseele!

Kaum merklich rückte Aramis in ihre Richtung. Ebenso kaum merklich näherte sich auch Angela. Nun lagen nur noch etwa zehn Zentimeter zwischen den beiden. Angelas Herz pochte. Aus dem Augenwinkel sah sie, wie Aramis' Hand sich ihrer näherte. Ihr Herz pochte noch lauter. Etwa drei Zentimeter neben der ihren kam seine Hand zum Stillstand. Traute er sich nicht, sie zu berühren? Hoffte er, dass sie diesen letzten Schritt machte? Wie würde es sich anfühlen?

Das Richtige wäre gewesen, aufzustehen und nach Hause zu Achim zu gehen. Das Falsche, die Hand zu ergreifen. Aber warum nur fühlte sich das Falsche auf einmal so richtig an?

44

Mike eierte mit schuldbewusstem Abstand hinter Marie her. Es würde gewiss noch eine Weile dauern, bis er wieder ganz normal würde gehen können. Putin wich ihm nicht von der Seite, anscheinend fühlte sich der kleine Mops für das Malheur an der Stange verantwortlich. Schweigend erreichte der kleine Trupp die Treppe, die hinab zur Firma *Sprengstoff Pionier* führte. Marie nahm den Korb mit ihrem schlafenden Baby aus dem Kinderwagen, und alle stiegen die Treppen hinab. Nach ein paar Schritten durch einen neonbeleuchteten Gang erreichten sie die schmucklose Tür von *Sprengstoff Pionier*. Marie drückte die Klinke, aber die Tür war verschlossen. Mike wusste, dass es jetzt an ihm war, sie aufzubrechen. Dazu müsste er allerdings Anlauf nehmen, um mit Schwung seine Schulter gegen die Türangel zu werfen. Eine Aktion, die mit schmerzenden Weichteilen gar nicht so einfach auszuführen war. Da Mike jedoch vor Marie nicht schwach erscheinen wollte, erklärte er tapfer: «Ich mach das!», und war froh, dass seine Stimme dabei schon fast wieder normal klang.

Er nahm Anlauf, rannte – oder besser gesagt, eierte – auf die Tür zu und warf sich, mangels Tempo, mit nicht allzu großer Kraft gegen sie. Wäre die Tür ein lebendes Wesen gewesen, hätte sie wegen des unzulänglichen Versuchs gewiss laut gelacht. Mike stöhnte vor Schmerz auf, hielt sich die Schulter und hoffte, dass Marie sich wieder zu ihm gesellen würde, um ihn zu trösten. Sie tat es nicht. Anscheinend hatte sie von seinem abweisenden Verhalten vorhin gelernt. Und obwohl Mike aus emotionalem Selbstschutz gehandelt hatte, zweifelte er nun, ob dies richtig gewesen war.

«Ich mach das», erklärte Marie.

«Du willst die Tür aufbrechen?», staunte Mike.

«Nein, natürlich nicht.»

«Ich verstehe nicht ganz.»

«Ich habe meine eigenen Methoden», sagte sie und überreichte Mike den Kinderkorb. Anschließend zückte sie aus ihrer Tasche jene goldene Kreditkarte, die der neue Bankberater der frischgebackenen Schlossherrin übergeben hatte. Bisher hatte Marie sie nicht ein einziges Mal genutzt. Wie jedem normalen Menschen reichte die EC-Karte völlig aus. Sie führte das goldene Plastikding in den Spalt zwischen Schloss und Rahmen, rüttelte ein wenig, und – voilà – die Tür ging auf.

«Woher kannst du denn so etwas?», staunte Mike.

«Nun, es gab da zwei Jahre in meinem Leben, in denen ich ein bisschen auf Abwegen war.»

«Was für Abwege genau?»

«Das willst du nicht wissen», grinste Marie.

«Das befürchte ich auch», antwortete Mike.

Marie steckte die Karte wieder ein, nahm ihm den Babykorb ab und betrat den Raum. Mike folgte mit dem Mops und war von dem Anblick, der sich ihm bot, erstaunt. Er hatte jede Menge Sprengstoffkisten erwartet, aber er musste feststellen: «Das ist ja ein stinknormales Büro.»

«Na, der Sprengstoff wird sicherlich irgendwo anders gelagert, wo es keine anderen Unternehmen gibt. In einem Bunker vielleicht.»

Darauf hätte Mike auch selbst kommen können, war er doch bei der Bundeswehr gewesen. Ob der Betreiber dieser Firma auch ein Soldat gewesen war? Schließlich trug die Firma den Namen *Pionier*, und beim Militär werden die Pioniere im Gebrauch von Sprengstoff unterrichtet.

«Lass uns nach Hinweisen suchen», erklärte Marie und begann, die

Ordner in den Regalen zu betrachten. Mike hingegen machte erst mal einen 360-Grad-Rundumblick, um das Gelände zu sondieren. Wem auch immer diese Firma gehörte, er machte sich nicht viel aus Möbeln. Oder seine Firma machte keinen Gewinn. Für letztere Vermutung sprach auch, dass er sich für sein Büro nur einen Kellerraum leistete, der lediglich durch ein schmales Fenster unter der Decke beleuchtet wurde. Hätte man sich auf eine Leiter gestellt, wäre man mit dem Gras vor dem Gebäude auf Augenhöhe gewesen.

Mike blickte zu Marie, die hinter die Regale schaute. Er fand das erstaunlich. Welcher Mensch würde an dieser Stelle nach etwas suchen? Ein Einbrecher, der nach geheimen Verstecken Ausschau hielt. War Marie in diesen zwei Jahren, von denen sie eben gesprochen hatte, etwa eine …?

«Bingo!», rief Marie und riss Mike aus dem Gedanken, den er ohnehin nicht gerne zu Ende gedacht hätte. Er fragte: «Du hast was gefunden?»

«Das wollte ich mit ‹Bingo› ausdrücken.»

«Und was?» Mike ging zu ihr, und sie deutete auf einen Gegenstand, der hinter dem Regal deponiert war. Es war eine Schaufel. Und an deren Blatt klebte vertrocknetes Blut.

«Die Mordwaffe.» Mike konnte es kaum glauben.

«Wenn wir jetzt noch herausfinden, wessen Büro das hier ist, wissen wir auch, wem die Schaufel gehört.» Marie eilte zum Schreibtisch und begann, ihn zu durchwühlen. Mike stellte sich zu ihr und bemerkte, wie sie sogleich ein wenig von ihm abrückte. Er hatte sie mit seinem Verhalten vorhin anscheinend richtig verletzt. Warum war er nur so dämlich, wenn es um Frauen ging? Wenn es eine Idioten-Olympiade geben würde, Gold wäre ihm sicher.

«Und wieder Bingo!»

«Du hast den Namen?»

«Schau dir das an!» Sie hielt Mike das Foto hin, das gerahmt auf dem

Tisch stand und eine Person in Pionier-Uniform mit einer Dynamitstange zeigte.

«Meinst du, das ist ...», fragte Mike vorsichtig.

«Das hier ist eine verdammte Sprengstofffirma! Und Charu wurde mit Sprengstoff ermordet!»

Bevor Mike das auch nur im Ansatz verarbeiten konnte, bellte Putin.

«Ist wohl eine Katze da draußen», deutete Marie nach oben zu dem Fenster.

Putin bellte lauter.

«So reagiert er sonst nie. Nicht mal, als eine Taube ihm auf den Kopf gemacht hat», sorgte sich Mike.

Putin bekam nun Schnappatmung.

Auch Marie war vom Verhalten des Mopses beunruhigt.

Mit einem Mal klirrte die Fensterscheibe, und etwas flog in den Raum und landete auf dem Boden.

«Was ... was ist das?», zitterte Marie, die anscheinend ganz genau erkannte, um was es sich handelte, es aber nicht wahrhaben wollte.

«Eine Handgranate», stellte Mike fest.

«Man will uns umbringen!», schrie Marie, halb wütend, halb in Todesangst. Sie lief zu dem Babykorb. Mike wusste jedoch, dass sie keine Chance haben würde, sich und den kleinen Adrian Ángel noch rechtzeitig zu retten. Die Explosion würde alle töten. Inklusive des Mopses, der gerade an der Granate schnüffelte.

45

Weder Angela noch Aramis rührten sich. Angelas Herz pochte nun so laut, dass sie glaubte, er müsste es hören: *Bumm, bumm, bumm.* Sie jedenfalls konnte es hören. Das und ein *Krxx.*

Krxx?

Da war es noch mal, nur noch lauter. Woher stammte das Geräusch? Nicht von ihrem Herz. Hoffte Angela zumindest.

Krxxxxxx.

«Hören Sie das auch?», fragte sie leise.

«Ja», antwortete Aramis.

Krxxxxxx.

«Was ist das?»

«Ich habe da so eine Vermutung.»

Krxxxxxxxx.

«Und welche?»

«Dass wir besser aufstehen sollten.»

Hatte Aramis sich das mit dem Händchenhalten anders überlegt? Oder lauerte gar irgendeine Gefahr? Und welche von den beiden Möglichkeiten wäre schlimmer gewesen?

«Wieso?», wollte Angela unbedingt wissen.

Krxxxxxxxxxxxxxxxxxxxxxxxx.

«Weil die morsche Bank gleich durch…»

KRACKS!

Die Bank fiel in sich zusammen. Und Angela und Aramis landeten auf ihren Pos.

Er fand als Erster die Worte wieder und vollendete seinen Satz: «... bricht.»

Daraufhin lachten beide laut los. Bis sie Tränen in den Augen hatten.

«Verzeihen Sie», sagte Aramis sanft, «wir hätten uns nicht auf das morsche Ding setzen dürfen.»

«Schon in Ordnung», antwortete Angela ebenso sanft. Dann blickte sie auf die Hände der beiden, die erneut nahe beieinanderlagen. Doch mit einem Mal war ihr ganz und gar nicht mehr danach, seine Hand zu berühren, denn diesmal sah sie auch auf seine andere Hand. Und an der war ein Ehering.

Angela deutete darauf und stellte fest: «Sie tragen ihn noch immer.»

«Ja», antwortete Aramis traurig.

Der besondere Zauber war mit einem Schlag verflogen. Angela erinnerte sich wieder, weswegen sie eigentlich hergekommen war, und sagte behutsam: «Ich habe von dem Unfall gehört.»

Aramis sah sie wie versteinert an.

«Verzeihen Sie», bat Angela, die sich dafür tadelte, übergriffig geworden zu sein. Ermittlung hin, Ermittlung her, sie hatte kein Recht, diesen Mann mit seinem Schmerz zu konfrontieren. «Ich werde jetzt besser gehen.»

Sie wollte sich gerade aufrappeln, da sagte Aramis: «Schon in Ordnung.»

Angela blieb neben ihm auf dem kaputten Holz inmitten der Rosen sitzen.

«Ich habe meine Familie ins Unglück gestürzt. Jessica, Peter ... sie hatten nicht die schöne Kindheit, die sie verdient haben.»

Er tat Angela unsagbar leid.

«Galkas Leben habe ich ebenfalls zerstört.»

«Weil er den Tod seiner Schwester nicht verkraftet hat?»

«Er war bei dem Unfall auch in meinem Wagen. Er blieb körperlich zwar unversehrt, aber seine Seele …» Aramis' Stimme wurde brüchig. Er hatte noch mehr Schuld auf sich geladen, als Angela vermutet hatte.

«Ich habe alles zerstört. Ich habe meine Frau getötet.» Er begann zu weinen. Einmal ausgesprochen, war der Damm gebrochen. Obwohl Angela es nicht wissen konnte, ahnte sie, dass er das erste Mal in all den Jahren mit jemandem darüber sprach und seinen Tränen freien Lauf ließ. Das berührte sie sehr: Ein Mann, der sich so lange geweigert hatte, seinen Schmerz zuzulassen, öffnete sich ausgerechnet ihr. Und Angela tat, was sie schon bei Silvio getan hatte: Sie nahm den weinenden Aramis in die Arme.

Natürlich fühlte es sich ganz anders an als bei dem Friseur.

Es fühlte sich gut an.

Sehr gut sogar.

Bis …

Nein, nicht etwa, bis Angela wieder an Achim dachte. Ihn hatte sie in diesem Augenblick vergessen. Wirklich vergessen. Wenn ihr das bewusst gewesen wäre, hätte sie sich vor lauter Scham die frisch gefärbten Haare gerauft. Aber es war ihr nicht bewusst. Nein, es hörte auf, sich so gut anzufühlen, als Aramis schluchzte: «Ich hätte mich auf der Fahrt nicht von Ralf provozieren lassen dürfen.»

46

Mikes Leben hätte eigentlich vor seinem geistigen Auge an ihm vorbeiziehen müssen. Aber er hatte nur einen Gedanken: Marie und der Kleine durften nicht sterben! Und, na ja, Putin auch nicht. Was würde Frau Merkel sagen, wenn ihr kleiner Hasemase nicht mehr lebte? Warum nannte sie ihn eigentlich immer Hasemase? War das nicht eine alberne Frage angesichts dessen, dass sie gleich alle sterben würden?

«Er ist doch gerade geboren worden», schluchzte Marie mit Blick auf ihr Baby, und Mike beschloss zu handeln. Er hatte vielleicht noch sechs Sekunden, bis alles in die Luft fliegen würde. Er lief zu der Granate und vergaß dabei sogar seine Schmerzen.

Fünf Sekunden.

Mike hob die Granate auf.

Vier Sekunden.

Er blickte zum Fenster, das zur Hälfte zersplittert war, und dachte, dass er nun genau durch dieses schmale Loch würde treffen müssen, andernfalls würde die Granate wieder in den Raum fallen, und alle würden sterben. Adrian Ángel würde sterben! Marie würde sterben! Und der Hasemase auch.

An sein eigenes Leben dachte Mike in diesem Moment nicht. Nur an das der anderen.

Drei Sekunden.

Mike zielte …

Zwei Sekunden.

… und warf!

Eine Sekunde.

Die Granate flog durch das Loch aus dem Fenster und explodierte draußen vor dem Gebäude. Es war ein ohrenbetäubender Knall. Die Druckwelle schleuderte sie zu Boden. Und Mike wurde schwarz vor Augen.

47

Ralf Borscht saß auch in dem Unfallwagen?» Angela konnte es kaum glauben.

«Ja», antwortete Aramis, löste die Umarmung und trocknete seine Tränen mit dem Ärmel seines T-Shirts. «Wir waren zu fünft: Anja, Ralf, Galka, mein kleiner Sohn Peter und ich. Wir fuhren von einem gemeinsamen Abendessen im Dorfkrug nach Hause. Damals waren Ralf und ich noch Partner. Aber er war in Anja verliebt.»

«Und Anja?», fragte Angela vorsichtig.

«Auch in ihn.» Selbst zwanzig Jahre nach ihrem Tod schien Aramis dies immer noch nicht verwunden zu haben. «Peter schlief während der Fahrt. Ich hatte getrunken. Ralf auch.»

«Sie sind betrunken gefahren?» Angela konnte es kaum fassen.

«Ja.»

Angela schwieg dazu. Es war nicht an ihr, einem von Schuldgefühlen geplagten Menschen Vorwürfe zu machen.

«Galka war der Einzige von uns, der nichts intus hatte. Er hatte damals nie getrunken, war ein strenger Antialkoholiker. Er war nicht nur mein Schwager gewesen, er war mein Freund!»

Der Unfall, bei dem Galkas Schwester starb, kombinierte Angela, hatte den Gärtner erst zum Trinker gemacht und die Freundschaft zu Aramis zerstört.

«Ralf und ich hatten uns gestritten, weil er den Partnerschaftsvertrag zu seinen Gunsten ändern wollte. Und dann, dann bin ich einfach ausgerastet. Ich habe ihn angeschrien, dass er meine Ehe zerstört hat und mich nun auch noch aus dem Geschäft drängen will. Und da hat er gesagt, ich wäre ein Traumtänzer, der nur bildhauern will, und Anja hätte auch erkannt, dass es im Leben auf andere Dinge ankommt als auf Träume, und da … da habe ich ihm eine gelangt.»

«Und er?»

«Er schlug zurück. Ich verlor die Kontrolle über den Wagen, er kam ins Schleudern und knallte mit der rechten Seite gegen einen Baum. Anja war sofort tot, Peters Bein wurde eingequetscht. Galka musste mit gebrochener Schulter ins Krankenhaus. Nur Ralf und ich hatten lediglich ein paar Schrammen. Ausgerechnet wir beide. Wir, die an allem schuld waren.»

Aramis hörte auf zu reden, starrte nur vor sich hin. Angela wusste nicht, was sie tun sollte. Ihn wieder in den Arm nehmen? Obwohl er betrunken gefahren war? Sich mit Ralf Borscht gestritten und geprügelt hatte? Und so, man konnte es nicht anders sagen, schuld war am Tod seiner Frau. An der Behinderung seines Sohnes. An der Alkoholsucht seines Schwagers. Bevor Angela sich entscheiden konnte, bat Aramis: «Sagen Sie es bitte niemandem. Besonders nicht meinen Kindern.»

«Ihre Tochter hatte mir von dem Unfall erzählt.»

«Aber Jessica weiß nicht, was damals genau passiert ist. Dass ich besoffen war! Und sie darf nie, nie davon erfahren, dass ihr Papa am Steuer saß und ihre Mutter getötet hat!» Er wirkte mit einem Mal panisch.

«Sie haben Angst, dass sie sich dann wieder etwas antut?» Angela hatte die Narben an Jessica Kunkels Handgelenken wieder vor Augen.

«Das würde sie garantiert!» Dieser Mann hatte Angst um das Leben seiner Tochter. Und dass er im schlimmsten Fall schuld sein könnte, wenn sie sich etwas antat. Dabei hatte Jessica doch selbst gesagt, dass sie nun viel stabiler war als zu jenen Zeiten, in denen sie sich geritzt hatte.

Angela war schwer beeindruckt von der Furcht des Bestatters. Er atmete ein wenig durch und erklärte: «Außer Ihnen wissen nur Ralf und ich, dass wir betrunken waren und uns geschlagen haben. Anja und Galka sind tot. Mein Peter hat während des Unfalls geschlafen. Und wir haben mit niemandem jemals darüber gesprochen.»

«Aber warum haben Sie mir das erzählt?» Angela war verwirrt, dass er dieses Risiko eingegangen war.

«Ich … kann so nicht weiterleben. Ich brauche jemanden in meinem Leben, dem ich mich anvertrauen kann …» Dieser starke Mann wirkte mit einem Mal sogar noch schwächer als eben, als er sich an ihrer Schulter ausgeweint hatte. Und dennoch, oder wohl gerade deswegen, erschrak Angela. Er brauchte jemanden in seinem Leben? Brauchte er etwa sie?

«Ich meine, als Freundin, als Vertraute, ganz im platonischen Sinn», korrigierte er sich hastig, wohl aus Angst, dass Angela ihn zurückweisen könnte. «Nicht als Liebende.»

Liebende.

Die Liebenden!

Angela schoss der Text des Erpresserbriefes durch den Kopf:

Ihr Liebenden wisst, was ihr beiden getan habt. Zahlt mir jeder eine Million Euro, oder alle werden es erfahren.

Mit den *Liebenden* könnten Aramis und Ralf Borscht gemeint gewesen sein. Sie hatten beide die gleiche Frau geliebt und was ‹sie getan hatten›, niemandem erzählt. Und dies wohl kaum nur aus reinem Schuldgefühl. Alkohol und Schlägerei am Steuer mit Todesfolge, damit wären die beiden ins Gefängnis gekommen. Und da Galka bei der Fahrt dabei gewesen war, hätte er die beiden ein Leben lang erpressen können, tat es aber erst vor seinem Tod, weil er im Ruhestand noch einmal ganz neu starten wollte. Sie war nach Klein-Freudenstadt gegangen, und der Gärtner hatte es für immer verlassen und auf den Malediven leben wollen. Dafür, dass die beiden Bestatter erpresst wurden, sprach auch das Polaroidfoto von Anja auf dem orangen Volvo, der möglicherweise der Unfallwagen war. Das Foto hatte Galka Borscht überreicht. Als Drohung, dass er es ernst meinte? Hatten also die beiden Erzfeinde den Gärtner ermordet? Und dann Charu, weil sie versucht hatte, ihnen das Geld abzuringen, nachdem sie das Tagebuch von Galka gefunden hatte?

«Was ist?», fragte Aramis, weil Angela von ihm ein wenig abgerückt war.

«Nichts», versuchte Angela, sich ihren Verdacht nicht anmerken zu lassen.

«Ich bin zu weit gegangen», stellte Aramis betrübt fest. Angela ließ ihn in dem Glauben, dass es nur darum ging. Sie stand auf und erklärte: «Ich möchte nach Hause, bevor das Gewitter losgeht.»

«Verstehe.» Aramis blieb ermattet am Boden sitzen. Er schien nicht zu ahnen, welchen Verdacht Angela hegte.

«Auf Wiedersehen.» Es fiel ihr nichts anderes ein. Eilig verließ Angela den Garten. Und über ihr zogen sich düstere Wolken zusammen.

48

Die ersten schweren Tropfen fielen schon, als Angela über den Friedhof nach Hause eilte. Sie nahm den Regen gar nicht wahr, so sehr war sie in ihren Gedanken versunken: Sie hatte einen mutmaßlichen Mörder umarmt. Das fühlte sich viel furchtbarer an als Händeschütteln mit Staatspräsidenten, die garantiert Mörder waren.

Das Gewitter brach mit einem Mal wie eine Urgewalt los. Dennoch blieb Angela stehen. Sie schämte sich. Nicht nur, weil sie so naiv gewesen war, in Aramis eine besondere Seele zu erkennen, anstatt ihn, wie es sich für eine gute Detektivin gehörte, ohne Emotionen als Verdächtigen zu behandeln. Sie schämte sich vor allem, weil sie im Moment der Umarmung mit dem Bestatter keinen Gedanken an Achim verschwendet hatte. Wie sollte sie ihrem Puffel je wieder unter die Augen treten?

Die Bäume auf dem Friedhof schwankten bedrohlich im Sturm. Angela erkannte die Gefahr aber erst, als nur wenige Meter neben ihr ein dicker Ast zu Boden krachte. Wenn sie hier länger blieb, könnte sie erschlagen oder von einem Blitz getroffen werden – die ersten gingen bereits über dem nahe gelegenen Dumpfsee nieder.

Für einen kurzen Moment dachte Angela, dass so ein Blitztod eine ganz elegante Lösung sein könnte, weil sie so Achim nicht mit ihrem Geständnis wehtun müsste. Die beiden taten sich nämlich eigentlich nie weh. Dies war eins der großen Geheimnisse ihrer Ehe. Und dass sie zwei Decken in der Nacht hatten. Doch natürlich war es Unsinn, auf einen Blitzschlag zu hoffen, weil man zu feige war. Es würde ihren Puffel noch viel mehr schmerzen, wenn sie starb. Angela beschloss, so schnell wie möglich den Friedhof und die großen Bäume hinter sich zu lassen.

Leider bedeutete ‹so schnell wie möglich› bei Angela nicht sehr schnell. Schon nach wenigen Metern im peitschenden Regen keuchte sie. Sie zwang sich weiterzulaufen, Schritt für Schritt, obwohl sie bei dem Gegenwind kaum vom Fleck kam. Sie lief auch weiter, als sie Seitenstechen bekam. Fallende Äste waren nun einmal sehr motivierend.

Am schlimmsten tat es Angela jedoch in den Ohren weh. Der tosende Wind bereitete ihr Schmerzen, die jenen in nichts nachstanden, die sie während einer UNO-Sitzung bei einer Rückkoppelung der Übersetzungen ertragen musste. Und während es in ihren Ohren rauschte, hörte sie von irgendwoher: «Angela!»

Oder bildete sie sich das nur ein?

«Angela!»

Sie bildete es sich nicht ein. War Mike gekommen, um sie zu holen?

«Angela!»

Nein, Mike nannte sie nicht Angela. Nur ‹Frau Merkel›, ‹Kanzlerin› oder ‹Herrjemine, Sie machen es einem aber auch wirklich nicht einfach›.

«Angeela!»

War es etwa Aramis? Aber die beiden hatten sich gesiezt. Würde er nicht auch eher ‹Frau Merkel› rufen? Anderseits hatten sie sich auch gerade umarmt. War man nach einer Umarmung bereits beim Du?

«ANGEELA!»

Hatte Aramis sich durch Wind und Wetter auf den Weg gemacht, weil er sich um sie sorgte?

«ANGEEELA!»

Oder wurde die Lage für sie durch seine Anwesenheit noch gefährlicher? Immerhin war er des Mordes verdächtig und hatte ihr sein Motiv frei Haus geliefert. Was wäre, wenn er das als Fehler erkannt hätte und sie nun zum Schweigen bringen wollte?

«ANGEEEEEELA!»

Ja, es musste Aramis sein, er war doch der Einzige, der wissen konnte, wo sie sich befand. Sie musste noch schneller laufen, um ihm zu entkommen. Doch sie hatte schon Mühe, ihr jetziges Lauftempo aufrechtzuerhalten.

«ANGEEEEEEEEELA!»

Die Rufe kamen näher und wirkten dabei immer verzweifelter. Warum nur hatte sie nie ihre Ausdauer trainiert? Oder überhaupt Sport gemacht? Nun fand sie es gar nicht mehr komisch, dass sie die Aufforderungen des Berliner Leibarztes, mehr Sport zu machen, stets mit dem Churchill-Ausspruch gekontert hatte: No Sports.

«ANGEEEEEEEEEEEEEELA!»

Mit letzter Kraft lief sie auf den Friedhofsausgang zu, der zur Kirche und zum Marktplatz führte, wo sie zumindest nicht mehr von umstürzenden Bäumen erschlagen würde. Vielleicht könnte sie sogar beim Pastor vor Aramis Zuflucht finden. Aber nein, der war ja noch auf der Gemeindereise *Klein-Freudenstadt meets Jerusalem*.

«ANGEEEEEEEEEEEEEEEEEEEEEEEEEEEEEEEEEEEELA!»

Angela meinte nun, seinen Atem zu spüren, was bei dem Sturm natürlich völliger Blödsinn war. Endlich erreichte sie das brusthohe Eisentor und wollte es öffnen. Sie ruckelte und ruckelte, aber das vermaledeite Ding wollte einfach nicht aufgehen. Darüberzuklettern wäre für sportliche Menschen ein Einfaches gewesen. Vermutlich auch noch für solche, die sich wenigstens einmal die Woche körperlich für zwanzig Minuten ertüchtigen. Sie verfluchte Churchill und sein ‹No Sports›. Der verdammte Kerl war gewiss nie von einem Mörder verfolgt worden.

«Angela.» Die Stimme brüllte nicht mehr. Sie war ganz nah. Verzweifelt wollte Angela über das Tor klettern. Sie hielt sich mit den Händen an ihm fest und schwang ihr Bein so hoch, wie es nur ging. Es war nicht sonderlich hoch.

«Angela», hörte sie die Stimme nun in fast normaler Lautstärke.

Sie versuchte es noch mal. Vergeblich.

«Du wirst dir noch eine Zerrung holen.»

Angela blickte sich um. Da stand eine Gestalt in einem gelben Regenmantel mit breiter Krempe, so wie ihn Männer auf Fischkuttern trugen. Das Gesicht war verdeckt. Jeder andere Mensch als Angela wäre bei dem Anblick des unheimlichen Fischermanns zutiefst erschrocken gewesen. Aber sie erkannte ihn. Sie würde ihn immer erkennen. Selbst wenn er in einem Emu-Kostüm herumlaufen würde. Es war ihr Achim, der im schwächer werdenden Regen vor ihr stand.

«Puffeline, du musst das Tor nur zu dir ziehen. Nicht drücken.»

Für einen kurzen Moment blickte Angela betreten drein, als er es für sie öffnete. Die beiden gingen hindurch, weg von den Bäumen und damit auch aus der unmittelbaren Gefahrenzone. Nach etwa fünfzig Metern blieb Achim stehen und zog sich den Regenmantel aus.

«Was machst du da?» Angela war ebenfalls stehen geblieben.

«Dir den Mantel geben.»

«Aber dann wirst du auch nass.»

«Aber du nicht noch mehr.»

«Ich glaube, das geht gar nicht», sagte sie und blickte an ihrem triefenden Körper hinab.

«Alles, was auch nur ein bisschen hilft, ist gut», erwiderte Achim, legte ihr den Regenmantel um und zog ihr die Kapuze über. Dass er nun selbst durchgeregnet wurde, war ihm einerlei. Er wollte immer, dass es ihr gut ging. Er war ein guter Mensch. Ein guter Ehemann. Und sie eine schlechte Ehefrau.

«Du wirst dich», sagte Achim, «fragen, warum ich hier bin.»

Das tat Angela nicht. Sie war viel zu sehr damit beschäftigt, sich zu schämen.

«Ich habe nach dir gesucht», erklärte Achim, dem das nasse Haar auf der Stirn klebte. Jetzt würde er wissen wollen, wo sie gewesen war. Und sie würde ihm beichten, dass sie in den Armen eines anderen Mannes gelegen hatte. Doch Achim fragte nicht danach, sondern erklärte: «Du bist in Gefahr!»

«Du meinst wegen des Gewitters?» Angela deutete in den Himmel, an dem die Wolken allmählich wieder heller wurden.

«Nein, das lässt ja jetzt endlich nach.»

«Wegen Aramis?»

«Wer ist Aramis?», fragte Achim irritiert.

«Kurt Kunkel», korrigierte sich Angela.

«Der Bestatter?»

«Ja?»

«Und der heißt Aramis?»

«Nein.»

«Und warum nennst du ihn dann so?»

«Das ist eine gute Frage», seufzte Angela.

«Mag sein, aber die Antwort ist gerade auch irrelevant.»

«Irrelevant?» War also der Zeitpunkt doch noch nicht gekommen, ihm alles zu beichten? Durfte sie das hoffen? War es nicht unanständig, das zu tun?

«Dieser Aramis-Kunkel-Kurt ist nicht die Gefahr, vor der ich dich warnen muss.»

«Und auch nicht das Gewitter?»

«Auch nicht das Gewitter!»

«Was denn dann?»

«Jemand wirft mit Handgranaten um sich.»

«Mit Handgranaten?» Angela konnte es kaum fassen.

«Beinahe wären Mike, Marie, Putin und der kleine Adrian gestorben, als sie in der Sprengstofffirma herumschnüffelten.»

«Oh mein Gott!»

«Aber Mike hat alle gerettet.»

«Ist jemand verletzt?»

«Marie und der Kleine sind in Ordnung. Mike war bewusstlos und hat nun ein wenig Kopfschmerzen. Und Putins Schwanz ist ganz leicht angesengt.»

«Der arme Ringelschwanz.»

«Ich meinte seinen anderen.»

«Oh.»

«Wir wissen auch, wer den Anschlag verübt hat.»

«Und wer?»

«Ralf Borscht.»

49

Putin war *not amused*. Es war nicht so, dass es ihm zwischen den Beinen noch schmerzte, aber es hatte zum zweiten Mal innerhalb eines Tages ganz entsetzlich geknallt, und Mutti war dieses Mal nicht bei ihm gewesen, um ihn zu beruhigen. Ja, der Mops nannte sein Frauchen Mutti. An seine Hundemama konnte er sich nicht erinnern, war aber ziemlich sicher, dass es eine gegeben hatte. Er wusste selbst, dass er ganz anders aussah als die Menschen-Mutti. Die war zwar auch mopsig rund, aber sie ging auf zwei Beinen. Er hatte das auch mal versucht, um ihr zu gefallen, und war dabei voll auf die Knautschschnauze gefallen. Putin war sich auch sicher, dass anderen Hunden nicht so viel üble Dinge mit ihren Muttis passierten wie ihm. Die trieben sich, so hatten ihm die beiden Nachbar-Cocker-Spaniel Jeff und Jaff heute Mittag noch berichtet, nicht dort herum, wo Dinge in die Luft flogen. Jeff und Jaff hatten ihm allerdings auch gesagt, dass ihre eigene Mutti nachts häufiger ohne sie unterwegs gewesen war und jedes Mal am nächsten Morgen nach einem anderen Männchen roch. Und dass ihr Papi ihre Mutti deswegen verlassen hatte und sie darüber sehr traurig waren, weil Papi ihnen immer Extra-Leckerli gegeben hatte. Putin kannte von seiner Mutti so ein Verhalten nicht. Bis heute. Jetzt roch auch sie nach einem anderen Männchen.

Mutti wurde von Tag zu Tag merkwürdiger.

Gerade waren alle Menschen, die Putin kannte, bei Marie zu Hause und redeten aufgeregt durcheinander. Mike hatte einen hochroten Kopf. Vor Wut? Oder war der große Mann auch zwischen den Beinen angesengt worden? Marie schuckelte ihr Kleines auf dem Schoß. Mutti und Papi trockneten sich die Haare. Und niemand schenkte ihm, dem großen Putin, Beachtung. Was für ein unmögliches Verhalten!

Mutti sagte, sie würde zu einem Borscht gehen, um ihm ein Geständnis zu entlocken. Mike antwortete, dass er mitkommen würde, um diesem Borscht die Beine zu brechen, das könnte beim Entlocken helfen. Und Papi sagte, er würde Mutti auf keinen Fall allein zu dem Verrückten gehen lassen.

Putin selber umriss nicht alles, was da geplappert wurde, aber er nahm als Einziger im Raum wahr, dass Mutti dem Papi irgendetwas verheimlichte. Sie roch nach Furcht. Furcht, dass Papi sie nicht mehr mögen könnte. Vielleicht wenn er den Duft des anderen Männchens roch? Würde es ihm dann so ergehen wie Jeff und Jaff und er bald ohne Papi sein? Oder ohne Mutti? Müsste er sich gar zwischen den beiden entscheiden? Wie sollte er so eine Entscheidung jemals treffen können?

Putin bekam es mit der Angst zu tun. Seine Beine begannen zu schlottern. Und wie es sich für einen Hund gehörte, der sich fürchtete, bellte er seine Mutti voller Angst an: «Wie kannst du nur nach einem anderen Männchen riechen?»

Wenigstens schaute Mutti endlich zu ihm. Aber sie verstand ihn nicht. Sie verstand ihn so gut wie nie. Er hatte sie beispielsweise mehrfach gebeten, die Nachbarskatze zu töten, und nichts geschah. Sie hatte das doofe Viech noch nicht mal getreten.

«Was hast du, mein Hasemase?», fragte Mutti.

«Du sollst nicht mit einem anderen Männchen knuddeln», bellte Putin. «Ich will keinen neuen Papi, der alte ist gut. Er gibt mir immer heimlich den leckeren Schinken, den du mir nicht geben willst. Au Mist, jetzt habe ich dir das verraten. Ich bin so ein dummer Hund. Jetzt wirst du ihm verbieten, mir den Schinken zu geben. Aber nein, halt, du versteht mich ja nicht.»

Mutti beugte sich zu ihm runter, tätschelte ihm den Kopf und sagte: «Ach Mäuschen, du bist mein Spätzchen.»

«Wenn du weiter so mit ihm sprichst», sagte Papi, «wird der Hund Identitätsprobleme bekommen.»

«Gehen wir jetzt endlich zu Borscht?», fragte Mike und nahm jenes Ding, das er in Anwesenheit von anderen Menschen immer Pistole nannte, aber wenn nur Putin bei ihm war ‹Lady Bumm›.

«Ja, wir gehen», sagte Mutti entschlossen.

«Und wie wir das tun!», bekräftigte Papi.

«Aber die Pistole benutzen wir nicht», befahl Mutti im scharfen Ton, den sie auch anstimmte, wenn Putin mal wieder die leckeren Dinger namens Paprikachips vom Tisch wegschnappen wollte. Mike steckte das Ding in seine Jacke. Marie ging auf den großen Mann zu und sagte: «Pass auf dich auf.»

«Mein Job ist es, auf die anderen aufzupassen.»

«Ja, und dennoch: Pass auf dich auf.»

Sie gab ihm ein Küsschen auf die Wange. Jetzt war Mike nicht mehr vor Wut rot und auch nicht, weil er vielleicht zwischen den Beinen angesengt war, sondern – das erschnüffelte Putin genau – weil er Marie mochte. Die beiden würden auch mal Mutti und Papi werden. Von kleinen Menschen wie Adrian, der den ganzen Tag nur doof rumlag, um den man sich aber dennoch mehr kümmerte als um einen armen Mops wie ihn.

«Es wird gefährlich», sagte Mike. «Wer auch immer der Komplize ist, er könnte auch auftauchen.»

«Ich weiß, wer der Komplize ist», sagte Mutti.

«Ja?», fragten alle gleichzeitig, als ob sie ein Rudel wären, das den Mond anjaulte. «Wer, wer, wer?»

«Ich sage es euch, wenn Borscht es bestätigt hat. Nachher ist meine

Vermutung falsch, und ich habe einen leidenden Menschen zu Unrecht beschuldigt.»

«Diesen Aramis?», fragte Papi.

«Wir reden nachher darüber», wich Mutti aus und roch dabei wieder nach Furcht. Dies ließ Putin regelrecht panisch werden.

«Kannst du auf den Hasemasen aufpassen?», fragte Mutti Marie.

«Von wegen», bellte der Mops, «ich passe auf dich auf!»

«Du willst mitkommen, Hasemase?»

«Man kann dich ja nicht allein lassen, ohne dass du mit einem anderen Männchen Blödsinn machst!»

«Ich will aber nicht, dass du dir wieder dein Schwänzchen ansengst.»

«Und ich will nicht, dass du das überhaupt erwähnst!»

Mutti sah ihn an und erkannte offensichtlich, wie ernst es ihm war. Jedenfalls sagte sie: «Na gut, mein Mäusespätzchen, komm mit!» Sie ging los, Papi und Mike folgten ihr, und Putin trappelte hinterher. Er würde schon dafür sorgen, dass es ihm nicht so erging wie Jeff und Jaff. Wenn Mutti es wagte, noch mal mit einem anderen Männchen zu knuddeln, würde er es wegbeißen!

50

Nach einem kurzen Abstecher zu Hause, wo sie in trockene Kleidung wechselten, eilte Angela mit Achim, Mike und Putin energischen Schritts auf das *Bestattungsinstitut Borscht* zu. Der Himmel über ihnen war wolkenlos, und es wehte eine klare Brise. In Berlin hätte man jetzt eine Nachgewitterschwüle erleiden müssen, bei der sich das verdampfende Wasser aus den Pfützen mit den Schadstoffen in der Luft zu einem lebenszeitverkürzenden Gemisch verband. Klein-Freudenstadt war mit der Hauptstadt in nichts zu vergleichen, außer vielleicht in der Anzahl der Mordfälle. Mike kochte vor Wut, Achim hatte einen entschlossenen Blick aufgesetzt, und Putin wich seinem Frauchen nicht von der Seite, sah es dabei immer wieder vorwurfsvoll an. Bestimmt, so mutmaßte Angela, weil sie nach dem Handgranatenwurf nicht bei ihm gewesen war, um ihn zu trösten. Sie war doch für den kleinen Hasemasen verantwortlich, da hätte sie ihn nicht so allein lassen dürfen. Schon gar nicht, um einen potenziellen Mörder wie Aramis in den Armen zu halten. Jetzt schämte Angela sich sogar vor ihrem Mops. Und mindestens ebenso dafür, dass sie ihren Verdacht, bei dem Komplizen von Borscht handele es sich um Aramis, den anderen verheimlicht hatte. Ein Teil von ihr klammerte sich an die Hoffnung, dass die beiden Erzfeinde niemals zusammenarbeiten würden und der kultivierte Mann darum unschuldig sein musste.

«Du hast deine Haare gefärbt», stellte Achim mit einem Mal fest. «Warum?»

Angela verblüffte die Frage, dabei war sie an sich doch gar nicht so überraschend. Lediglich der Zeitpunkt, an dem sie gestellt wurde, jetzt, wo sie vor der Tür des Instituts standen, um gleich einem Mörder das Geständnis abzuringen.

«Ich dachte, du magst dezentere Farbtöne?», hakte Achim nach. Er war eher irritiert als misstrauisch. Aber er war eben doch auch ein kleines bisschen misstrauisch. Das kannte Angela von ihrem Ehemann nicht. Und natürlich missfiel es ihr. Vor allem, weil das Misstrauen gerechtfertigt war. Sie blickte zu Boden. Dort befand sich Putin, und der blickte sie zu hundert Prozent misstrauisch an. Fehlte nur noch, dass er knurrte.

«Angela? Antwortest du mir noch?»

«Der Friseur … hat gemeint … also erst wollte er mich blondieren …»

«Meine Güte», ging Mike dazwischen, «haben wir nicht gerade andere Probleme?»

Normalerweise gehörte es sich nicht für einen Personenschützer, seine Schutzbefohlene zu unterbrechen. Schon gar nicht so rüde. Aber Angela war ihm in diesem Moment dankbar. Sie konnte ihn gut verstehen, denn sie war ebenfalls wütend auf Borscht. Er hätte Mike, Marie und den kleinen Adrian beinahe getötet!

«Vielen Dank», sagte Mike, da sie und Achim das Thema nun fallen ließen, und brach die Tür auf. Ohne Anlauf. Ansatzlos. Seine Wut hatte Kraft für mindestens zehn Türen.

«Sie hätten», meinte Achim, «auch einfach klingeln können.»

«Ernsthaft?»

«Ich habe nichts gesagt», hob Achim die Hände.

Sie gingen durch den ansonsten menschenleeren Verkaufsraum, und Achims Blick fiel dabei auf den *Modern Talking*-Sarg. Mit einer hochgezogenen Augenbraue fragte er: «Wer sind diese beiden? Sind die gestorben? Und sollen die etwa zusammen in einem Sarg begraben werden?»

Natürlich erkannte er Dieter Bohlen und dessen Kollegen nicht. Für Achim endete die Entwicklung der Musik im Jahre 1972 mit der Auflösung der Band *Flying Burrito Brothers*. Alles, was ab den Siebzigern an Musik herauskam, war für ihn nur ein müder Aufguss. Eine Aussage, über die Rihanna bei einem gemeinsamen Essen im Kanzleramt schon ein wenig gestaunt hatte.

«Wir haben wirklich andere Probleme», schimpfte Mike erneut und öffnete die Tür zum Lager. Dort saß Ralf Borscht auf dem Boden, eine halb leere Flasche Rotwein in der Hand, zwei leere Flaschen neben sich und kein Glas weit und breit. Er starrte auf das Polaroidfoto von Anja Kunkel. Jener Frau, an deren Tod er und Aramis schuld gewesen waren. Dass seine Ehefrau in die Luft gesprengt worden war, schien ihn auch jetzt nicht zu bekümmern.

«Hey, du Sausack!», rief Mike.

Borscht reagierte nicht.

«Ich mach dich fertig!»

Erst jetzt sah der Bestatter mit leerem Blick zu ihnen.

«Ja, genau dich habe ich gemeint!»

«Bitte.» Angela berührte Mike am Arm. «Lassen Sie mich das machen.» Obwohl auch sie aufgewühlt war, galt es, einen kühlen Kopf zu bewahren. Es ging darum, dem Mann ein Geständnis zu entlocken und herauszufinden, ob Aramis wirklich der Mordkomplize war.

Angela bedeutete Mike und Achim mit einer Geste zu warten und ging auf Borscht zu. Als Putin seinem Frauchen immer noch nicht von der Seite wich, sagte sie zu ihm: «Bleib.» Der Mops machte keine Anstalten, auf sie zu hören. «Bleib!», wiederholte Angela. Putin blieb nicht. Schließlich seufzte sie, nahm Leckerli aus ihrer Handtasche und warf sie genau vor Achims Füße. Putin kämpfte mit sich. Offensichtlich wollte er sie nicht aus den Augen lassen, aber Leckerli waren nun mal für ihn in jeder Lebenslage das attraktivere Angebot. Er lief zu Achim und schleckte die kleinen Dinger auf. Indessen trat Angela vor Borscht und sagte: «Sie haben Anja Kunkel sehr geliebt.»

Borscht nahm einen Schluck aus der Flasche. Keine Antwort war auch eine Antwort.

«Galka hat Sie erpresst.»

Er nahm noch einen Schluck. Wieder keine Antwort, die eine war. Doch für ein echtes Geständnis benötigte Angela mehr als ein beredtes Schweigen. Sie setzte sich zu dem Bestatter auf den Boden und fragte behutsam: «Und Charu auch, nachdem sie Galkas Tagebuch in ihren Besitz gebracht hatte. Sie hat Sie von dort aus direkt angerufen und Sie bedroht.»

Borscht sah sie matt an. Verstand er nicht, was sie sagte?

«Sie haben zwei Menschen ermordet.»

Für einen kleinen Augenblick meinte Angela, in seinen Augen so etwas wie Überraschung zu lesen, doch dann blickte er erneut auf das Polaroidfoto. War er etwa doch unschuldig? Nein, die Beweise sprachen gegen ihn. Vielmehr war er gewiss erstaunt, dass sie ihn so direkt des Mordes bezichtigte.

«In dem Büro von *Sprengstoff Pionier* stand hinter einem Regal die Schaufel, mit der Galka getötet wurde. Mit einem Granatenwurf haben Sie diesen Beweis vernichtet, bevor meine Helfer ihn sichern konnten. Dabei hätten Sie die beiden, ein Baby und meinen Mops beinahe getötet.» Angela hätte den Bestatter nun am liebsten am Kragen gepackt, so sehr verabscheute sie ihn dafür, was er ihren Lieben angetan hatte.

Borscht ging auf die Vorwürfe nicht ein, starrte nur wieder auf das Foto. Es war, als ob er sie gar nicht gehört hätte.

«Wollen Sie das etwa leugnen?», hakte Angela nach.

Borscht legte das Foto zur Seite und leerte den Rest der Flasche in einem Zug. Angela vermutete, dass er sich Mut antrank für sein Geständnis. Doch als er wieder absetzte, wischte er sich nur mit dem Ärmel seinen Mund ab und schwieg weiter.

«Sie hat», brüllte Mike, «dich was gefragt!»

Borscht ignorierte ihn, doch seine Augen funkelten mit einem Mal, und er fragte: «Haben Sie eigentlich Beweise?»

«Die Tatwaffe.»

«Sie haben doch eben gesagt, eine Handgranate habe alles vernichtet. Auch die Schaufel, von der Sie sprechen.»

«Vielleicht finden sich noch Reste in den Trümmern.»

«Vielleicht», spottete Borscht. «Und selbst wenn, die könnte mir jeder untergeschoben haben.» Er klopfte mit der leeren Flasche auf den Boden. Etwas fester, und sie wäre zersplittert und zu einer scharfkantigen Waffe geworden. Angela stand auf, trat ein paar Schritte von ihm weg und fragte: «Sie wollen die Tat also leugnen?»

«Leugnen würde ja bedeuten, ich hätte meine eigene Frau in die Luft gesprengt.»

«Sie hat Sie erpresst, und Sie haben sie nicht geliebt.»

«Sprengen Sie Ihren Mann in die Luft, wenn Sie ihn nicht lieben?»

Angela sah unwillkürlich zu Achim. Der schüttelte den Kopf nach dem Motto: ‹Nein, Puffeline, das würdest du nie tun.› Sie wandte sich wieder an den Bestatter: «Sie können auch alles der Polizei erzählen.»

«Kommissar Hannemann», schnaubte Borscht, «der Idiot würde Ihnen vielleicht sogar glauben.»

Oder wahrscheinlicher, dachte Angela, alles vermasseln. Aber was hatte sie für eine Wahl? Borscht würde hier und jetzt die Taten nicht gestehen, so viel war klar. Dennoch mochte sie nicht lockerlassen: «Kurt Kunkel wurde auch erpresst, nicht wahr?»

Borscht schwieg bei der Erwähnung von Kunkels Namen, er setzte lediglich die Flasche an, in der Hoffnung auf einen weiteren Schluck, aber die Flasche war nun mal leer.

«Ich weiß, was bei dem Unfall passiert ist», deutete Angela nun auf das Foto von Anja Kunkel, in der Hoffnung, ihn damit endlich aus der Reserve zu locken. Der Bestatter nahm es voller Schmerz in die Hand und betrachtete es erneut. Dann fragte er: «Hat Galka es Ihnen erzählt?»

Angela nahm sehr genau wahr, dass er mit dieser Frage quasi eingestand, von dem Gärtner erpresst worden zu sein.

«Nein.»

«Wer denn dann?», runzelte Borscht die Stirn.

«Kurt Kunkel.»

«Das Schwein. Wir hatten uns geschworen, es niemandem zu erzählen!»

«Sie haben mit ihm gemeinsam diese schrecklichen Taten begangen.»

Der Bestatter blickte ihr nun das erste Mal direkt in die Augen. Angela erwartete, dass er jetzt endlich gestehen würde. Doch er tat nichts dergleichen. Stattdessen lachte er. Und lachte. Und lachte. Hätten sich in der leeren Lagerhalle, deren hohe Wände das Gelächter noch verstärkten, Balken befunden, hätten sie sich gebogen. Es dauerte eine Weile, bis sich Borscht wieder eingekriegt hatte und sie ihn fragen konnte: «Was ist daran so lustig?»

«Dass Sie wirklich denken, dass ich mit Kurt bei irgendetwas zusammenarbeiten würde. Eher hacke ich mir einen Fuß ab.»

«Sie verabscheuen ihn.»

«Und er mich.»

«Aber Galka hat Sie doch beide erpresst.»

«Glauben Sie mir, wenn ich jemals Morde begehen würde, dann garantiert nicht gemeinsam mit Kurt Kunkel.»

Sein Hass auf Aramis war förmlich mit Händen zu greifen. Ausgeschlossen, dass er ihn nur vorspielte, um einen Komplizen zu schützen.

Das alles konnte nur Folgendes bedeuten: a) Borscht hatte mit einer anderen Person die Morde begangen, b) Angela würde sich später Gedanken darüber machen, um wen es sich dabei handelte, denn c) Sie war einfach nur glücklich, dass der Verdacht von Aramis gefallen war. So glücklich, dass ihr Herz vor Freude hüpfte.

51

Borscht wurde von zwei Polizisten in das Polizeiauto gedrückt. Da die beiden Beamten übergewichtig waren, konnten sie froh sein, dass der wütend seine Unschuld beteuernde Borscht sehr betrunken war. Einen nüchternen Mann, der sich dermaßen gewehrt hätte, würden sie nicht so einfach abführen können. Kommissaranwärter Martin stand bei Angela, diesmal trug er wieder dünne, weiße Neurodermitis-Handschuhe. Sein Vorgesetzter Hannemann bummelte – so Martin – eine Woche Überstunden auf Ibiza ab. Für Angela war klar, dass der faule Kommissar diese nur mithilfe einer kreativen Buchführung hatte ansammeln können, die selbst *Wirecard*-Buchhalter staunen lassen würden.

«Wir werden», versprach Martin, «alle Ihre Angaben zu Ralf Borscht und zu dem Unfall damals untersuchen. Und dann wird Herr Hannemann, wenn er wieder da ist, garantiert herausfinden, wer der Komplize war. Er ist ein Meister der Ermittlungen!»

Angela hörte die Worte, leider konnte sie ihm kein Wort glauben. Dennoch hatte sie keine Wahl, als den Kommissaranwärter erst einmal gewähren zu lassen, denn sie wusste selbst noch nicht, bei wem es sich um den zweiten Mörder handelte. Sie war nach dem Gespräch mit Borscht lediglich davon überzeugt, dass es nicht Aramis sein konnte. Angela erinnerte sich daran, wie wichtig es ihm war, dass seine Kinder niemals von seiner Schuld an dem Tod der Mutter erfuhren. Daher bat sie den Jungkommissar: «Sie werden doch niemandem erzählen, was sich bei dem Unfall vor zwanzig Jahren zugetragen hat.»

«Sie meinen, Peter soll es nicht wissen?»

«Und auch nicht seine Schwester Jessica.»

«Keine Sorge, die beiden werden davon nie erfahren.»

«Wirklich?»

«Peter ist mein Freund. Er würde das nach dem Tod von Charu nicht gut verkraften.»

Angela war sich sicher, dass Martin es aufrichtig meinte. Nur ein ausgebuffter Politiker könnte so ernst von Freundschaft reden und das Gegenteil meinen.

«Peter hat Charu wirklich geliebt», seufzte Martin.

«Aber Charu nicht ihn.»

«Da hat er sich aber auch nie Illusionen gemacht.»

«Hat er sie dafür gehasst?», fragte Angela. Denn dann könnte es sich bei Peter Kunkel um den Komplizen von Borscht handeln. Der Erpresserbrief hatte nun mal auf seinem Schreibtisch gelegen, hätte also doch gar nicht an Aramis gehen können.

«Er hat sie geliebt. Nie gehasst. Wir Satanisten glauben nicht an Hass.»

«Das überrascht schon ein wenig», staunte Angela.

«Aber es ist so», lächelte Martin.

«Ihnen macht es anscheinend Freude, ein Satanist zu sein.»

«So viel mehr als ein Polizist.»

«Sie mögen Ihren Job nicht?» Angela war verblüfft. In Mordfällen zu ermitteln, war doch, trotz aller Gefahr, intellektuell stimulierend.

«Ich werde nie so gut werden wie Hannemann.»

«Also, ich denke, das schaffen Sie schon.» Eigentlich hätte Angela sagen wollen, dass er sich unfassbar große Mühe geben müsse, um noch schlechter zu sein als sein Vorgesetzter.

«Ich denke nicht. Außerdem habe ich bald einen noch viel schöneren Beruf.»

«Sie wollen kündigen?»

«Entschuldigen Sie, ich muss jetzt wirklich los», erklärte der junge Mann. «Und wie gesagt, keine Sorge, Peter und Jessica werden es nie erfahren.»

Der junge Kommissaranwärter, der offensichtlich gar nicht mehr Kommissar werden wollte, ging zum Polizeiwagen. Das Gespräch ließ Angela mit einem unbestimmten Gefühl zurück. Irgendetwas, das Martin gesagt hatte, war wichtig für die Ermittlung. Doch was?

Während sie darüber nachdachte, fiel ihr Blick auf Mike und Achim. Der Personenschützer sprach mit ihrem Mann, und der machte dabei eine ernste Miene, die er sonst nur aufsetzte, wenn ihm bei seinen Experimenten die Quanten mal wieder demonstrierten, dass Menschen ihre Mechanik niemals verstehen können. Als Mike bemerkte, dass Angela sie beobachtete, brach er mitten im Satz ab und eilte davon wie ein elfjähriger Schüler, der vom Klassenlehrer mit einer Zigarette ertappt worden war, die ihm ohnehin schon ein Grummeln im Darmtrakt bereitete. Achim hingegen blickte seine Frau an, als ob sie ein Quant wäre, das er nicht verstand. Was hatten die beiden Männer nur besprochen?

52

Nach dem mehr als aufregenden Tag schlief Putin in seinem Körbchen vor dem Ehebett wie ein Stein. Wenn Steine schnarchen würden. Und pupsen. Und im Traum Hasen jagten. Oder Eichhörnchen. Oder Kühe. Oder fliegende Würste. Wenigstens, dachte sich Angela unter ihrer Decke, blickte der Mops sie nicht mehr so streng an. Was war nur mit ihm los? Eines der vielen Rätsel, die zurückstehen mussten hinter der Frage, was genau sie an dem Gespräch mit Martin so unruhig machte. Es war, als ob man in seinem Hirn nach einem Namen suchte und ihn einfach nicht fand: Je mehr man danach suchte, desto wuschiger wurde man. So war es Angela schon einmal ergangen, als sie gegen Ende ihrer Amtszeit dem ehemaligen französischen Präsidenten Hollande auf einem Botschaftsempfang begegnet war und ihr partout nicht mehr einfiel, wie er hieß.

Neben Angela las Achim das Buch eines Quantenphilosophen mit dem Titel *Bin ich da, wenn niemand hinschaut?* Dabei hatte er wie immer seine Decke völlig verkrumpelt. Ihr Mann besaß die unglaubliche Fähigkeit, selbst das bestbezogene Bett innerhalb weniger Sekunden in einen chaotischen Zustand zu versetzen. Eine Eigenschaft, die Angela entgegen aller Vernunft süß fand. Es war schon interessant, was für alberne Dinge man an einem Menschen mögen konnte, wenn man ihn liebte.

Achim bemerkte nicht, wie verzückt sie ihn ansah. Irgendwie wirkte er angespannt. Und er las immer noch die gleiche Seite wie vor fünf Minuten, in der es darum ging, dass unser Universum, wenn man die Stringtheorie ernst nahm, nicht existieren konnte. Angela bezweifelte stark, dass ihr Mann an der Textstelle hängen blieb, weil er den Gedanken nicht umreißen konnte. Achim konnte auf Anhieb die komplexesten Theorien verstehen, die sie nicht mal im Ansatz begriff und über die er mit ihr genauso wenig reden konnte wie sie mit ihm über Shakespeare. Angela kam in den Sinn, dass es auch in Achim Sehnsüchte geben könnte, die sie intellektuell nicht zu befriedigen vermochte. Daher wollte sie sich Mühe geben und fragte: «Unser Universum existiert also nicht?»

«Was?»

«Wenn es nicht existiert», versuchte sie es mit einem Scherz, «hätten wir alle weniger Probleme.»

«Hmm», grummelte er und legte sich auf die Seite. Mit dem Rücken zu ihr.

«Hast du etwas, Puffel?»

«Nein.»

Er hatte was.

Und das, kam ihr ein schrecklicher Gedanke in den Sinn, könnte damit zu tun haben, dass Achim mit Mike gesprochen hatte. Es war an der Zeit, die Wahrheit zu gestehen.

«Achim?»

«Ja, Puffeline?» Er sprach den Kosenamen mit sehr viel weniger Zärtlichkeit aus als sonst.

«Ach, nichts, Puffel.»

Die Wahrheit zu gestehen, war wie Altwerden: nichts für Feiglinge.

Die beiden schwiegen eine Weile, bis Achim leise fragte: «Wer ist Kurt Kunkel?»

Die Frage schnürte Angela die Kehle zu. Kaum hörbar antwortete sie: «Der andere Bestatter.»

«Und der steht auf dich?»

«Mike hat es dir …», keuchte Angela.

«Das hat er nur, weil ich ihn gefragt habe.»

Angela war zutiefst entsetzt.

«Sei ihm nicht böse, ich habe ihn gedrängt, sodass er nicht mehr ausweichen konnte.»

«Hmmm.» Jetzt war ihre Kehle dermaßen zugeschnürt, dass sie nicht mal mehr Wut auf Mike empfinden konnte. Nur noch Angst um ihre Ehe.

«Was soll das eigentlich heißen», drehte sich Achim zu ihr, «auf einen stehen? Steht man da auf dem Brustkorb? Auf dem Magen? Würde das nicht wehtun?»

Genau das hatte Angela sich auch gefragt. Egal, ob die beiden in Sachen Shakespeare und Quantentheorie gut miteinander kommunizieren konnten oder nicht, sie lagen doch in so vielen Dingen auf einer Wellenlänge.

«Stehst du auch auf ihn, was auch immer das sein soll?»

Offenbar hatte Mike nur von dem Interesse des Bestatters an ihr erzählt. Um Achim zu warnen. Vielleicht sogar, um ihre Ehe zu retten? Dann wäre die Indiskretion sogar ehrenhaft gewesen und würde zeigen, wie viel dem Personenschützer an Achim und ihr lag. Wie dem auch sei, es galt jetzt endlich, die Wahrheit zu sagen, und die lautete leider, wenn Angela ehrlich zu sich war, dass sie es nicht wusste. Sie hatte die Gespräche mit Aramis zwar genossen, mit ihm Händchen halten wollen, ihn gar in den Armen gehalten und getröstet, dennoch konnte sie nicht sagen, was sie für diesen Mann empfand. Mit Achim war sie seit Jahrzehnten zusammen. Aramis kannte sie erst seit wenigen Tagen. Wie könnte man die Gefühle überhaupt vergleichen?

«Du brauchst lange für eine Antwort.»

«Ja …», gestand Angela ein.

«Zu lange für eine, die von Herzen kommt.»

«Ja …», gestand Angela auch dies ein.

«Kläre es bitte für dich. Für mich. Und auch für diesen Kunkel.»

Für ihn? Achim dachte selbst in so einer Situation noch an die Gefühle anderer. Er war ein so guter Mensch. Er zeigte Größe, indem er nicht wütend wurde oder ihr gar eine Szene machte. Eine Größe, die kaum ein anderer an seiner Stelle demonstriert hätte. Achim war nun mal ein besonderer Mann. Daher sagte Angela: «Ich liebe dich.»

«Ich weiß. Und ich dich.»

Es war wundervoll, dies zu hören.

«Und genau deswegen musst du die Angelegenheit so schnell wie möglich klären.»

Achim rollte sich zur Seite, um wieder den Absatz über die mögliche Nicht-Existenz unseres Universums anzustarren. Und Angela wusste: Jetzt ging es um die Existenz ihres eigenen Universums.

53

Das Frühstück war beendet, obwohl sie quasi nichts gegessen hatten. Angela und Achim hatten keinen Appetit und die meiste Zeit geschwiegen, bis auf Sätze wie «Kannst du mir bitte die Butter reichen, Puffel?». Früher hätte Achim bei so etwas gescherzt: ‹Die Butter reiche ich dir schon, Puffeline, aber niemand kann dir das Wasser reichen.›

Konnte es sein, dass sie fortan nie mehr eins seiner albernen Wortspiele hören würde, die sie so amüsierten, aber Menschen, die Achim nicht liebten wie sie, dazu brachten, sich nach Fluchtwegen umzusehen? Bereits bei ihrer ersten Verabredung hatte Puffel sie mit einem schlechten Wortspiel beglückt, als er ihr nämlich erklärte: «Mein Lieblingslied ist *Ich habe immer noch deine Bluse.*»

«Das habe ich noch nie gehört», hatte Angela geantwortet.

«Du kennst es besser unter dem englischen Titel.»

«Und der wäre?»

«I've still got the blues for you.»

Angela hatte nie zuvor über so einen seltsamen Humor lachen müssen. Jetzt aber hatte sie den ganzen Morgen mit Achim am Frühstückstisch verbracht, ohne auch nur einen müden Scherz von ihm gehört zu haben. Alles nur wegen Aramis. Die Angelegenheit musste ein für alle Mal geklärt werden!

Angela stand vom Tisch auf und erklärte: «Ich werde jetzt zu ihm gehen.»

«Tu das», antwortete Achim leise, aber klar.

Als Angela zur Terrassentür ging, stellte sich ihr der kläffende Putin in den Weg. Jetzt begriff sie: Der Mops wollte nicht, dass sie Aramis traf. Sie blickte zu dem Kleinen und sagte: «Ich liebe dich auch, mein süßer Hasemase.» Am liebsten hätte sie ihm auch noch gesagt, dass alles gut werden würde. Aber sie wollte niemandem, den sie liebte, Dinge versprechen, von denen sie nicht wusste, ob sie sie auch halten konnte. Nicht mal einem Mops. So sah sie ihm lediglich traurig in die Augen, und er blickte traurig zurück. Als ob er sie verstand.

Beim Losgehen warf sie noch einen Blick zu dem lieben Ehemann und dem lieben Hasemasen. Es war nicht auszumachen, wer den traurigeren Hundeblick hatte. Putin. Achim. Oder sie selbst.

Außerdem sah Angela aus dem Augenwinkel Mike, der aus dem Gartenhäuschen zum Frühstücken kam. Er sah schuldbewusst aus. Doch sie konnte nicht auf ihn wütend sein. Wenn sie auf jemanden zornig war, dann auf sich selbst, weil sie alles in Gefahr brachte, was ihr lieb und teuer war.

Angela überquerte den Marktplatz, auf dem überraschenderweise der Stand von Obst-Angela geschlossen war, sie ging an der Kirche vorbei, hin zum Friedhof. Wieder sah sie das Grab der kleinen Juliana Blume, die vor Jahrhunderten als Kind gestorben war. Hätte sie die Aufschrift auf ihrem Stein nie gelesen, hätte sie wohl nicht Zweifel bekommen, ob sie ihr Leben bis zum Ende so weiterführen wollte wie bisher. Ein kleines, vor langer Zeit verstorbenes Mädchen hatte ihre Welt ins Wanken gebracht.

Angela ging weiter und kam am Haus des verstorbenen Gärtners vorbei. Peter Kunkel schleppte ein Regal heraus, das fast so kaputt aussah wie jenes von Ikea, das Angela und Achim bei ihrem Einzug ins neue Haus beim Aufbau ruiniert hatten. Der junge Mann hatte dunkle Ringe unter den Augen, vermutlich von den Tränen, die er wegen Charu vergossen hatte. Diesmal trug er eine schwarze Jeans und ein schwarzes T-Shirt, auf dem der Name seines Webshops in flammend roten Lettern stand: *Satanazon*.

«Sie haben also», fragte Angela ihn, «das Haus des Gärtners gekauft?»

«Die Stadt hat es mir für 15 000 Euro angeboten, und der Notarvertrag wird aufgesetzt. Ich fang schon mal an, es herzurichten.»

«Herrichten wofür?»

«Es soll für Satanisten aus aller Welt ein Wallfahrtsort werden. Es wird Vorträge geben über den Kaufmann Hachert und Seminare über das richtige Leben als Satanist. Außerdem werden wir hier Sachen aus unserem Webshop verkaufen. Wie Amazon sind wir dann ein Online-Versand mit einem Flagship-Store, nur dass unserer nicht in Seattle, sondern in Klein-Freudenstadt liegt. Aber das meiste Geld werden wir mit etwas anderem verdienen.»

«Und mit was?»

«Mit Swinger-Orgien.»

«Ich habe nicht gefragt.»

«Speziell ausgerichtet für Satanisten aus aller Welt. Die werden es lieben, dass die Orgien auf einem Friedhof …»

«Ich muss nicht mehr wissen.»

«Wollen Sie und Ihr Mann eine Einladung?»

«NEIN!»

«Schade, hätte uns aber bestimmt Aufmerksamkeit gebracht.»

«Mit ‹wir› und ‹uns› meinen Sie sich und Martin?», kombinierte Angela, hatte der Kommissaranwärter doch erklärt, dass er sich beruflich neu orientieren wollte.

«Genau.»

«Hatten Sie dies alles hier ursprünglich mit Charu geplant?»

«Eigentlich schon, aber ich weiß jetzt, dass sie es nie wirklich gewollt hat», sagte Peter traurig. «Sie wollte aus Klein-Freudenstadt verschwinden.»

«Hat sie Ihnen das gesagt?»

«Charu hatte einen Weg gefunden, an sehr viel Geld zu kommen, wollte mir aber nicht verraten, um was es ging. Nur, dass sie es nie in *Satanazon* investieren würde.»

«Und jetzt kommt das Geld …?»

«Von Martin. Der hat vor ein paar Monaten gut geerbt.»

«Was sagt denn Ihr Vater zu dem Vorhaben? Er will doch, dass der älteste Sohn den Bestattungsbetrieb übernimmt, wie es in Ihrer Familie Tradition hat.»

«Den kann Jessica haben. Wollte sie doch schon immer. Und dann kann sie ihn auch endgültig in die Pleite führen.»

«Pleite? Trauen Sie ihr das nicht zu?»

«Wir haben kaum Rücklagen. Und gegen die Konkurrenz von Borscht wird auch sie nicht ankommen.»

«Martin hat Ihnen doch bestimmt berichtet, dass Borscht verhaftet wurde.»

«Aber Merle wird alles weiterführen. Und die hat schon ihr ganzes Leben lang alles so gemacht wie ihr Vater. Ein echtes Papakind.»

Dass die beiden jungen Frauen vor ihrer Trennung geplant hatten, die Institute zusammenzulegen, wusste Peter Kunkel anscheinend nicht.

«Und Borscht wird jetzt in die Hölle kommen wegen Charu», ereiferte er sich. «Die Dämonen werden ihn auf dem Feuer rösten, danach in Scheiben schneiden, an die Höllenhunde verfüttern, diese dann aufschneiden, seine Einzelteile wieder zusammenflicken, ihn neu erwecken und dann das Ganze noch mal machen. Immer und immer wieder. In alle Ewigkeit.»

So viel zum Thema: Satanisten kennen keinen Hass.

«Ich werde», sagte Angela, «dann mal weitergehen.»

«Ich muss jetzt auch in die Kapelle, die Trauerfeier der alten Frau Krawinkel vorbereiten.»

«Dann wünsche ich gutes Gelingen.»

«Wollen Sie und Ihr Mann sich das mit der Einladung nicht noch mal überle…?»

«NEIN! DAS WOLLEN WIR NICHT!»

Angela ließ den verdutzten Peter Kunkel stehen. Sie hatte genug von ihm gehört. Die Detektivarbeit musste zurückstehen, das eigene kleine Universum war wichtiger.

54

Als Angela das Haus des Gärtners und das Grabmal des Kaufmanns Hachert hinter sich gelassen hatte, erblickte sie Aramis auf einem schmalen Steg, der in den kleinen Friedhofsee ragte. Neben ihm lag seine Zeichenmappe, die er jedoch nicht anrührte. Er saß still da und blickte auf das zum Teil von Algen bedeckte, ansonsten aber von der Sonne funkelnde Wasser. Eine Entenfamilie paddelte vorbei. Aramis schien tief in Gedanken versunken zu sein.

Angela betrat den Steg, Aramis blickte sich um. Als er sie sah, lächelte er auf eine Weise, die Angela noch nicht von ihm kannte: innig und zugleich zerbrechlich. Wie ein Mensch, der trotz aller Gefahr, dass seine Gefühle verletzt werden könnten, sein Herz öffnete. Es bestand kein Zweifel: Er empfand etwas für sie!

Angelas Knie begannen zu zittern, ihr Magen wurde flau.

«Setzen Sie sich zu mir», lud Aramis ein.

Sie konnte keinen Schritt vor den anderen setzen.

«Es ist sicher», schmunzelte er, «dieser Steg ist stabiler als die Bank gestern.»

Angela musste bei dem Gedanken an die Bank ebenfalls schmunzeln. Doch sogleich verging ihr das Lächeln wieder. Sie dachte daran, dass sie beide sowohl auf der Bank als auch nachher auf dem Boden beinahe Händchen gehalten hätten. Würde es heute wieder zu so einer Situation kommen, wenn sie sich zu Aramis setzte?

Natürlich.

Wollte sie das riskieren?

Ja.

Aber auch nein.

Das erinnerte Angela an einen Scherz von Achim, der lautete: ‹Sind Sie unentschlossen? Antwort: Ja, aber auch nein.›

Achim.

Er wollte, dass sie die Angelegenheit klärte.

«Kommen Sie schon», lächelte Aramis, und sie ging, trotz aller Unsicherheit, zum Ende der Holzplanken und blieb einen Meter von ihm entfernt stehen. Von hier aus war der Blick auf den kleinen See idyllisch.

«Hier», rückte Aramis etwas zur Seite und legte seine Zeichenmappe hinter sich, um ihr auf dem engen Steg Platz zu machen. Angela setzte sich. Als sie ihre Beine über dem Wasser neben den seinen baumeln ließ, nahm sie wahr, wie nah Aramis nun war: Es trennten sie nur wenige Zentimeter voneinander.

Die beiden schwiegen eine Weile, jedoch ganz anders als Achim und sie kurz vorher am Frühstückstisch. Zwischen Aramis und ihr knisterte es auf eine Weise, die Angela aufregend fand, aber auch bedrohlich. Sie hatte Angst, die Kontrolle zu verlieren. Kontrollverlust auszuhalten, gehörte nun mal nicht zu ihren Stärken.

«Wissen Sie», beendete Aramis das Schweigen, «was mein Lieblingsgedicht von Shakespeare …»

«Sie meinen, von Emilia Bassano?», unterbrach Angela ihn.

«Ja, von Emilia», lachte Aramis, er hatte ein so wunderbares Lachen, «also, wissen Sie, was mein Lieblingsgedicht von ihr ist?»

«Verraten Sie es mir?»

«Das Lied des Narren.»

Angela kannte es auswendig, wie so einige, die ihr besonders gefielen. Gut, dass sie nicht mehr stand: Ihre Knie wurden so weich, dass ihre Beine nachgegeben hätten. Beim *Lied des Narren* handelte es sich um ein Liebesgedicht.

«Was ist die Lieb? Sie ist nicht künftig»,

deklamierte Aramis mit seiner schönen tiefen Stimme:

«Gleich gelacht ist gleich vernünftig;
Was noch kommen soll, ist weit.
Wenn ich zögre, so verscherz ich.»

Er schwieg, und Angela erkannte, dass er die eigentlich im Gedicht nun folgende Zeile aussparte:

Komm denn, Liebchen, küss mich herzig!

Doch seine Intention war auch so klar.

«Jugend …»,

deklamierte Aramis weiter, diesmal mit einer Wehmut in der Stimme, die Angela teilen konnte,

«… hält so kurze Zeit.»

Die Jugend war vorbei.
Das Leben endlich.
Die Liebe damit auch.
Aramis nahm ihre Hand.
Hielt sie fest.
So fest, wie noch nie ein Mann es getan hatte.

Auch und erst recht nicht Achim.

Jetzt wusste Angela, mit welchem Mann sie ihr Leben und ihre Liebe bis zum Ende teilen wollte.

55

Am Frühstückstisch versuchte Achim, sich auf sein Buch zu konzentrieren und damit einhergehend auf die Frage, ob das Universum existierte, und falls nicht, ob sich dadurch etwas ändern würde. Doch auch jetzt starrte er die Seiten an, ohne sie zu lesen. Mike lenkte ihn ab, der schon seit einer Weile vergeblich versuchte, ein Stück Salami aus einem Zahnzwischenraum zu entfernen. Viel mehr noch lenkte ihn der Umstand ab, dass Angela bei einem anderen war.

Natürlich hatte Achim schon immer geahnt, dass es einmal einen anderen geben würde, der für sie eine kurzzeitige Verlockung darstellte. Er hatte das jedoch eher während ihres Politikerlebens erwartet, schließlich war seine Puffeline dort so gut wie jeden Tag faszinierenden Persönlichkeiten begegnet. Aber nun war es in der Rente geschehen. In Klein-Freudenstadt. Das Einzige, was er jetzt tun konnte, war, fest an das Band ihrer Liebe zu glauben.

Und dennoch nagte es an ihm. Aus der Wissenschaft wusste er, dass es bei Experimenten immer das Restrisiko gab, einen Ausgang zu beobachten, mit dem man zuvor nicht gerechnet hatte. Käme es heute dazu, würde er sich tatsächlich wünschen, dass das Universum nicht existierte.

Achim versuchte, sich mit einem kleinen Gesang aufzumuntern: *«Chör öp, slööpö Jöön, öh whöt cön öt möön tö ö döydrööm bölöövör önd ö hömcömöng quöön.»*

Mike starrte Achim entgeistert an.

«Das ist ein schönes Lied», erklärte er dem Personenschützer. «Es erhellt die Stimmung. Man singt es mit immer anderen Buchstaben.»

«Buchstaben?», fragte Mike nicht ganz deutlich, da er noch immer mit seinen Fingern im Mund pulte.

«Ja, man kann es mit Ö singen, mit A, gar mit F.»

«F?» Mike blickte Achim an, als ob er nicht mehr alle Buchstaben im *Scrabble*-Säckchen hätte.

«Chffr fp, slffpf Jffn, fh whft cfn ft mffn tf f dfydrffm bflfver fnd f hfmfcfmfng qffn.»

«Okay …» Mike war sichtlich überfordert.

«Das geht auch mit Semikolon.»

«Aber das singen Sie doch jetzt hoffentlich nicht.»

«Chsemikolonr semikolonp, slsemikolonpy Jsemikolonn, semikolonh …»

«Ich hab's verstanden», unterbrach Mike.

«Wollen Sie mitmachen?», fragte Achim. Vielleicht würde es helfen, gemeinsam das lustige Lied zu schmettern.

«Nein danke.»

«Schade.»

«Wissen Sie, Herr Sauer, ich bin ein Idiot.»

Achim staunte über diese Selbsterkenntnis, der er nicht widersprechen wollte, obwohl er den Mann eher als liebenswerten Simpel bezeichnet hätte.

«Ich habe zu viel Angst im Leben.»

«Sie?» Achim war überrascht. Personenschützer galten doch eher als mutig.

«Ich trau mich nicht, Marie meine Liebe zu gestehen.»

«Weil Sie Angst davor haben, dass Ihr Herz gebrochen wird?»

«Ja, und wie! Dabei kann das Leben doch jederzeit vorbei sein.»

Über den Tod hatte Achim noch nie länger nachgedacht. Klar wusste er in der Theorie, dass jeder Mensch jederzeit versterben konnte.

Aber in der Praxis lebte er in der Gegenwart und beschäftigte sich nicht mit Szenarien, die einem nur unnötig schlechte Laune bereiteten.

«Das habe ich gestern erlebt», sagte Mike erschüttert.

«Als die Granate gefallen ist», verstand Achim, worauf der Mann anspielte.

«Ich wäre gestorben, ohne mit Marie *Bodyguard* gesehen zu haben.»

«Ich fürchte, ich verstehe nicht ganz», sagte Achim.

«Marie soll wissen, wer ich bin.»

Dieses Anliegen verstand Achim wiederum.

«Ich geh sofort zu ihr», sagte Mike und stand auf.

«Das scheint mir eine gute Idee zu sein.»

«Danke.»

«Ich hätte aber noch eine weitere Anmerkung.»

«Ja?»

«Sie sollten sich den Sabber, das Ergebnis ihrer Pulerei, vom Hemdkragen wischen.»

«Oh ja.» Mike machte sich sofort an die Arbeit.

«Ich hoffe, dass Sie und Marie ein Band der Liebe finden», sagte Achim. «So wie ich eines mit meiner Frau habe.»

«Das wäre schön», lächelte Mike.

Eine neue Liebe, dachte Achim, bahnte sich also an. Trotz der Freude, die er darüber eigentlich hätte empfinden sollen, wurde ihm schwer ums Herz. Er konnte nur hoffen, dass sich nicht noch eine weitere neue Liebe anbahnte. Der Gedanke machte Achim dermaßen trübsinnig, dass er sagte: «Und jetzt mit F!», und zu singen begann: *«Chffr fp, slffpf Jffn …»*

«Herr Sauer», unterbrach ihn nun wieder Mike.

«Ja?»

«Ich würde auch gerne eine Anmerkung machen.»

«Sie mögen meinen Gesang nicht?»

«Nun, wenn ich ehrlich bin, das auch, aber eigentlich wollte ich etwas anderes sagen, und zwar …»

«Habe ich etwa auch Sabber auf dem Hemdkragen?»

«Nein …»

«Etwas zwischen den Zähnen?»

«Nein …»

«Was denn dann?»

«Das sage ich, wenn Sie endlich aufhören, mich zu unterbrechen.»

«Einverstanden.»

«Herr Sauer, es ist so …»

«Habe ich etwa Popel an der Nase hängen?» Achim erinnerte sich, wie ihm das bei seiner ersten Begegnung mit Michelle Obama passiert war.

«Nein!»

«Habe ich meine Hose wieder mit Marmelade bekleckert?» Dies war bei seiner ersten Begegnung mit dem Papst geschehen.

«HERR SAUER!»

«Ja?»

«Hören Sie mir endlich zu!»

«Was ist es denn?»

«Sie sollten nicht alberne Lieder singen, sondern um Ihre Liebe kämpfen.»

«Wie bitte?», staunte Achim.

«Das Leben ist zu kurz für vergebene Chancen!»

Weiter sagte Mike nichts und machte sich auf den Weg zu Marie.

Achim dachte zweierlei: 1) Er war also nicht in irgendeiner Form bekleckert, und 2) Vielleicht war Mike doch kein Simpel. Es galt in der Tat zu kämpfen!

56

Händchenhalten. Es gibt wahrlich kaum etwas Intimeres zwischen zwei Menschen. Jedenfalls nichts, was sich außerhalb des Schlafzimmers abspielt. Angela hatte in den letzten Jahrzehnten ausschließlich mit Achim Händchen gehalten. Manchmal benötigte man aber einen Vergleich, um zu erkennen, was man hat, was man nicht hat und was man haben will. Aramis' Händedruck war stark und demonstrierte: Ich halte dich fest. Ich lasse dich nie mehr los. Und werde dich immer, immer behüten.

Angela wollte aber nicht behütet werden!

Sie wollte keinen Mann, der sich für stärker hielt als sie. Sie wollte einen, dem sie vertrauen konnte und der ihr vertraut war. So ein Mann besaß einen völlig anderen Händedruck. Keinen starken, festen und damit auch – selbst wenn es von Aramis nicht so gemeint war – dominanten. Der richtige Mann besaß einen Händedruck, der Raum ließ, sodass die Hände liebevoll ineinanderliegen und dennoch einander festen Halt geben konnten. Ohne dass die eine Hand die andere dominierte. Nur dadurch konnte Angela sich eins fühlen mit einem Mann. Mit Aramis fühlte sie sich nicht eins. Mit Achim hingegen schon ihr ganzes Leben.

Angela hatte ihren Vergleich, und sie wusste nun, was sie wollte, was sie nicht wollte und was sie für die Zukunft haben wollte.

Aramis war für diesen kurzen Augenblick am Steg zwar die Gegenwart, jedoch würde eine Entscheidung für ihn eine Zukunft bedeuten, in der sie mit ihm kein harmonisches Ganzes bilden würde. Er würde immer versuchen, ein starker Mann zu sein. So etwas konnte gar im Unheil enden, wie damals, als er sich im Wagen mit dem Nebenbuhler Ralf Borscht prügelte und damit für den Unfall sorgte, bei dem seine Ehefrau verstarb.

Keine Frau braucht einen starken Mann.

Eine Frau braucht einen Mann, der ihr Stärke verlieh.

Einen wie Achim.

Er war Angelas Vergangenheit und ihre Zukunft.

Angela löste den Händedruck. Für einen kurzen Moment versuchte Aramis, ihre Hand noch festzuhalten, doch sie zog sie entschlossen weg und stand auf. Er rappelte sich hastig hoch und sagte: «Verzeihen Sie mir, ich bin zu weit gegangen.»

«Wir sind zu weit gegangen», erwiderte Angela. Sie hatte ja ihren Teil dazu beigetragen.

«Darf ich ehrlich sein?»

«Ich bitte drum», antwortete sie und fragte sich, was nun wohl kommen würde.

«Ich hätte mir gewünscht, dass wir noch viel weiter gegangen wären.»

Angela runzelte die Stirn.

«Nein, nein, nicht körperlich», erwiderte Aramis hastig, «ich meine als … wir zwei …»

«Es tut mir leid, ich hätte es nicht so weit kommen lassen dürfen», bekam Angela ein schlechtes Gewissen.

«Es war schön», erwiderte Aramis melancholisch lächelnd, «dass es wenigstens so weit kam.»

Das war es wirklich. Und es war sogar gut gewesen. Denn Angela fühlte sich Achim nun verbundener als je zuvor.

Aramis hob seine Mappe auf. Wieder einmal segelte ein Blatt mit einer Kohlezeichnung heraus. War es etwa das Bild von ihr? War es schon fertig? Wie auch immer, Angela stellte beruhigt fest, dass es ihr diesmal kein Herzflattern bereitete. Ein Zeichen dafür, dass sie mit ihrer Entscheidung im Reinen war.

Das Blatt landete am Ende des Stegs und drohte ins Wasser zu fallen, doch Aramis schnappte es sich gerade noch rechtzeitig. Sie konnte die Kohlezeichnung nun genau erkennen. Nicht sie war darauf abgebildet, sondern Aramis' verstorbene Ehefrau. Es schien sich dabei um ein neues Porträt zu handeln. Ob Aramis es angefertigt hatte, als er Angela bereits kannte? Sie wollte ihn dazu nicht befragen, aber ihr war nun zudem klar, dass eine gemeinsame Zukunft mit diesem Mann immer von der Vergangenheit überschattet worden wäre. Aramis fluchte: «Ich brauche dringend ein neues Lederband.» Dann bemerkte er, dass Angela die Zeichnung gesehen hatte, und fragte: «Würden Sie mich zu Anjas Grab begleiten?»

«Wenn Sie sich das wünschen.»

«Es wäre das erste Mal, dass ich dort nicht allein sein müsste.»

«Dann begleite ich Sie gerne.»

Aramis wirkte dankbar dafür. Die beiden verließen den Steg. Nicht als Liebende. Aber als gute Bekannte. Die das Potenzial dazu hatten, Freunde zu werden.

57

Als Angela und Aramis sich dem Grab seiner verstorbenen Ehefrau näherten, gab es dort überraschenden Besuch: Die Kuh Luise war wieder ausgebüxt. Sie stand neben der Statue von Anja Kunkel und glotzte stumpf durch die Gegend.

«Das gibt's doch nicht!», schimpfte Aramis. «Nicht schon wieder!»

Angela musste schmunzeln.

«Das ist nicht zum Lachen!»

«Nein, natürlich nicht», versuchte Angela, sich das Schmunzeln zu verkneifen. Es fiel ihr jedoch so schwer wie damals, als Armin Laschet ihr im persönlichen Gespräch verkündet hatte: «Ich habe das Zeug zum Kanzler.»

«Es ist schon das zweite Mal, dass ich sie hier sehe!», regte sich Aramis auf. Seine Wut wurde noch größer, als Luise anfing, die Blumen und Sträucher auf dem Grab zu fressen: «Lass das, du blödes Viech!»

Die Braungefleckte gab sich davon völlig unbeeindruckt.

«Ich hab gesagt: Lass das!» Aramis' Kopf wurde rot vor Zorn.

Angela fragte sich, ob sie ihn beruhigen sollte. Ihm erzählen, dass sie sich schon einmal gefragt hatte, ob es sich bei Luise nicht vielleicht um seine wiedergeborene Frau handeln könnte. Angesichts seiner Wut schien ihr das unangemessen. Stattdessen wollte sie Aramis tröstend die Hand auf die Schulter legen wie bei seiner Tochter Jessica, aber sie hielt sich im letzten Moment damit zurück. Die Zeit der Berührungen mit diesem Mann war endgültig vorbei. Potenzielle Freundschaft hin oder her.

«Dich mache ich fertig!», rief Aramis nun und rannte auf die Kuh zu. Eine völlige Überreaktion. Vermutlich getrieben von seinem Schmerz über den Verlust der Ehefrau, wohl aber auch von der Schuld an ihrem Tod. Vielleicht sogar von der Abfuhr, die Angela ihm gerade erteilt hatte?

«Hau ab!» Aramis schlug mit seiner Faust auf den Rücken des Tiers. Das war kein freundschaftlicher Klaps, sondern ein harter, fast schon brutaler Hieb. Luise dachte gar nicht daran, sich zu bewegen. Angela sah fassungslos zu. Es war das erste Mal, dass sie Aramis als abstoßend empfand. Ihren Achim hatte sie niemals auch nur ansatzweise so unsympathisch gefunden.

«Hau ab von ihr! Hau ab!» Aramis schlug auf die Kuh ein. Sein Kopf nahm eine gefährlich dunkelrote Farbe an. Jetzt war es für Angela gewiss, dass Schmerz und Schuldgefühle sich bei ihm Bahn brachen.

Endlich setzte sich Luise in Bewegung. Erst trottete sie, dann fing sie an zu rennen. Leider direkt auf Angela zu.

«Gehen Sie aus dem Weg!», rief Aramis.

Ein guter Rat, hatte Luise doch wahrlich einen Affenzahn drauf.

«Gehen Sie aus dem Weg!»

Das war leichter gesagt als getan. Denn Angela war beim Anblick der rasenden Kuh wie gelähmt.

«Bewegen Sie sich endlich!», rief Aramis verzweifelt.

Angela gab ihren Beinen den Befehl zu laufen, aber die hörten genauso wenig auf sie wie die Ministerpräsidenten während der Coronakrise.

«Biiiitte!»

Die ganze Situation kam ihr unwirklich vor. So sehr, dass absurde Gedanken durch ihren Kopf schossen: Wäre Aramis wirklich ein französischer Actionheld, würde er jetzt lossprinten, sich auf die Kuh schwingen und sie im letzten Moment mit einem energischen ‹Brrrr› zum Halten bringen. Aber er tat nichts dergleichen.

So würde sie also sterben, dachte Angela. Niedergetrampelt von einer Kuh namens Luise. Es gab Abgänge, die glamouröser waren. Wenigstens hatte sie es nicht weit bis zum Grab.

Ob sie als Kuh wiedergeboren würde?

Oder reichte ihr Karma nur für ein Leben als Ameise?

Am liebsten würde sie als Mops bei Achim reinkarniert werden. Dann wäre sie auch bei ihrem Hasemasen Putin, könnte den kleinen Adrian Ángel aufwachsen sehen und den gewiss traurigen Puffel trösten, indem sie sich als Hund bei ihm ins Bett kuschelte und mit der Zunge liebevoll durch sein Gesicht schlabberte.

Auf was für Gedanken man kam, wenn man sich dem Tode nahe wähnte.

«Springen Sie!», hörte sie Aramis brüllen, aber es war wie eine Stimme aus weiter Ferne. Dafür konnte sie nun das Weiße in den Augen von Luise erkennen.

Interessant, dachte sich Angela, sie hatte gar nicht gewusst, dass Kühe auch Weißes in den Augen hatten. Sie wusste so viele Dinge nicht. Kein Mensch war lange genug auf der Welt, um sie in Gänze zu verstehen. Oder auch nur im Ansatz. Dabei störte Angela am meisten, dass sie nicht mehr herausfinden würde, wer der Komplize von Borscht war.

Die Kuh war nun so nah, dass Angela deren Atem schon entgegenwehte. Gleich würde es zu Ende gehen.

Doch jedem Ende wohnt ein Zauber inne. Meist ein dunkler. Manchmal aber auch ein heller: Es trat doch noch ein Held auf die Bildfläche! Kein französischer, der sich auf die Kuh schwang. Kein amerikanischer, der auf einem Pferd angeritten kam und Luise mit einem Lasso einfing. Ein simpler deutscher, der Angela einfach aus dem Weg riss und dabei rief: «Puffeline!»

Angela stürzte zu Boden, Achim auf sie drauf, und Luise rannte haarscharf an den beiden vorbei. Als die Gefahr vorüber war, keuchte Achim: «Geht es dir gut, Puffeline?»

«Nie ging es mir besser», antwortete Angela, und obwohl ihr alle Knochen schmerzten, war dies die Wahrheit. Nicht nur, weil sie gerade eine Nahtoderfahrung überlebt hatte, sondern auch, weil sie mit ihrem Helden den Rest des Lebens würde verbringen dürfen. Sie war so glücklich, dass sie etwas tat, was sie bestimmt schon seit dreißig Jahren nicht mehr in der Öffentlichkeit getan hatte: Sie küsste ihren Puffel.

58

Die Kuh kam etwa dreißig Meter entfernt zum Stehen. Aramis tupfte sich den Schweiß von der Stirn, und Angela rappelte sich mit ihrem Mann auf. Letzterer funkelte den Bestatter böse an und krempelte seine Ärmel hoch.

«Was hast du vor, Puffel?»

«Um dich kämpfen!»

Angela fand ihn noch süßer als sonst.

«Ich will dich nicht verlieren!»

«Du wirst mich nie verlieren, Puffel», erklärte Angela und nahm seine Hand. Kaum lag die in ihrer, fühlte sie sich wieder eins mit ihm. Zwei Menschen, die zusammen mehr waren als die Summe ihrer Einzelwesen.

«Puh, da bin ich aber froh!»

«Weil du dich jetzt nicht mit ihm prügeln musst?»

«Da hätte ich ganz schön auf die Glocke bekommen», gab Achim zu.

«Vermutlich», lächelte Angela und blickte zu Aramis, der sich erschöpft auf jenen halbhohen Stein am Grab seiner verstorbenen Frau gesetzt hatte, auf dem Angela tags zuvor schon Merle Borscht hatte sitzen sehen. Dabei sah der Bestatter ganz und gar nicht mehr aus wie ein ehemaliger französischer Actionheld.

«Aber viel mehr», lächelte Achim, «bin ich erleichtert, dass ich dich nicht verliere.»

Angela wollte ihrem Heldenpuffel wieder ein Küsschen geben, da hörte sie eine Stimme rufen: «Ach Luise, du blödes Viech!» Es war ihre Namensvetterin, die Obstverkäuferin vom Markt, die ihre Kuh einfangen wollte. Angela und Achim gingen zu ihr, während sie ein Seil um den Hals der Kuh legte und versprach: «Heute noch wird der Zaun repariert.»

«Das scheint mir eine gute Idee zu sein», fand Angela.

«Ihre Kuh hätte meine Frau beinahe umgerannt», schimpfte Achim.

«Das wird kein drittes Mal vorkommen, Luise wird nie wieder ausbüxen. Keine Sorge.»

Kaum hatte Obst-Angela dies gesagt, erkannte Angela endlich, was genau sie nach dem Gespräch mit dem Kommissaranwärter Martin so vergeblich im Kreis hatte denken lassen. Alle Puzzleteile setzten sich für sie mit einem Schlag zusammen und ergaben ein klares Bild, welche zwei Personen den Gärtner und Charu Benisha getötet hatten.

Aufgeregt trat Angela vor die Landwirtin und fragte: «Meinten Sie es ernst, als Sie gesagt haben, Sie würden mir bei der Ermittlung helfen wollen?»

«Klar doch.»

«Dann habe ich eine große Bitte an Sie.»

59

Mike saß mit Marie in ihrem kleinen, gemütlichen Wohnzimmer und schaute mit ihr gemeinsam *Bodyguard*. Zuerst hatte Marie gestaunt, dass er so früh am Tag einen Film mit ihr sehen wollte, aber der kleine Adrian Ángel schlief in der Wiege, und sie war zu müde gewesen, um zu protestieren.

Mit Freude hatte Mike bemerkt, dass Marie bei dem Film nicht einnickte, sondern von Sekunde zu Sekunde wacher wurde und ab der zweiten Hälfte richtig mitging. Die aufregendste Szene kam gegen Ende, in der Kevin Costner die geliebte Whitney Houston (natürlich hießen die Charaktere im Film anders, aber jeder Zuschauer sah nur Kevin und Whitney) unter Einsatz seines Lebens rettete. Anschließend kamen die emotionalsten Augenblicke des Films: Die beiden Liebenden verabschiedeten sich an einem Flugzeug, scheinbar für immer. Doch dann ertönte Whitney Houstons *I will always love you*, für Mike der beste Song aller Zeiten. Bei diesen Klängen fielen Whitney und Kevin sich in die Arme und küssten sich. In der Schlussszene war der Bodyguard nicht mehr in ihrem Auftrag unterwegs, sondern beschützte einen Politiker, während der Song ins Crescendo überging. Als er verklungen und damit auch der Film zu Ende war, bemühte Mike sich, seine Tränen zurückzuhalten. Es gelang ihm nicht wirklich. Auch Marie war zutiefst gerührt. Jedoch auch ein wenig irritiert. Als sie den Fernseher ausmachte, fragte sie: «Das wolltest du mir unbedingt zeigen?»

«Ja», schniefte Mike und wischte sich die Tränen mit dem Hemdärmel ab.

«Warum?»

Mike bekam es mit der Angst zu tun, hatte er doch gedacht, das Ganze wäre selbsterklärend und er müsste nicht mehr groß gestehen, was er für Marie empfand. Mit Worten umzugehen, war nun mal nicht gerade seine Stärke.

«Ich», stammelte er, «hoffte, du würdest es verstehen.»

«Ich sage mal, was ich glaube, verstanden zu haben, okay?»

«Okay», antwortete Mike unsicher.

«Du bist der Bodyguard.»

«Hmm …»

«Und ich die dünne Sängerin, die einen Oscar gewinnt.»

«Hmm …» Mikes Stimme war kaum noch hörbar.

«Weil ich auch schwarz bin?»

«Was? Nein!», antwortete Mike hastig, darüber hatte er bisher gar nicht nachgedacht. Hautfarbe war für ihn nie für irgendetwas ein Kriterium gewesen. Weder die von Whitney Houston noch jene von Marie.

«Das wäre auch schräg», ließ Marie ihn vom Haken.

«Wäre es», stimmte Mike zu.

«Du hast also Gefühle für mich?»

Mikes Hals schnürte sich zu.

«Das wäre jetzt ein guter Zeitpunkt für eine Antwort.»

Das wusste Mike auch. Er konnte nur keine geben. So aufgeregt war er.

«Ich sage dir jetzt mal was.»

Mike wusste nicht, ob er dieses ‹was› hören wollte.

«Das Leben ist kein Film.»

Mike nickte.

«Ich bin keine dünne Frau wie Whitney Houston. Hey, ich habe gerade ein Kind geboren. Ich werde vermutlich nie wieder so schlank sein wie vor neun Monaten, und da hatte ich auch schon Übergewicht.»

«Das macht mir nichts aus», fand Mike seine Sprache wieder.

«Ich bin auch keine Sängerin, sondern eine abgebrochene Studentin.»

«Das auch nicht.» Mikes Stimme wurde fester.

«Ich bin auch sonst kein Superstar, sondern eine alleinerziehende Mutter.»

«Das auch nicht.» Jetzt klang Mikes Stimme sogar entschlossen.

«Und ich muss auch nicht von einem Bodyguard beschützt werden!», stellte sie klipp und klar fest.

«Das macht mir erst recht nichts aus», antwortete Mike und war davon selbst überrascht. Sein ganzes Leben lang war er dem Trugschluss erlegen, er müsste wie Kevin eine Whitney beschützen. Jetzt erst, mit Marie neben sich auf dem Sofa, verstand er das Schlussbild, bei dem der Bodyguard auf einer Konferenz einem Politiker zugeteilt war: Kevin und Whitney konnten erst von jenem Augenblick an eine Zukunft haben, in dem er sie nicht mehr beschützen wollte.

«Das macht dir nichts aus?», staunte Marie.

«Du bist eine starke Frau. Du hast kein einziges Mal geweint, obwohl eine Handgranate auf uns geworfen wurde. Außerdem hast du dich durch mehr Widrigkeiten des Lebens geschlagen als die meisten Menschen und strahlst immer noch.»

«Du kannst ja plötzlich ein paar Sätze am Stück reden», stellte Marie fest.

«Wegen dir.» Er blickte ihr nun tief in die Augen.

«Du … du willst mich aber nicht wirklich.» Marie wurde schlagartig unsicher, wie Mike sie noch nie erlebt hatte.

«Wieso sollte ich das denn nicht wollen?»

«Weil ich verkorkst bin», antwortete sie und schien dabei sogar noch mehr Angst zu haben als er selbst noch vor ein paar Minuten.

«Wer auf der Welt ist nicht verkorkst?»

«Ich war mal auf die schiefe Bahn geraten.»

«Du wirst dafür Gründe gehabt haben.»

«Ja.»

«Na siehst du.»

«Aber es waren keine guten.»

«Damit kann ich leben.»

«Und ich habe schon ein Kind.»

«Was ist das denn für ein Argument?»

«Eins, das viele Männer abschrecken würde.»

«Nur Idioten. Außerdem habe ich selbst eine Tochter.»

«Das schreckt mich nicht ab.»

«Du bist ja auch keine Idiotin.»

«Aber etwas anderes schreckt mich.» Marie wirkte mit einem Mal ganz zerbrechlich.

«Und was?»

«Egal.»

«Gibt es nicht.»

«Wirst du», fragte Marie nun ganz leise, «meinem Herzen wehtun?»

«Niemals.» Nie zuvor war sich Mike bei etwas so sicher gewesen.

«Wirklich?»

«Du kannst dich auf mich verlassen.»

«Ich … ich … habe aber noch ein Problem …»

«Und was?» Mike war sich sicher, dass ihn nichts, was Marie sagen könnte, abschrecken würde.

«Seit Adrians Geburt muss ich mehr pupsen.»

Mike staunte.

«Mehr fällt mir leider nicht mehr ein, um dich davon abzuhalten, mich zu küssen.»

Mike lachte. Marie auch. Die beiden fielen sich in die Arme und hielten sich fest. Lange. Dann endlich küssten sie sich. Inniger, als Whitney und Kevin es je hätten tun können.

So innig, dass Mike nicht bemerkte, wie sein Handy klingelte und auf dem Display der Name *Die Chefin* leuchtete.

60

Angela betrat mit ihrem geliebten Puffel und ihrem fast ebenso geliebten Mops Putin die kleine Friedhofskapelle. In der lag, aufgebahrt in einem Eichensarg, die Leiche von Elsa Krawinkel. Eine kleine Frau im Nerzmantel, der man auch im Tode noch ansah, dass sie ihren mit Elfenbein verzierten Krückstock, der als Beigabe im Sarg lag, häufiger dazu eingesetzt hatte, ihren Unmut zu bekunden. Auf einer der Kirchenbänke hockte im Schneidersitz Jessica Kunkel, die ihrem Trauerredenmanuskript den letzten Schliff verlieh, während ihr Bruder Peter eine Tafel mit dem Konterfei der Verstorbenen aufstellte. Die Geschwister Kunkel betrachteten das Ehepaar Merkel / Sauer erstaunt. Als Erste fand Jessica ihre Sprache wieder: «Was machen Sie denn hier?»

«Ich habe mit Ihnen beiden etwas zu besprechen», antwortete Angela.

«Und was?»

«Das erkläre ich, wenn die anderen da sind.»

«Welche anderen denn?»

«Ich habe noch ein paar Personen angerufen.»

«Das ist eine davon», deutete Achim auf Aramis, der die Kapelle betrat und dem die Begegnung sichtlich unangenehm war. Angela war bei dem Wiedersehen ebenfalls angespannt. Kein Wunder, hatte sie doch mit dem Mann Händchen gehalten. Noch nicht mal eine Stunde war dies her. Dennoch fühlte es sich an wie vor einer Ewigkeit.

Putin lief auf Aramis zu und knurrte ihn an. Das irritierte den Bestatter. Angela schnappte sich den Mops, drückte ihn an die Brust und säuselte: «Alles ist gut, mein kleiner Hasemase. Du musst ihn nicht anknurren.»

Der kleine Hasemase sah dies anders und knurrte noch lauter.

«Wirklich nicht. Mama und Papa werden dich nie verlassen», säuselte sie liebevoll in sein Ohr, sodass der Hund sich doch noch beruhigte.

«Streng genommen bin ich gar nicht sein Papa», mischte sich Achim ein. «Sein echter Vater ist der Mops William of Goldenmopsel, so wie Jürgen von Goldenmopsel dessen Vater war, der im Übrigen auch ein Cousin von Martha of Blackmoppel war, die wiederum die Linie um Elizabeth of Doublemops in die Welt setzte, oder halt, nein, war das nicht Jeanette du Moppelle …?»

«Puffel?»

«Ja?»

«Verwirre das arme Tier nicht.»

Bevor Achim sich weiter über den Stammbaum des Mopses ausbreiten konnte, erschallte eine weibliche Stimme vom Kapelleneingang her: «Warum haben Sie mich herbestellt?» Es war Merle Borscht. Als sie bemerkte, dass sich auch Jessica in der Kapelle befand, wurde sie schlagartig still. Die beiden Frauen sahen sich kurz an und schauten gleich wieder weg, ohne ein Wort der Begrüßung.

«Was soll das werden?», verlangte Peter Kunkel zu erfahren. «In fünfzehn Minuten kommen die Trauergäste für Frau Krawinkel.»

«Und bestimmt auch», spottete Merle, «die Leute, die sich freuen, dass sie beim Bäcker nicht mehr von ihr mit dem Krückstock bedroht werden.»

«Sie werden gleich alles erfahren», lächelte Angela und setzte dabei den Mops auf dem Boden ab. Er begann, in der Kirche rumzuschnüffeln, und sie hoffte, dass er nicht inmitten der Täterverkündung einen Haufen machen würde.

«Wieso erst gleich?» Peter Kunkel wurde ungeduldig.

«Weil wir immer noch auf jemanden warten», antwortete Angela freundlich. Sie war sehr gut im Hinhalten von Menschen, sonst hätte sie es als Politikerin nicht so weit gebracht.

«Und auf wen, verdammt noch mal?»

«Nehmen Sie doch bitte alle in der ersten Reihe Platz», bat Angela. Jessica saß ohnehin schon. Peter und Merle blieben zunächst stehen und setzten sich erst auf die Bänke, als Aramis Angela den Gefallen tat. Eine Minute verging. Eine zweite. Während Angela es genoss, die vier auf den Bänken schmoren zu lassen, wuchs deren Anspannung, bis die Stille im Raum kaum noch erträglich war. Auch Achim wurde langsam nervös. So sehr, dass er vor sich hinmurmelte: «Und jetzt mit Ü», und anschließend leise sang: *«Chüür üp slüppy Jüün …»*

«Puffel», lächelte Angela milde.

«Ja, Puffeline?»

«Jetzt nicht.»

«Ünvürstünden.»

«Ünvürstünden?»

«Einverstanden.»

«Puffel?»

«Ja?»

«Ich liebe dich …»

«Ich dich auch.»

«… aber lass uns das hier bitte konzentriert zu Ende bringen.»

«Oh, Verzeihung.» Achim machte mit seinen Fingern eine Bewegung, die bedeuten sollte, dass er seine Lippen mit einem Reißverschluss verschloss. Da er jedoch nicht sonderlich geschickt war, hielt er sich dabei aus irgendeinem unerfindlichen Grund auch noch die Nase zu.

«Was genau wollen Sie zu Ende bringen?», fragte Aramis.

«Ich werde Ihnen erzählen, wer für die Morde an Galka und Charu Benisha verantwortlich ist.»

Jessica sah erschrocken aus, Merle schaute zu Boden, Aramis' Blick wurde leer, nur Peter Kunkel sprang auf und schrie: «Wer? Wer hat meine Charu in die Luft gesprengt? Sagen Sie es schon! Ich bringe ihn um!»

Die Tür zur Kapelle ging erneut auf, und Kommissaranwärter Martin führte Ralf Borscht, der in Handschellen lag, herein.

«Papa!», rief Merle aus und sprang ebenfalls auf.

«Bitte setzen Sie sich wieder», sagte Angela in einem Ton, der gleichermaßen freundlich wie bestimmt war. Merle und Peter taten wie ihnen geheißen. Jessica blickte ihre Ex mitfühlend an, während Peter Kunkel vor Wut bebte. Doch sein heißer Zorn wirkte nicht halb so einschüchternd wie der kalte seines Vaters: Es schien, als ob Aramis seinen ehemals besten Freund am liebsten zu Frau Krawinkel in den Sarg legen wollte.

«Bitte gesellen Sie beide sich zu Merle», forderte Angela die Neuankömmlinge auf. Die kamen der Bitte nach, und somit befanden sich auf den beiden vorderen Kirchenbänken zwei Gruppen: Familie Kunkel auf der linken Seite und Familie Borscht mit dem jungen Polizisten auf der rechten. Für die große Täter-Verkündung fehlte noch Mike an der Eingangstür, um den Mördern im Notfall die Flucht zu versperren und, falls es hart auf hart käme, Angela und ihren Puffel samt Mops zu beschützen.

Wo blieb er bloß? Nachdem Angela ihn am Handy nicht erreichen konnte, hatte sie ihm noch eine SMS geschickt, aber keine Antwort erhalten. Es wäre schlau gewesen, auf den Personenschützer zu warten, doch die Trauergemeinde für Frau Krawinkel und jene Gäste, die sich vergewissern wollten, dass die alte Schachtel auch wirklich tot war, würden in fünfzehn Minuten erscheinen. Ausreichend Zeit, um die Auflösung des Mordfalles zu zelebrieren, wie es Sherlock Holmes und Hercule Poirot so gerne taten, jedoch nicht genug, um nicht endlich damit anzufangen. So hob Angela an: «Ralf Borscht wurde verhaftet …»

«Mein Papa wird zu Unrecht verdächtigt!», unterbrach Merle.

«Und er hat auch noch nicht gestanden», beschwichtigte Angela und machte weiter im Text: «Für die Unschuldigen unter Ihnen wird dies eine Neuigkeit sein: Es gab zwei Mörder.»

Alle, bis auf Martin, der als Polizist diese Info bereits besaß, schienen erstaunt zu sein. Doch zwei von ihnen, das wusste Angela genau, täuschten ihre Verblüffung nur vor. Sie fuhr fort: «Ralf Borscht kann also die Morde nicht allein begangen haben.»

«Papa hat gar keine Morde begangen!», rief Merle Borscht.

«Das wollte ich», erklärte ihr Vater, «auch gerade sagen.»

«Du hast Charu auf dem Gewissen!», rief Peter voller Zorn.

«Beruhige dich, Peter!», bat Martin.

«Beruhige dich, Merle», bat Jessica, die offensichtlich noch viel für ihre Ex-Freundin empfand. Und während alle begannen durcheinanderzuschnattern, gab es einen Menschen in der Kapelle, der seit der Eröffnung, dass es sich um zwei Täter handelte, schwieg: Aramis.

61

Ralf Borscht teilt mit einem der hier Anwesenden ein schreckliches Geheimnis», übertönte Angela das Geschnatter und brachte es damit zum Schweigen. «Und auch eine schwerwiegende Schuld. Ralf Borscht und Aramis ...»

«Wer ist Aramis?», fragte Aramis, der gewiss seinen echten Namen erwartet hatte und nun anscheinend erleichtert war, dass ein anderer erklang.

Jessica antwortete: «Sie hat mal gesagt, es sei ihr Bodyguard. Aber der heißt in Wirklichkeit anders.»

«Mike», gab Angela zu und blickte erneut zur Tür. So langsam wurde es an der Zeit, dass ihr Personenschützer auftauchte. Es sah ihm gar nicht ähnlich, nicht erreichbar zu sein.

«Und wer ist dann Aramis?», hakte Aramis noch einmal nach. Er schien wirklich zu hoffen, dass es noch jemand anderen gab, der mit Ralf Borscht die gemeinsame Schuld trug.

«Sie», gestand Angela.

«Ich?»

«Ich habe Sie in Gedanken so genannt.»

«Wieso?»

«Weil Sie auf mich wie ein französischer Filmstar wirkten», gestand Angela und nahm wahr, dass ihr Puffel sehr erleichtert zu sein schien, dass sie die Vergangenheitsform benutzt hatte.

Ralf Borscht lachte höhnisch auf.

«Schon in Ordnung», lächelte Aramis Angela sanft an. «Ich habe Ihnen in Gedanken auch einen Namen gegeben.»

«Ah ja?», fragte Angela erstaunt.

«Wehe, es ist Puffeline!», raunte Achim.

«Nein, Cinderangela.»

«Cinder…» Angela verschlug es die Sprache.

«Der Name ist leider nicht schlecht», musste Achim zugeben.

«Cinderangela?» Angela konnte es immer noch nicht ganz fassen.

«Ja», antwortete Aramis fast schon zärtlich. Und Mops Putin begann wieder zu knurren.

«Wollt ihr mich alle verarschen?», motzte Peter Kunkel, und Jessica stimmte zu: «Wir haben hier gleich eine Beerdigung, und ihr faselt so einen Schwachsinn!»

«Tut mir leid», entschuldigte Aramis sich liebevoll bei seiner Tochter. Doch die ging nicht darauf ein, sondern fragte Angela: «Über welche Schuld reden wir?»

«Über eine, die Sie schmerzen wird.»

«Sie haben mir versprochen», flehte Aramis, «dass meine Kinder es nicht erfahren!»

«Ihre Kinder sind stärker, als Sie denken.»

«Aber meine Jessica …»

«Ist eine Frau, die sich ihren Problemen gestellt hat und deswegen schon lange nicht mehr selbstmordgefährdet ist», erklärte Angela und wandte sich direkt an Jessica: «Das stimmt doch?»

«Ja, auch wenn es keiner wahrhaben will.» Sie warf einen vorwurfsvollen Blick in Richtung Merle, die daraufhin wieder zu Boden schaute. Martin stand von der Bank auf und fragte: «Um was für eine Schuld handelt es sich denn?»

«Kurt Kunkel und Ralf Borscht sind gemeinsam für den Tod von Anja Kunkel verantwortlich.»

«Das sind üble Verleumdungen!», schimpfte Merle. «Papa, lass dir das nicht anhängen.»

«Du weißt, dass es stimmt, Merle», seufzte er und wirkte dabei genauso müde wie Aramis. Im Kummer waren sich die beiden Streithähne mit einem Mal sehr ähnlich.

«Die Herren», erklärte Angela, «haben sich betrunken am Steuer geprügelt, was zu dem Unfall geführt hat. Den haben sie geheim gehalten, um der Strafe zu entgehen.»

Die Kinder der beiden Bestatter schienen von dieser Enthüllung erschüttert.

«Fred Galka hatte auch im Wagen gesessen und alles gewusst. Er ist über dem Tod seiner Schwester zum Alkoholiker geworden. Kurz vor seinem Ruhestand wollte er einen Neuanfang auf den Malediven und hat sich entschieden, die beiden zu erpressen. Auch wenn die Tat mittlerweile verjährt war und keine Gefängnisstrafe mehr drohte, wusste Galka, dass sie es niemals ertragen könnten, wenn ihre Kinder davon erführen. Und als Charu das Tagebuch fand, hat sie ebenfalls versucht, Geld für sich herauszuschlagen.»

«Dann», fragte Martin und setzte sich wieder auf die Bank, «haben die beiden Bestatter zusammen die Morde begangen?»

«Nein, so einfach ist es nicht», lächelte Angela.

«Nein?»

«Das weiche Argument gegen diese These ist: Sie würden niemals zusammenarbeiten.»

«Eben», schnaubte Borscht.

«Ganz genau!», schnaubte Aramis noch lauter.

«Und das harte Argument?», wollte Martin wissen.

«Der Erpresserbrief lag nicht auf dem Tisch von Kurt Kunkel, sondern auf dem Tisch von Peter!»

Alle Augen richteten sich nun auf den Sohn von Aramis. Und der wurde blass im Gesicht.

62

Ich», stammelte Peter, «soll mit Ralf Borscht zusammengearbeitet haben?»

«Sie könnten den Brief geöffnet haben, als er im Institut angekommen ist. Und da Sie ja das Haus des Gärtners kennen, könnten Sie es auch mal heimlich besucht und dabei entdeckt haben, dass er die Buchstaben für die Briefe ausgeschnitten hatte. Damit könnten Sie auch früh gewusst haben, dass er der Erpresser war, und daraufhin mit Ralf Borscht gemeinsame Sache gemacht haben.»

«Ich mit dem Satan-Spinner?», lachte Borscht auf. Angela wandte ihren Blick nicht von Peter ab: «Hätte Ihr Vater das Erpressungsgeld gezahlt, hätte es auch Ihnen geschadet.»

«Wie das denn?»

«Sie haben mir selbst erzählt, dass das *Bestattungsinstitut Kunkel* kurz vor der Pleite stand. Galka wollte eine Million Euro, 500 000 pro Institut. Das hätte die Firma Kunkel nicht überlebt. Eine Firma, die Sie laut der Tradition Ihrer Familie übernehmen, wenn Ihr Vater in Rente geht.»

Peter konnte nicht fassen, was er da hörte.

«Auch das Institut von Ralf Borscht wäre insolvent geworden. Wie Jessica mir erzählt hatte, war das Discountgeschäft, trotz aller Angeberei in der Presse, aufgrund der geringen Margen ebenfalls nicht profitabel.»

Borscht schnaubte, widersprach aber nicht.

«Ihr gemeinsames Motiv wäre also das Geld gewesen.»

«Ich hätte Charu nie etwas angetan!», sagte Peter verzweifelt.

«Obwohl Sie wussten, dass sie Sie gar nicht liebte?»

«Nein!», jaulte Peter auf, und Mops Putin stimmte gleich mit ein.

«Beruhigen Sie sich.»

«Wie soll ich mich da beruhigen, wie, wie, wie?» Peter bekam einen hochroten Kopf, und aus seinen Gesichtsporen trat Schweiß.

«Indem ich Ihnen sage, dass Sie sich für das Institut gar nicht interessierten.»

«Was?»

«Sie wollten es doch gar nicht übernehmen.»

«Das stimmt.»

«Du willst», staunte Aramis, «unseren Betrieb gar nicht haben?»

«Nein! Mir doch schnuppe, was die Tradition sagt. Übergib das Geschäft an Jessica!»

Aramis blickte seine Tochter an. Die nickte nur. Ihn schien dieser Gedanke jedoch zu überfordern. Angela nahm den Faden wieder auf: «Und eben weil Ihnen das Institut so egal war, wäre es Ihnen auch einerlei, ob ein Lösegeld gezahlt werden müsste.»

«Ja, das wäre es.» Peter wischte sich mit dem Anzugärmel über das schweißnasse Gesicht.

«Ihr Motiv könnte jedoch ein anderes sein.»

«Und welches?»

«Sie wollten das Gärtnerhaus für Ihr Satanistenprojekt *Satanazon.*»

«Aber», mischte sich Martin nun ein, «das wäre doch Ralf Borscht egal gewesen.»

«Ja, aber nicht Ihnen.»

«Mir?», staunte Martin.

«Sie wollen doch mit Peter Kunkel bei *Satanazon* mitmachen.»

«Ja», gab Martin kleinlaut zu. «Das Projekt liebe ich noch mehr, als Polizist zu sein.»

«Ich ging immer davon aus, dass die Täter aus jeweils einem der beiden Bestattungsinstitute stammten. Aber das muss gar nicht der Fall sein. Peter Kunkel könnte Ihnen von dem Brief berichtet und Sie beide daraufhin den Tod von Fred Galka beschlossen haben.»

Jetzt wurde der Kommissaranwärter noch blasser im Gesicht als sein Satanistenfreund zuvor.

63

V*eritas!»*, zitierte Angela. *«Discipuli enim solus est satanas. Et infidelium est mendacium* – Die Wahrheit! Nur für die Jünger. Den Ungläubigen die Lüge.»

«Häh?», fragte Ralf Borscht.

«Das ist der Wahlspruch der Satanisten.»

«Die sind doch alle nicht ganz dicht.»

«Das mag sein, aber sind sie auch Mörder?»

«Sind wir nicht!», rief Peter Kunkel aus.

«Das sagen Sie. Aber gilt für uns Ungläubige nicht die Lüge?»

«Normalerweise ja», grummelte der Satanist.

«Dann müsste Ihre Unschuldsbehauptung doch in Wahrheit ein Schuldeingeständnis sein.»

«Ist es aber nicht!»

«Die Mörder haben Handschuhe getragen, als sie Galka kopfüber vergruben. Und Sie, Martin, tragen immer Handschuhe. Ihre Neurodermitis-Handschuhe.»

«Die sind aber ganz dünn und zerreißen leicht», hielt der junge Polizist hektisch seine behandschuhten Hände hoch. «Hätte ich es getan, wären sie zerrissen, und ich hätte Fingerabdrücke hinterlassen.»

«In der Nacht von Charus Tod trugen Sie andere Handschuhe. Schwarze, dicke. Die könnten Sie auch verwendet haben, als der Gärtner ermordet wurde.»

«Bei den Prozessionen trag ich immer die festeren, wasserabweisenden, weil wir mit Feuer hantieren und ich dafür verantwortlich bin, es zu löschen. Nur dazu nehme ich die, sie sind sonst viel zu unangenehm zu tragen», antwortete Martin verzweifelt.

«Diese schwarzen Handschuhe hinterlassen garantiert keine Fingerabdrücke.»

«Ich bin doch kein Mörder!»

«Aber ein Lügner?»

«Soll ich jetzt sagen ‹Ich war es›, damit Sie es für eine Lüge halten und mir glauben, dass ich es nicht war?» Martin begann zu zittern.

«Das wäre ein wenig umständlich.»

«Aber Sie glauben mir doch nicht!»

«Oh doch, ich glaube Ihnen.»

«Sie glauben mir?», staunte Martin.

«Einem Satanisten?», schimpfte Ralf Borscht, der ganz offensichtlich hoffte, dass Martin und Peter als Täter überführt würden, damit er endlich die Handschellen loswürde.

«Du glaubst ihm?», staunte auch Achim, den Angela nicht in all ihre Gedankengänge eingeweiht hatte. Das tat Sherlock Holmes mit seinem Dr. Watson genauso wenig wie Miss Marple mit ihrem Mister Stringer. Als Krimileserin fand Angela es immer ein wenig gemein, wenn Meisterdetektive ihre Helfer so im Dunkeln ließen. Doch jetzt wusste sie, warum sie es taten: Es bereitete einfach zu viel Freude, die einzige Person im Raum zu sein, die den Durchblick besaß.

«Sie, mein lieber Martin, sind nicht zu einer so ausgeklügelten Lüge fähig.»

«Wie kommen Sie denn auf so was?», fragte Ralf Borscht. Angela ignorierte ihn und sprach weiter zu dem Noch-Polizisten: «Sie halten doch Kommissar Hannemann für einen fähigen Mann?»

«Ja, er war ein großes Vorbild für mich und wäre es immer noch, wenn ich nicht bald kündigen würde.»

«Sehen Sie?», wandte sich Angela an die anderen. «Nur ein grundnaiver Mensch kann den Kommissar für fähig halten.»

«Aber er ist doch fähig!», protestierte Martin. Angela lächelte und erklärte der Menge: «So ein Mann wie Martin kann uns doch gar nicht souverän anlügen. Geschweige denn einen ausgetüftelten Mord begehen.»

«Das klingt einleuchtend», fand Achim.

«Ich weiß nicht, ob ich das jetzt als Kompliment werten kann», war Martin verwirrt.

«Das ist also Ihr Beweis für seine Unschuld?», schnaubte Borscht.

«Kein Beweis, aber ein Indiz, gewonnen aus Menschenkenntnis.»

«Das ist doch lächerlich!»

«Sie wollen also echte Beweise?», fragte Angela den Mann in Handschellen.

«Das ist doch wohl das Mindeste, wenn Sie hier so eine Show abziehen.»

«Dann kommen jetzt welche für die Schuld einer der Personen, die sich hier in der Kapelle befinden.»

«Wollen Sie mir jetzt noch mehr anhängen? Wegen Ihnen habe ich schon eine Nacht unschuldig im Gefängnis verbracht!»

«Ich will niemandem etwas anhängen.»

«Ach nein, was wollen Sie denn dann?»

«Noch mal auf das Motiv Geld kommen. Sie wollen doch Ihr Bestattungsinstitut bald Ihrer Tochter überschreiben?»

«Ja, das will ich.»

Angela wandte sich an Merle Borscht: «Dann hätten Sie alles zu verlieren gehabt, wenn Galkas Erpressungsversuch erfolgreich gewesen wäre.»

«Das stimmt zwar, aber deswegen bringe ich doch niemanden um.»

«Sie, Merle, sind der einzige Mensch hier im Raum, der mich, ohne mit der Wimper zu zucken, angelogen hat. Alle anderen Personen haben mir stets die Wahrheit gesagt. Leider niemand von ihnen die ganze, was zu anderen Problemen führte. Doch Sie, Merle, haben gelogen wie gedruckt.»

«Wann soll ich das denn getan haben?»

«Sie haben mir erzählt, dass der Erpresserbrief, der bei Ihnen im Büro war, an Charu adressiert war. Es ist aber klar, dass es in den Briefen um Ihren Vater und Aramis …», Angela merkte, dass ihr Verehrer sie mit einem wehmütigen ‹Hach, Cinderangela›-Blick ansah, und korrigierte sich schnell, «… Kurt Kunkel ging. Der Brief konnte also gar nicht an Charu adressiert worden sein. Und dennoch behaupteten Sie es.»

«Ich habe Ihnen nur irgendwas gesagt, damit Sie mich nicht weiter mit Fragen nerven.»

«Nein, Sie wollten den Verdacht von sich lenken. Es war doch folgendermaßen: Als der Brief in Ihrem Institut ankam, haben Sie ihn geöffnet, gelesen und auf Ihrem Schreibtisch abgelegt. Anschließend haben Sie Ihren Vater zur Rede gestellt. Und der hat Ihnen nach all den Jahren gebeichtet, was sich damals bei dem Unfall wirklich zugetragen hat.»

«Das ist doch Schwachsinn!»

«Nein, das ist es nicht. Als ich vor wenigen Minuten von der Schuld erzählte, die Ihr Vater damals auf sich geladen hat, haben Sie protestiert, dass dies üble Verleumdungen wären, aber Ihr Vater hat gesagt: ‹Du weißt, dass es stimmt.›»

Merle blickte zu ihrem Vater, damit er ihr zu Hilfe kam. Aber der wusste nicht, wie.

«Sie sind ein Papakind.»

«Wie bitte?»

«Das erkennt man an dem Hilfe suchenden Blick, den Sie ihm eben zugeworfen haben. Er ist für Sie, trotz allem, ein Vorbild. Im Gegensatz zu Ihrer Mutter, die Sie verlassen hat.»

«Ich habe keine Lust auf Ihre Küchenpsychologie», fauchte Merle.

«Dafür braucht es auch keine. Nicht nur Peter Kunkel hat mir verraten, dass Sie ein Papakind sind, sondern auch Ihre Ex-Freundin.»

Jessica sah beschämt zur Seite.

«Sie lieben Ihren Vater, Merle. Und Sie sind ihm mit allem im Leben nachgeeifert, wie Jessica mir erzählt hat. Wie er waren Sie bei der Armee.»

«Ich war bei der Bundeswehr. Er bei der Nationalen Volksarmee.»

«Und Sie haben mir erzählt, dass Sie, wie er, sogar in einer Spezialeinheit waren.»

«Ja, das war ich.»

«War Ihr Vater bei den Pionieren?»

«Worauf wollen Sie hinaus?» Merles Augen funkelten wütend.

«Dass Sie sich ebenfalls mit Sprengstoff auskennen.»

«Das ist kein Verbrechen!»

«Wenn ich jetzt im Handelsregister nachsehe, wem die Firma *Sprengstoff Pionier* gehört, werde ich dann feststellen, dass Sie die Geschäftsführerin sind und nicht Ihr Vater? Das Foto von Ihrem Vater aus dessen Pionierzeit auf dem Schreibtisch der Firma hatte uns zunächst glauben lassen, dass es seine Firma wäre.»

«Auch das ist noch kein Verbrechen», dementierte Merle nicht, dass es sich um ihr Büro handelte.

«Sie haben Charus Fackel mit Sprengstoff präpariert und eine Handgranate auf meinen Bodyguard, meine Freundin, meinen Mops und ein kleines Baby geworfen.» Angelas Stimme bebte bei den letzten Worten. Egal wie kühl sie als Meisterdetektivin war, diese Tat machte sie zornig.

«Ich habe ein Alibi!»

«Ja», sprang ihr Jessica bei. «Merle kann die Morde nicht begangen haben! Wir haben die Nacht von Galkas Tod nebeneinandergelegen. Wenn sie gegangen wäre, hätte ich es bemerkt!»

«Dazu kommen wir noch.»

«Pah!», spuckte Merle aus und verschränkte die Arme.

«Falls Sie wirklich recht mit Ihrer Theorie haben», fragte Martin vorsichtig, «wer ist dann Merles Komplize? Ihr Vater?»

Jetzt wäre für Angela eigentlich der Moment für eine schöne Kunstpause gewesen, wie die Detektive in den Krimis sie so gerne setzten. Vielleicht sogar für einen kleinen Gang durch die Kapelle, bei dem sie in einem langen Monolog über Gott und die Welt sprach und beide in Bezug zu den Morden setzte, um schließlich den anderen Täter zu verkünden. Doch sie hatte wegen der nahenden Trauerfeier für Frau Krawinkel nicht die Zeit dafür. Deshalb fragte sie: «Puffel, wer sieht hier außer Merle Borscht am meisten aus, als könne er jemanden töten?»

«Nun», fand Achim, «die alte Frau im Sarg.»

«Und wer am wenigsten?»

Achim schaute alle an, die mit Merle die Tat begangen haben könnten: Ralf Borscht, Aramis, Peter Kunkel, Jessica Kunkel, sogar Martin, den Angela als Einzigen schon für unschuldig erklärt hatte. Schließlich antwortete er: «Jessica.»

«Und genau die habe ich am Morgen nach dem Mord an dem Gärtner in der Nähe des Friedhofs gesehen.»

Jessica wurde nicht bleich wie Peter Kunkel und Martin zuvor. Sie blickte nur zum Ausgang.

64

Mike fragte sich, ob hinter dem siebten Himmel noch ein achter, neunter oder gar zehnter lag. Falls ja, befand er sich gerade in einem von ihnen: Marie und er küssten sich auf dem Sofa nun schon seit über zwanzig Minuten. Er hätte noch ewig so weitermachen können und herausfinden wollen, ob es noch einen zwölften, siebenundzwanzigsten oder gar dreihundertachtunddreißigsten Himmel gab, doch da hauchte Marie ihm ins Ohr: «Ich habe eine Idee.»

Das Hauchen elektrisierte Mikes Körper so sehr, dass er nur «W... welche?» stammeln konnte.

«Sie beginnt mit B.»

«B?»

«Und endet mit ett», hauchte sie noch leiser. Mike spürte, wie sein Kopf rot und immer röter wurde, und fragte: «Bett?»

«So mag ich Männer», Marie knabberte an seinem Ohrläppchen, «muskulös», sie knabberte weiter, «anständig», sie hörte auf zu knabbern und strahlte ihn an, «und schnell von Begriff.»

«Du willst mit mir ... mit mir ...»

«Kleiner Tipp: Es reimt sich auf Hafen», knabberte sie wieder.

Mike sah sich hilflos um. Natürlich begehrte er Marie, aber er fühlte sich auch unsicher. Wie lange war es her, dass er mit einer Frau im Bett gelegen hatte? So lange, dass er sich auf Anhieb noch nicht einmal an das genaue Jahr erinnern konnte.

«Geht es dir zu schnell?» Marie ließ von seinem Ohrläppchen ab.

«Ja … nein … ich weiß nicht …»

«Wie früher in der Schule», lachte Marie.

«Wie?»

«Wenn man sich einen Brief schrieb mit der Frage: ‹Willst du mit mir gehen?› Zum Ankreuzen gab es ‹Ja›, ‹Nein› und ‹Ich weiß nicht›.»

«Ich will mit dir gehen», war sich Mike sehr sicher wie lange nicht mehr bei irgendetwas in seinem Leben.

«Aber nicht ins ett mit B davor?»

Mike wusste nicht, was er antworten sollte. Er wich Maries Blick aus, sah sich im Zimmer um, entdeckte dabei das Handy und fluchte: «Shit.»

«Das ist jetzt nicht allzu charmant», war Marie ein wenig irritiert.

«Frau Merkel hat angerufen!» Er sprang vom Sofa auf, schnappte sich das Gerät, las die Message und schluckte: «Sie wollte schon vor einer halben Stunde, dass ich dringend zu ihr komme.»

«Shit!», fluchte nun auch Marie.

Mike starrte fassungslos auf das Gerät in seiner Hand: «Das ist mir noch nie passiert, das ist mir noch nie passiert, das ist mir noch nie passiert …»

«Mike.»

«Das ist mir noch nie passiert …»

«Mike!»

«Das ist mir noch …»

Marie schnippte mit ihren Fingern genau vor seinem Gesicht. Er sah sie aufgeschreckt an, und sie sagte: «Du musst los.»

«Du hast recht.» Mike sprang auf, schnappte sich Pistolenhalfter und Jackett und stürmte zur Tür. Sein Herz pochte dabei wie wild. Und er hasste sich selbst: Wegen einer Frau hatte er seine Pflichten verletzt! Das durfte nie, nie wieder vorkommen. Entweder er müsste sich von Marie trennen oder seinen Dienst quittieren.

65

Da draußen ist etwas», deutete Jessica zum Ausgang. Ihr Blick war also nicht in Richtung Tür gewandert, um einen möglichen Fluchtweg auszuloten.

«Ich weiß», nickte Angela, und jetzt hörten alle, dass hinter der verschlossenen Tür der Friedhofskapelle etwas vor sich ging. Schwere, geradezu unmenschliche Schritte liefen auf und ab.

«Die Trauergemeinde?», fragte Peter Kunkel unsicher.

«Nein, weitere Gäste, die ich hierhergebeten habe.»

«Und wen?»

«Das werden Sie alle schon noch früh genug erfahren.»

Die Antwort gefiel Peter nicht, aber Angela ignorierte das und wandte sich an Jessica: «Merle und Sie hatten zusammen Großes vor, wenn Sie die Bestattungsinstitute übernehmen würden.»

«Wie bitte?», staunte Ralf Borscht, und auch Kurt Kunkel blickte verblüfft zu seiner Tochter.

«Ihre Töchter wollten die Institute zusammenlegen.»

Die beiden Männer schienen es kaum fassen zu können. Jessica versuchte, es ihrem Vater zu erklären: «Man könnte etwas Wunderbares daraus machen. Etwas, das den Menschen Hoffnung gibt, sie mit dem Tod versöhnt. Und vor allen Dingen mit ihrem Leben.» Kurt Kunkel wirkte daraufhin, als ob er seine Tochter plötzlich mit ganz anderen Augen wahrnähme.

«Und das wäre dann auch profitabler», brach Merle leise ihr Schweigen und hatte damit die Aufmerksamkeit ihres Vaters.

«Damit hatten Sie beide allerdings auch ein gemeinsames Motiv, die Erpresser Galka und Charu zu töten», gab Angela zu bedenken.

«Für Geld?», fragte Jessica.

«Für Ihren Traum.»

«Das ist doch verrückt.»

«Jeder Mord ist verrückt. Aber, wie schon gesagt, an dem Morgen nach dem Mord an Galka habe ich Sie auf dem Marktplatz getroffen.»

«Ich habe Ihnen doch erklärt, dass ich bei Merle geschlafen habe.»

«Sie geben sich also gegenseitig ein Alibi?»

«Ja», bestätigte Jessica vehement.

«Sie haben sich also wirklich von Ihrer Freundin getrennt und dann die Nacht neben ihr geschlafen?», fragte Angela ungläubig.

«Wie oft soll ich das denn noch sagen?»

«Andere Menschen würden nach einer Trennung lieber in ihrem eigenen Bett schlafen.»

«Na ja, ich habe viel geweint und war dann müde …», wurde Jessica unsicher.

«Kommt Ihnen das nicht selbst merkwürdig vor, dass Sie nicht gegangen sind?»

Jessicas Augen flackerten.

«Ich glaube, es lag an etwas anderem als dem Weinen, dass Sie geblieben sind.»

«Wie meinen Sie das?»

«Sie haben zum Schlafen nicht die weiße Tablette eingenommen, die Sie normalerweise nehmen. Bei der, so hatten Sie mir gesagt, würden Sie sogar von einem Uhu geweckt. Merle Borscht hat die Tablette durch eine andere weiße ausgetauscht. Eine, die Sie früher haben nehmen müssen, als Sie noch richtige Psychopharmaka verschrieben bekommen haben.»

Jessica war sichtlich geschockt von dem Gedanken.

«Wie Sie mir auch gesagt haben, hat Merle sich mit Ihrer Medikation gut ausgekannt. Sie hat ihr Wissen dazu genutzt, um sich unbemerkt aus dem Bett zu schleichen und sich so ein Alibi zu verschaffen.»

Jessica sah entsetzt zu ihrer Ex. Und die schuldbewusst zu Boden. Damit war allen in der Kapelle endgültig klar, dass Merle Borscht Mitschuld an den Morden trug. Nach einer Weile des kollektiven Schweigens traute sich Martin als Erster, etwas zu sagen: «Verzeihen Sie, Frau Merkel.»

«Ja?»

«Wer sagt uns denn, dass Jessica und Merle die Tat nicht gemeinsam begangen haben?»

«Ich.»

«Und warum sind Sie sich da so sicher?»

Angela wandte sich an Jessica: «Sie lieben Merle immer noch?»

«Ja, selbst jetzt noch ...», antwortete die zierliche Frau leise.

«Und Merle liebt Sie.»

Die beiden Frauen blickten sich wehmütig an.

«Und das ist der Beweis: Jessica kann einfach nicht Merles Komplizin sein.»

«Warum das denn nicht?», fragte Achim.

«Ich habe es dir schon mal gesagt: Die junge Liebende ist immer unschuldig.»

«Du bist eine Romantikerin, Puffeline.»

«Das fällt dir jetzt erst auf?», lächelte Angela.

«Ich wusste es insgeheim schon immer.»

«Du weißt eben, wie ich wirklich bin», lächelte Angela und war so dankbar dafür.

«Ich sehe dein Inneres, Kleines», bemühte sich Achim um eine Art ironische Humphrey-Bogart-Imitation. Angela war wohl die einzige Frau auf der Welt, die das liebenswert fand. Entsprechend verliebt blickten die Eheleute sich an. So lange, bis Borscht zischte: «Mir wird gleich übel!» Und Martin protestierte gleich darauf: «Bei allem, was recht ist, Frau Merkel: Dass Jessica eine Liebende ist, ist doch kein richtiger Beweis für ihre Unschuld!»

«Es ist einer des Herzens, und kein weiterer ist vonnöten.»

«Warum nicht?»

«Weil ich zudem einen Beweis der Logik habe, wer hier in dieser Kapelle gemeinsam mit Merle Borscht die Tat begangen hat.»

Martin und Jessica hatte Angela bereits als Mörder ausgeschlossen. Die übrig gebliebenen Verdächtigen – Ralf Borscht, Aramis und dessen Sohn Peter – wirkten extrem angespannt.

«Besser gesagt, ich habe eine Zeugin.»

«Zeugin?», staunte Martin, und auch die anderen in der Kapelle waren sichtlich verblüfft.

«Puffel, magst du zur Tür gehen und sie hereinlassen?»

«Für dich tue ich alles», säuselte Achim.

«Und ich fortan auch für dich», versprach Angela. Sie hatte erkannt, dass auch sie sich mehr für seine Interessen begeistern könnte.

«Sogar *Scrabble* spielen?»

«Sogar *Scrabble* spielen.»

Achim strahlte, und Angela freute sich darüber. Dann nahm sie wahr, dass die Menschen auf den Kirchenbänken es kaum noch aushielten. Ein philosophischer Monolog über Gott, die Welt und das Morden war nicht nötig, um die Spannung ins Unermessliche zu steigern. Achim machte sich auf den Weg, stieß die Tür weit auf, und …

… Obst-Angela betrat die Kapelle. Gemeinsam mit ihrer Kuh Luise.

66

Welche von den beiden Kühen», spottete Borscht, «soll denn die Zeugin sein?»

«Ich polier dir gleich das Maul», gab Obst-Angela zurück, «bis du *La Paloma* pfeifst.»

«Wir wollen uns doch jetzt nicht streiten», beschwichtigte Angela.

«Da sollte jeder für sich sprechen», grummelte die Landwirtin.

«Sehe ich auch so», grummelte Borscht ebenfalls, aber beide fügten sich.

«La Paloma», sinnierte Achim, «das könnte man bestimmt auch gut mit Ü singen. *Ü Lü Pülümü blüncü …»*

«Ist das die türkische Version?», verstand Obst-Angela nicht ganz.

«Puffel, das singen wir später.»

«Wir?», staunte Achim.

«Wir!», versprach Angela.

«Das wird Spaß machen!»

«Wo wollen Sie die Kuh denn hinhaben?», fragte die eine Angela die andere.

«Vor die Bänke. Dann können alle sie gut sehen.»

Die braun gefleckte Luise wurde von der Landwirtin dorthin geführt. Angela wandte sich indessen an die Gruppe: «Sie fragen sich sicher alle, warum diese Kuh hier ist.»

«Allerdings», antwortete Borscht. «Und warum ich Idiot bei den Wahlen viermal für Sie gestimmt habe.»

«Luise büxt gerne aus.»

«Würde ich auch gern, aber ich habe noch Handschellen um.»

«Werte Landwirtin», fragte Angela, «wie oft ist Luise ausgebüxt?»

«Zweimal, wieso?»

«Dazu kommen wir gleich. Wann war das erste Mal?»

«Vor drei Nächten.»

«Die Nacht des Mordes an Galka», stellte Angela fest. «Und wo haben Sie sie dann gefunden?»

«Auf dem Friedhof. Wie auch beim zweiten Mal. Aber das wird nicht noch einmal passieren, der Zaun ist endlich repariert.»

«Da Luise in der Nacht des Mordes am Friedhof war, haben die beiden Täter sie also gesehen. Nicht wahr, Merle?»

Merle schwieg dazu.

«Ich weiß, wer die Kuh ebenfalls in dieser Nacht gesehen hat. Und somit auch, wer der zweite Täter ist.»

«Wer?», wollte Martin wissen.

«Ich hätte viel früher darauf kommen müssen. Es gab schon früher den Beweis. Aber ich war zu abgelenkt, weil ich mit meinem Mann einen *Facetime*-Call führen musste.»

«Musste?», lächelte Achim.

«Wollte», lächelte Angela zurück. «Ich war nur zu spät dran. Sonst wäre mir ein Satz aufgefallen, den Sie gesagt haben, Herr Kunkel.»

«Ich bin nicht mehr Aramis?», fragte der Bestatter, und es war nicht ganz auszumachen, was ihn mehr traf: der Entzug des Kosenamens oder dass er erneut in den Fokus geriet.

«Nein, sind Sie nicht», erklärte Angela nüchtern.

«Und welcher Satz von mir soll das gewesen sein?»

«Er lautete: ‹Mäuse, Igel, sogar eine Kuh habe ich schon auf dem Friedhof gesehen.›»

«Das begreife ich jetzt nicht», erwiderte Kunkel, und den anderen in der Friedhofskapelle schien es ähnlich zu gehen.

«Sie haben mir gesagt, dass Sie eine Kuh auf dem Friedhof gesehen haben. Da die Kuh aber zu dem besagten Zeitpunkt nur ein Mal zuvor ausgebrochen war, können Sie die Kuh nur in der Nacht des Mordes gesehen haben. Denn Luise war auf dem Friedhof, als ich die Leiche gefunden habe.»

«Ich könnte das mit der Kuh in der Aufzählung aber einfach nur so hingesagt haben», hielt Kurt Kunkel dagegen.

«Vielleicht. Das gestehe ich Ihnen zu.»

«Danke», versuchte sich Kunkel an einem charmanten Lächeln, das Angela jedoch nicht erwiderte. Stattdessen fuhr sie fort: «Aber als Sie Luise am Grab Ihrer Frau entdeckten, riefen Sie: ‹Nicht schon wieder!› Und das war nicht im Rahmen einer Aufzählung. Sie sind der Kuh in der Mordnacht begegnet!»

Der Bestatter schwieg dazu. Es war nicht auszumachen, was er dachte, sein Gesicht war wie versteinert.

«Aber Sie haben doch eben noch gesagt», mischte sich Martin wieder ein, «dass Herr Kunkel es nicht habe sein können, weil der Erpresserbrief auf Peters Schreibtisch lag.»

«Ja, das habe ich gesagt. Aber ehrlich gesagt nur, um ihn noch ein wenig in Sicherheit zu wiegen. In der Tat ist der Brief aus seiner Zeichenmappe auf Peters Tisch gefallen.»

Auch dazu schwieg der Bestatter.

«So was passiert Ihnen öfter, nicht wahr? Ich habe selbst erlebt, dass Ihnen Blätter herausflattern. Einmal vor Ihrem Institut und heute Morgen auf dem Steg.»

Kunkel sagte immer noch kein Wort.

«Sie hätten sich wirklich ein neues Lederband für die Mappe besorgen sollen.»

Kunkel unterbrach endlich sein Schweigen und sagte kühl: «Aber das mit dem Brief beweist doch nur, dass ich auch erpresst wurde. Und das hatten Sie ohnehin schon festgestellt.»

«Das wird doch alles immer irrer», schimpfte Borscht so laut wie nie zuvor, «meine Tochter und der Kerl sollen die Morde gemeinsam begangen haben?»

«Dies war sogar schon meine allererste Theorie gewesen. Damals habe ich irrigerweise noch gedacht, die beiden hätten ein Verhältnis.»

«Wie kamen Sie denn darauf?», fragte Kunkel geradezu eisig.

«Direkt nach unserer ersten Begegnung habe ich Merle und Sie gesehen auf dem Friedhof. Sie hatten Merle im Arm und haben sie getröstet. Vermutlich hatte Merle Ihnen erzählt, dass ihr Vater ihr die Wahrheit über den Unfall gebeichtet hat, nachdem sie ihn mit dem Brief konfrontiert hatte. Und daraufhin fassten Sie beide den Plan, Galka zu ermorden.»

«Wegen des Geldes?», fragte Achim. «Um die beiden Institute zu retten?»

«Das wäre der Nebeneffekt gewesen. Aber das eigentliche Motiv war nicht Geld.»

«Sondern?»

«Liebe.»

«Ich habe kein Verhältnis mit Merle!», brauste Kurt Kunkel mit einem Mal auf, während Merle nervös mit der Hand in ihrer Blazertasche nestelte. Durch den plötzlichen Wechsel von Eis zu Feuer, den Angela auch von anderen Gelegenheiten mit ihm kannte, hatte Angela inzwischen eine Vorstellung, wie dieser sonst so kultivierte Mann einen Menschen mit einer Schaufel erschlagen konnte.

Gefasst antwortete sie ihm: «Nein, natürlich haben Sie kein Verhältnis mit ihr.»

«Dann begreife ich nicht, was das mit der Liebe heißen soll!», sprang Kunkel nun sogar von der Bank auf.

«Merle und Sie lieben ein und dieselbe Person. Auf eine ganz unterschiedliche Weise.»

«Welche Person?», wollte Martin wissen.

«Jessica.»

«Jessica?», staunte der junge Noch-Polizist.

«Er liebt sie als Vater. Und Merle liebt sie als Partnerin.»

Jessica verschlug es den Atem.

«Wie lange», unterbrach Obst-Angela, «muss ich hier denn noch mit Luise rumstehen? Ich meine ja nur ... bevor ein Unglück passiert.»

«Sie können gleich gehen. Ich möchte vorher noch kurz Ihre Rolle bei der Aufklärung erwähnen.»

«Meine? Ich dachte, es geht nur um Luise.»

«Nein, es geht auch um Sie. Vorhin auf dem Friedhof haben Sie zu mir gesagt: ‹Luise wird nie wieder ausbüxen. Keine Sorge.›»

«Ja, und?»

«‹Keine Sorge› – diese Worte hatten Sie, Martin, auch zu mir gesprochen. Wissen Sie das noch?»

«Äh ... nein.»

«Sie sagten: ‹Keine Sorge, die beiden werden davon nie erfahren.› Und damit meinten Sie Peter und Jessica. Sie sollten nichts von dem schrecklichen Geheimnis um den Tod von Anja Kunkel erfahren.»

Martin nickte.

«Und fast genau den gleichen Satz habe ich am Tag vor dem Mord von Ihnen gehört, Herr Kunkel. Sie haben Merle nachgerufen: ‹Keine Sorge, sie wird davon nie erfahren.›»

Der Bestatter setzte sich geschlagen wieder hin.

«Damit haben Sie Ihre Tochter gemeint. Sie und Merle sind beide davon ausgegangen, dass Jessica sich wieder was antun, sich vielleicht sogar umbringen würde, wenn sie erfahren würde, dass ihr Vater im betrunkenen Zustand am Steuer saß und damit ihre Mutter auf dem Gewissen hat.»

Das Feuer in Kurt Kunkel erlosch vollends. Er saß nur noch da.

Entsetzt fragte Jessica ihn: «Stimmt das?»

«Ich hatte eine solche Angst um dich», erklärte er mit gebrochener Stimme.

«Ich auch», gestand Merle.

«Ihr … ihr …» Jessica stockte der Atem. Und Angela wandte sich an die beiden Mörder: «Hätten Sie und Merle erkannt, wie stark Jessica mittlerweile ist, hätten Sie gewusst, dass sie auch diese Wahrheit ertragen hätte, ohne sich das Leben zu nehmen. Dann hätten Sie den Gärtner nicht getötet. Und auch nicht gemeinsam den Tod von Charu geplant. Merle hat mit ihrer Erfahrung bei den Pionieren die Fackel präpariert, und später hat sie auch die Granate geworfen, als meine Helfer im Büro der Sprengstofffirma die Schaufel gefunden hatten, mit der Galka erschlagen worden war.»

Jessica rang mit den Tränen. Merle nestelte in ihrem Jackett, als ob sie etwas suchte. Und Kurt Kunkel schaute Angela flehentlich an: «Ich habe von der Granate nichts gewusst. Ich hätte Ihnen nie wehtun wollen, indem ich Ihre Freunde und Ihren Hund gefährde.»

«Das glaube ich Ihnen sogar.»

«Meine Gefühle für Sie waren aufrichtig.»

«Auch das glaube ich Ihnen.»

«Und die Ihren?», fragte er hoffnungsvoll.

«Waren von falschen Annahmen geleitet.»

Diese Aussage traf den Bestatter hart. Er hatte ganz offensichtlich tatsächlich etwas für sie empfunden, Angela hingegen nur für ein falsches Bild, das sie sich von diesem Mann gemacht hatte.

«Sie beide», baute sich Kommissaranwärter Martin vor den Tätern auf, «werden für lange Zeit ins Gefängnis gehen!»

«Werde ich nicht!», erwiderte Merle und sprang von der Kirchenbank auf.

«Oh doch, das werden Sie!»

«Oh nein! Ich habe noch etwas!» Sie streckte ihren rechten Arm nach oben. In der Hand hielt sie unzweifelhaft eine Granate.

«Wenn Sie mich nicht ziehen lassen, sprenge ich hier alle in die Luft!»

67

Mike sprintete über den Friedhof. Er geriet dabei so sehr ins Schwitzen, dass er das Jackett im Laufen auszog und zur Seite warf. Er war schon mal besser in Form gewesen. Das lag an all den leckeren Sachen, die ihm im Haushalt von Frau Merkel tagtäglich vorgesetzt wurden, außerdem hatte er geglaubt, dass er in Klein-Freudenstadt eher eine ruhige Kugel schieben würde und deshalb bei seinen Trainingseinheiten immer mal wieder fünfe gerade sein lassen könnte. Er hatte seine Dienstherrin unterschätzt. Sie war eine Frau, die gar nicht dazu in der Lage war, eine ruhige Kugel zu schieben. Nun bestand sogar die Gefahr, dass sie in die Gewalt von Mördern fiel. Und das nur, weil er seine Pflicht verletzt hatte und bei Marie gewesen war!

Die Vorstellung war für Mike nicht in erster Linie schrecklich, weil er der erste Personenschützer in der Geschichte der Bundesrepublik sein würde, unter dessen Obhut eine hohe Politikerin starb, sondern weil er diese unfassbar sture, sich an keinen Ratschlag haltende Frau von ganzem Herzen mochte. In den wenigen Wochen hier in Klein-Freudenstadt waren sie, ihr leicht exzentrischer Ehemann, Marie, Adrian Ángel und sogar der kleine Mops für ihn zu einer Art Familie geworden.

Es durfte niemand von ihnen sterben!

Mike legte noch einen Zahn zu, obwohl er schon Seitenstiche hatte, die besser als Seitenmesserstiche hätten bezeichnet werden können.

Er gelangte auf den Kiesweg, der zu der Friedhofskapelle führte, und erkannte, dass die Tür offen stand und sich … eine Kuh vor dem Altar befand?

Hatte er vor lauter Atemnot schon Wahnvorstellungen? Falls ja, gehörte dazu ebenfalls, dass Merle Borscht eine Handgranate hochhielt. Warum sollte sie das tun, wenn sie sich damit auch selbst in die Luft sprengen würde? Ganz einfach, weil Frau Merkel sie als Mörderin entlarvt hatte!

Mit zweiter, dritter und gar vierter Luft lief Mike in die Kapelle. Er wog ab, ob er Merle Borscht in vollem Lauf die Granate entreißen könnte, gelangte aber zu dem Ergebnis, dass das Risiko zu groß für die Umstehenden war. Selbst wenn er sich opferte und sich auf die Granate warf, um deren tödliche Wucht zu dämpfen, würde höchste Gefahr für seine Schutzbefohlene bestehen. Im Laufen entwickelte Mike einen anderen Plan. Um das Risiko für Angela zu minimieren, rannte er an Bänken und Kuh vorbei, schnappte sich die überraschte Ex-Kanzlerin, zog sie zu dem offenen Sarg, schubste sie hinein und klappte schnell und entschlossen den Deckel zu.

68

Angela landete auf der alten Frau Krawinkel, deren spitze Knochen ganz schön piksten. Zudem war es stockdunkel und roch ein wenig muffig. Letzteres lag weniger an dem Holzgeruch als an dem Odeur, den Frau Krawinkel verströmte: ein Gemisch aus Balsam und *4711-Echt Kölnisch Wasser*. Von der anderen Seite des Deckels hörte Angela Mike rufen: «Lassen Sie die Granate fallen, oder ich schieße!»

«Sie wollen nicht, dass ich die Granate fallen lasse!», antwortete Merle.

«Oh doch, das will ich!»

«Ich habe sie schon entsichert.»

«Okay, dann will ich es doch nicht.»

Angela hörte auch, wie der Mops unter dem Sarg jaulte. Die Kuh Luise stimmte mit Muhen ein. Und Obst-Angela beschwerte sich: «Ich werde nie mehr versprechen, bei einer Ermittlung zu helfen.»

«Merle», flehte Jessica. «Lass das!»

«Ich will hier nur entkommen!»

«Du wirst das nicht schaffen, sie werden dich kriegen!»

«Dann werde ich die Granate doch fallen lassen. Lebend bekommen sie mich nicht!»

«Au Mann», motzte Obst-Angela Jessica an, «mussten Sie unbedingt erwähnen, dass sie es nicht schaffen kann?»

«Alle raus hier!», rief Merle.

«Superidee», fand Obst-Angela, und Angela lauschte, wie die Frau sich mit ihrer Kuh entfernte. Auch die anderen schienen in Richtung Ausgang zu hetzen. Borscht, Peter Kunkel, Martin, vielleicht auch Kurt Kunkel? Jessica blieb gewiss da, um ihre Ex-Freundin zu beruhigen, und Mike und Achim, das wusste Angela ganz genau, würden sie nie im Stich lassen.

Von der Tür her erklangen Stimmen von Neuankömmlingen. Eine Frau fragte: «Sind wir hier richtig bei der Trauerfeier Krawinkel?» Und ein Mann ergänzte: «Betonung liegt auf ‹Feier›.» Offensichtlich war er häufiger von der alten Dame mit dem Krückstock traktiert worden.

«Raus, raus, die Frau hat eine Handgranate!», brüllte Mike sie an.

«Frau Krawinkel?», staunte die Frau.

«Ich dachte, die wäre mausetot», sagte der Mann.

«Vielleicht ist sie eine Untote?»

«Dann würde sie beißen und nicht Granaten werfen.»

«RAUS!», rief Mike, und Angela hörte, wie die Neuankömmlinge eilig die Kapelle verließen und die Tür ins Schloss fiel.

«Merle …», wurde Jessicas Stimme mit einem Mal ganz ruhig.

«Geh endlich, ich will dir nichts tun!»

«Das wirst du aber müssen, wenn du dich nicht stellst.»

Angela war berührt von diesen Worten. Jessica Kunkel war eine sehr mutige und beeindruckende Frau.

Merle antwortete ihr jedoch nicht. Es herrschte angespanntes Schweigen.

Bei Angelas erstem Fall hatte Putin die Mörderin überwältigt. Angela hoffte, dass der Mops diesmal untätig bliebe, denn sonst würde die entsicherte Granate doch zu Boden fallen und explodieren. Angela hob vorsichtig den Sargdeckel an und linste heraus: Merle stand mit dem Rücken zu ihr, direkt vor ihr Jessica, Kurt Kunkel, Achim und Mike, der noch immer seine Waffe auf die junge Frau richtete.

«Werfen Sie die Knarre zu Boden!», forderte Merle den Personenschützer auf.

«In Ordnung», antwortete Mike und tat wie ihm geheißen. Die Waffe klackerte auf dem Steinboden der Kapelle.

«Merle, bitte, wenn du mich liebst, leg die Granate weg», sagte Jessica in einem ruhigen, klaren Tonfall.

«Liebst du mich etwa noch, trotz allem?» Merle kamen die Tränen.

«Ich wünschte, es wäre nicht so.»

«Ich liebe dich auch.» Merle liefen die Tränen über das Gesicht.

«Und deswegen», mischte sich Achim ein, «sollten Sie die Granate wieder sichern.»

Verwirrt blickte Merle zu ihm.

«Liebe sollte leben, nicht sterben.»

«Wie sollen wir beide denn noch leben, nach allem, was passiert ist?», fragte Merle verzweifelt.

«Es gibt da einen modernen Song von 1978 …», schaltete sich Achim ein.

«Das nennen Sie modern?»

«Er ist von *Pablo Cruise* …», ergänzte er unbeeindruckt.

«Nie von gehört.» Merle war sichtlich irritiert von Achims Worten, und Angela dachte sich: Vermutlich wusste selbst Pablo nicht mehr, dass es einmal eine Band namens *Pablo Cruise* gegeben hatte.

«Dieses Lied hat einen Titel mit einer wunderbaren Aussage.»

«Und die wäre?»

«Love will find a way.»

Angela war gerührt. Ihr Puffel war im Herzen noch romantischer als sie selbst.

Merle sah zu Jessica, und die sagte nun mit sanfter Stimme: «Wer weiß, in zehn oder zwanzig Jahren werde ich dir vergeben können. Aber wenn du das Ding jetzt wirfst, werden wir es beide nie erfahren.»

Diese Aussicht reichte Merle, um weiterleben zu wollen. Sie sicherte die Granate und überreichte sie Mike, während Angela aus dem Sarg kletterte und Putin sich unter dem aufgebahrten Sarg hervortraute. Alle in der Kapelle atmeten auf, und der Mops strullerte erleichtert gegen eine Bank. Nur in Kurt Kunkels Gehirn schien es zu arbeiten. Schließlich hob er Mikes Pistole vom Boden auf und erklärte in ruhigem Tonfall: «Ich werde jetzt gehen, und keiner wird mich aufhalten.»

Er stand mit dem Rücken zu Angela, keinen Meter entfernt. Und mit einem Mal musste sie grinsen. Der Bestatter hatte recht: Keiner würde ihn aufhalten. Dafür aber keine!

Sie schnappte sich den Krückstock von Frau Krawinkel und schlug zu.

69

Angela saß mit ihrem schnarchenden Mops im Schoß auf der Terrasse und genoss die Spätnachmittagssonne. Viel mehr noch genoss sie es, mit ihrem Mann *Scrabble* zu spielen. Natürlich war es nicht leicht, gegen einen solchen Großmeister wie Achim zu bestehen, aber vor ihren letzten Buchstaben lag sie noch nicht uneinholbar zurück. Sie hatte mit Begriffen wie ‹Öltankerschornsteinfeger› gepunktet und sich gewundert, wie viel Spaß so ein Spiel bereiten konnte. Fast so wie Backen, Kochen oder gar Detektivspielen.

Sie fragte sich, ob Achim noch mal auf jenen Mann zu sprechen kommen würde, den sie Aramis genannt hatte. Bisher hatte er das noch nicht getan, und es schien, als wollte er das Thema galant unter den Teppich kehren. Aus der Politik wusste Angela, dass man zwar viele Dinge aussitzen konnte, dass es aber auch Angelegenheiten gab – wie den Klimawandel oder die Digitalisierung –, bei denen sich so etwas später rächte. Sie wollte nicht, dass etwas zwischen ihr und Achim stand, das sich irgendwann einmal über ihnen entladen würde. So nahm sie ihren ganzen Mut zusammen und sagte: «Wir sollten über den Elefanten im Raum reden.»

Achim, der genau zu wissen schien, was – oder besser gesagt wen – sie damit meinte, versuchte auszuweichen: «Müsste man sich dafür nicht auch in einem Raum befinden?»

«Man kann das auch auf einer Terrasse tun.»

«Dann wäre es aber ein Elefant auf der Terrasse.»

«Puffel.»

«Ich soll nicht drum herumreden?»

«Darüber würde ich mich freuen.»

Achim atmete tief durch, fasste sich dann ein Herz und fragte: «Hast du gewusst, dass er ein Mörder ist, als du mich auf dem Friedhof geküsst hast?»

«Nein, das habe ich nicht.»

«Das ist gut.»

«Ja», fand auch Angela, die genau wusste, was ihr Ehemann meinte: So hatte sie sich nicht für ihren Puffel entschieden, weil der Bestatter ein übler Kerl war, sondern die Entscheidung für ihn aus vollem Herzen getroffen. «Es tut mir so leid, dass ich dich verletzt habe.»

«Ach, daran bin doch selbst schuld», winkte Achim ab.

«Du?»

«Ich hätte mich mehr für Shakespeare interessieren sollen.»

«Nein, das hättest du nicht.»

«Nicht? Ich dachte, es gäbe Eigenschaften, die du an mir vermisst.»

«Das habe ich auch gedacht.»

«Aber?»

«Du musst dich nicht mit Shakespeare auskennen. Es ist viel wunderbarer, dass du *Pablo Cruise* kennst.»

«*Love will find a way?*», lächelte Achim.

«Ours found a way», bestätigte Angela in ihrem nicht sonderlich guten Englisch und lächelte ebenfalls. «Magst du mir diese *Pablo Cruise* mal vorspielen?»

«Die sind schrecklich.»

«Zu modern?», grinste Angela.

«Von 1978!»

«Sind die *Flying Burrito Brothers* besser?»

«Viel besser!», lachte Achim. In diesem Moment betraten Mike und

Marie, die ihr kleines Baby in einem Wickeltuch trug, die Terrasse. Angela erkannte sofort, dass ihr Personenschützer bedrückt wirkte und ihre Freundin nicht minder. Daher fragte sie: «Was ist los?»

«Ich», räusperte sich Mike, «muss Ihnen etwas sagen.»

«Und was?»

«Ich ... ich muss meinen Dienst bei Ihnen quittieren.»

«Wieso das denn?», staunte Angela.

«Ich habe meine Pflicht verletzt und Sie damit in Gefahr gebracht.»

«Ja, das haben Sie», nickte Angela. «Aber ich nehme doch an, Sie hatten einen guten Grund dafür.»

«Wie man es nimmt», druckste Mike vor sich hin.

«Wie man es nimmt?»

«Nun ... ich ... ich ...» Er traute sich nicht, es zu sagen, deswegen sprang Marie ein: «Wir haben uns geküsst.»

«Das haben wir heute auch getan», strahlte Achim. Mike und Marie wirkten von dieser Info überfordert. Und Angela sagte zu dem Personenschützer: «Dann ist ja alles klar.»

«Sie nehmen meine Kündigung also an?» Mike klang traurig, bemühte sich aber, gefasst zu wirken.

«Ach, papperlapapp!»

«Papperlapapp?»

«Sie hatten keinen guten Grund ...»

«Eben.»

«Sie hatten einen sehr guten Grund! Den besten, den man nur haben kann. Daher bleiben Sie in meinem Dienst», lächelte Angela.

Marie lachte fröhlich auf, und Mike schien sein Glück kaum fassen zu können.

«Und das feiern wir gleich zusammen mit alkoholfreiem Sekt für Marie, echtem für uns und essen dazu meinen patentierten Blumenkohlauflauf.»

Das frischgebackene Paar hörte schlagartig auf zu strahlen.

«Ihr mögt meinen Blumenkohlauflauf nicht?»

«Wir beide», antwortete Marie, «wollten eigentlich bei Sonnenuntergang mit Adrian am Dumpfsee picknicken.»

«Prima, dann sind wir dabei und nehmen den Auflauf mit.»

Das Strahlen kehrte nicht in die Gesichter von Marie und Mike zurück.

«Ihr mögt meinen Auflauf wirklich nicht», stellte Angela fest.

«Puffeline, niemand mag den.»

«Das hast du mir nie gesagt, Puffel.»

«Der war wie ein Elefant auf der Terrasse. Außerdem glaube ich, dass die jungen Menschen gerne allein sein wollen.»

Angela sah zu den beiden, und sie lächelten verlegen.

«Wie wir damals», erklärte Achim, «wenn wir nackt baden waren.»

Angela registrierte, wie Marie und Mike sich Mühe gaben, bei der Vorstellung nicht ihre Gesichtszüge entgleisen zu lassen. Dann sagte sie liebevoll: «Habt viel Freude bei eurem Picknick. Und ich verspreche euch, es gibt nie wieder diesen Auflauf.»

Marie gab ihr ein Küsschen und sagte: «Du bist die Beste.»

Mike bestätigte: «Ja, das sind Sie!»

Die beiden verließen die Terrasse, glücklich und erleichtert, dass Mike seinen Job behalten durfte und sie nie wieder Ausreden erfinden mussten, um Angelas Auflauf zu umgehen.

«Du bist wirklich die Beste», fand Achim.

«Danke, gleichfalls, hätte ich beinahe gesagt. Du bist der Beste!»

«Besonders im *Scrabble*!», grinste Achim.

«Da solltest du den Tag nicht vor dem Abend loben. Ich habe noch ein paar Buchstaben übrig.»

«Du müsstest schon ein Wort mit zwei Umlauten auf dreifachen Wortwert legen.»

«Und genau das tue ich!», lachte Angela und legte: P, Ö, F, F, Ö, L.

«Pöfföl?», fragte Achim.

«Puffel, wenn man vorher ‹Und jetzt mit Ö› sagt.»

Achim lachte: «Du bist verrückt.»

«Und ich habe gewonnen!»

«Ja, das hast du!», lachte Achim noch mehr und fragte: «Jetzt sag bloß, wir singen tatsächlich auch noch *Lü Pülümü blüncü?*»

«Ich würde lieber ein anderes Lied schmettern.»

«Und welches?»

«Eines von den *Beatles*», freute Angela sich schon darauf.

«Und welches von denen?»

«Öll yöö nööd ös löv!»

Achim lachte, und die beiden begannen fröhlich zu singen: *«Löv, löv, löv …»* Und der davon aufgeschreckte Mops Putin jaulte nach der dritten Strophe im Chorus etwas dazu, das entfernt nach *All together now* klang.

DANK

Mein Dank, wie immer, an Michael Töteberg: Agent, Mentor, Freund. An Ulrike Beck, was kann man zu dieser wundervollen Lektorin noch sagen, was ich nicht schon unzählige Male gesagt habe? Das hier: Sie ist ein Glücksfall in meinem Leben. Und an Olf, den wunderbaren Zeichner mit Herz, mögen wir noch oft gemeinsam unterwegs sein.

S. 85/86 Zitat aus: The Banana Boat Song, Harry Belafonte, Text: Erik Darling, Bob Carey, Alan Arkin, DP.

S. 122, 212, 288 Zitate aus: William Shakespeare, Shakespeares Dramatische Werke. Übersetzt von A. W. v. Schlegel und L. Tieck. Herausgegeben und revidiert von Hans Matter, Diogenes Verlag, Zürich 1979.

S. 219 Zitat aus: Daydream Believer, The Monkees, Text: John C. Stewart.

S. 242 Zitat aus: William Shakespeare, Die Sonette. Zweisprachige Ausgabe. Neu übersetzt von Christa Schuenke, dtv, München 1999.

S. 281 Zitat aus: Still Got the Blues, Gary Moore, Text: Gary Moore.

S. 303 Zitat aus: I Will Always Love You, Dolly Parton, Text: Dolly Parton.

S. 342 Zitat aus: Love Will Find a Way, Pablo Cruise, Text: David Michael Jenkins, Cory Charles Lerios.

S. 348 Zitat aus: All You Need Is Love, The Beatles, Text: John Winston Lennon, Paul James McCartney.